Les
100
meilleurs
fonds
2004

Les Éditions Transcontinental inc.
1100, boul. René-Lévesque Ouest
24ᵉ étage
Montréal (Québec) H3B 4X9
Tél. : (514) 392-9000 ou 1 800 361-5479

Pour connaître nos autres titres, tapez **www.livres.transcontinental.ca.** Vous voulez bénéficier de nos tarifs spéciaux s'appliquant aux bibliothèques d'entreprise ou aux achats en gros ? Informez-vous au **1 866 800-2500.**

Distribution au Canada
Les messageries ADP
1261-A, rue Shearer, Montréal (Québec) H3K 3G4
Tél. : (514) 939-0180 ou 1 800 771-3022
adpcommercial@sogides.com

Données de catalogage avant publication (Canada)
Marcoux, Michel
Les 100 meilleurs fonds 2004
Annuel.
[2000]-
(Collection Affaires PLUS)

ISSN 1497-696X
ISBN 2-89472-237-0

1. Fonds communs de placement. 2. Investissements. 3. Analyse financière. 4. Fonds communs de placement – Canada. 5. Investissements – Canada. I. Titre. II. Collection.

HG4530.M35   332.63'27   C2001-300335-6

Révision : Diane Grégoire, Lise Baillargeon
Correction : Marie-Suzanne Menier
Photo de Michel Marcoux : Véro Boncompagni
Photo d'Alexandre Lebrun : Yves Provencher
Conception graphique de la couverture et mise en pages : Studio Andrée Robillard

La forme masculine non marquée désigne les femmes et les hommes.

Imprimé au Canada
© Les Éditions Transcontinental, 2004
Dépôt légal – 1ᵉʳ trimestre 2004
Bibliothèque nationale du Québec
Bibliothèque nationale du Canada

ISBN 2-89472-237-0

Nous reconnaissons, pour nos activités d'édition, l'aide financière du gouvernement du Canada, par l'entremise du Programme d'aide au développement de l'industrie de l'édition (PADIÉ), ainsi que celle du gouvernement du Québec (SODEC), par l'entremise du programme Aide à la promotion.

Michel Marcoux
avec Alexandre Lebrun

Les **100** meilleurs fonds 2004

- Les sujets chauds en période d'après-tempête
- 5 portefeuilles pour 5 profils d'investisseur
- 100 fonds affichant le meilleur rapport risque-rendement

Les Éditions
Transcontinental

Préface

Cette septième édition du guide annuel sur les fonds communs de placement continue de remplir sa mission : choisir et présenter les 100 meilleurs fonds offerts au Québec.

Là où cette édition se distingue des éditions antérieures, c'est dans la présentation des concepts ou des grands principes d'investissement. Dans le passé, nous avons insisté, avec raison je crois, sur l'importance de bien comprendre les rouages de l'investissement. Du côté francophone, nous avions un certain rattrapage à faire. Il était important d'élaborer un ouvrage didactique : notre guide annuel a contribué à démocratiser l'investissement en présentant les notions de base.

Cette année, nous avons mis l'accent sur la constitution de portefeuilles adaptés aux différents types d'investisseurs que nous côtoyons dans notre pratique quotidienne. Les très prudents comme les très audacieux y trouveront leur compte. Tous les portefeuilles font l'objet d'une description minutieuse : les titres qui les composent sont analysés en détail. Nous avons même présenté des façons d'évaluer le rendement d'un portefeuille. Notre approche est tout à fait pratique.

Quant aux principes d'investissement, il reste quand même important de les revoir régulièrement pour vous assurer de garder le cap et d'atteindre les objectifs que vous vous êtes fixés. Nous vous invitons à fréquenter des sommités :

Benjamin Graham et Warren Buffett. Ils sont des phares qui nous rappellent la direction à suivre.

S'il est une leçon que nous devons tirer de la folie boursière de la fin des années 90, c'est l'importance de se donner des principes fondamentaux qui ont passé l'épreuve du temps. Et seule la patience saura bien récompenser l'investisseur.

Il faut se rappeler qu'il n'existe pas qu'une seule vérité dans le monde de l'investissement. Cependant, l'expérience acquise dans notre quotidien nous enseigne la nécessité de maintenir le cap en tout temps en faisant quelques simples et très petits ajustements occasionnels.

En vous présentant notre guide, nous vous souhaitons une lecture enrichissante et nous vous réitérons l'invitation de nous faire parvenir vos précieux commentaires.

Je profite de l'occasion pour remercier mon partenaire dans cette aventure, Alexandre Lebrun, directeur de recherche chez Avantages Services Financiers inc. Sa contribution est majeure.

Merci à Claude Daoust, mon premier lecteur et critique : il me permet de mettre mes idées par écrit et de mieux les structurer.

Merci à Jocelyne Sarno et à Bruno Ballarano pour leurs commentaires pertinents.

Merci aux nombreux intervenants et collaborateurs de l'industrie des fonds communs de placement avec qui je travaille au sein des conseils d'administration de l'Association des courtiers multidisciplinaires, au Conseil des fonds d'investissement du Québec. Tous, comme moi, sont passionnés de notre industrie.

Aux jeunes à qui seront remises toutes les sommes générées par la vente de ce livre, bonne chance !

Michel Marcoux
Michel.Marcoux@avantages.com

Table des matières

■ LISTE DES FIGURES

CHAPITRE 4

CHAPITRE 6

Chapitre 1

L'après-tempête

Depuis la publication du guide *Les 100 meilleurs fonds 2003*, le marché a ouvert des perspectives intéressantes, que plusieurs investisseurs ne croyaient pourtant plus possibles. En effet, la baisse dramatique, mais «normale», qu'a connue le marché boursier au début de l'année 2000 jusqu'au creux historique d'octobre 2002 a fait mal. Pour les investisseurs, la progression des marchés en 2003 a été d'un grand soulagement après la «descente aux enfers» qu'ils ont connue. Les différents indices boursiers ont connu des hausses moyennes de plus de 20 %. S'agit-il de rendements modestes? Au contraire, ce sont des rendements fort intéressants pour l'investisseur qui a su garder le cap dans la gestion de son portefeuille.

On dit souvent de l'investisseur qu'il est son pire ennemi. Mais nous devons reconnaître que les différents quotidiens et magazines spécialisés ne l'aident pas tellement à garder la tête froide et à faire face aux fluctuations boursières, aux mauvaises nouvelles économiques ou aux crises politiques.

COMMENT LES FONDS DE L'ÉDITION 2003 ONT-ILS ÉVOLUÉ?

Dans *Les 100 meilleurs fonds 2003*, nous avions relevé huit fonds qui avaient fait partie de nos recommandations dans les années antérieures et qui avaient bien traversé la tempête de l'année 2000 et la descente jusqu'en octobre 2002. Considérant les 12 derniers mois, au moment où ces lignes sont écrites, presque tous les fonds que nous avions sélectionnés ont réussi à faire mieux que la médiane de leur secteur respectif. Sur trois ans, nos huit fonds phare ont conservé une moyenne de quartile de 1,75. Quant à leur rendement moyen annualisé sur un an, il est de 13,5 %.

FIGURE 1.1 : RENDEMENT ANNUALISÉ (%) ET QUARTILE

Fonds	1 an	Quartile	2 ans	Quartile	3 ans	Quartile	5 ans	Quartile	10 ans	Quartile	15 ans
Billets BDC contrats à terme gérés N-2	0,6	3	4,4	2	8,9	2					
Clarington canadien revenu	10,2	2	1	4	1	2	5,8	1			
Mackenzie Cundill valeur	22,6	1	6	1	7	2	14,6	1			
Maestral croissance Québec	16,1	4	11,4	1	0,7	1	9,8	1	11,2	1	13,4
Renaissance valeur mondial	20,3	1	-6,9	3	-11,8	2	3,6	1	6,3	2	
Talvest actions canadiennes à faible capitalisation	22,4	3	14,2	3	5,8	3	9,9	3			
Fonds Trimark	5,2	3	4,7	1	2,6	1					
Trimark croissance du revenu	10,5	2	7,9	1	8,4	1					

Source : PALTrak, au 31 octobre 2003.

REMETTRE EN QUESTION SON PORTEFEUILLE

Dans notre édition précédente, nous avions souligné l'importance de garder le cap et de bien suivre son Plan d'investissement personnel (PIP), malgré l'état du marché et malgré toute la gamme d'émotions que peut vivre l'investisseur. Nous croyons que les quatre règles infaillibles pour construire un portefeuille gagnant dont nous vous avions fait part l'an passé sont tout aussi valables pour l'investisseur lorsque le marché montre des signes encourageants. Rappelons-les ici brièvement :

• Règle n° 1 : Diversifiez à l'aide des différents styles de gestion.

• Règle n° 2 : Vous êtes un investisseur craintif ? Vous désirez une sécurité accrue ? Misez sur les fonds de dividendes.

- Règle n° 3 : Considérez les compromis : les fonds équilibrés et les fonds de répartition d'actifs.

- Règle n° 4 : Réservez une petite partie de votre portefeuille aux petites capitalisations.

Notre première règle, « Diversifiez à l'aide des différents styles de gestion », est d'une importance capitale. À ce propos, Warren Buffett disait : « Un investisseur ne peut pas obtenir de profits substantiels en Bourse s'il se restreint à une catégorie ou à un style. Il ne peut gagner qu'en évaluant les faits avec grand soin et qu'en ayant une discipline de fer. » C'est finalement le bon vieux principe de la diversification. La majorité des investisseurs sont bien conscients de ce principe de base en matière d'investissement et de sa répercussion sur les résultats de leur portefeuille. L'objectif est qu'un portefeuille puisse bien « réagir », peu importe le marché et peu importe où l'on se situe dans un cycle économique. Cet objectif suppose la gestion de son émotivité.

Nous croyons que, lors de la composition d'un portefeuille, la diversification des styles est aussi importante que la diversification géographique et la combinaison des classes d'actif. L'un des grands principes économiques suppose qu'un cycle économique dure en moyenne de sept à neuf ans. Cependant, une moyenne est une façon d'exprimer le fait que le cycle pourrait aussi s'étaler sur 4 ans ou encore sur 12 ans. Cette méconnaissance de l'avenir oblige l'investisseur à diminuer le plus possible les risques quand il s'agit de choisir différents styles. La grande erreur des investisseurs est souvent de tenter de « prédire » l'avenir. C'est une action inutile et trop souvent néfaste. De nombreux investisseurs se sont brûlé les doigts à vouloir jouer les Jojo Savard.

Évidemment, à la fin des années 90, le style croissance a donné à l'investisseur un rendement très intéressant. Par contre, de 2000 à 2002, le style valeur a été dominant. Et, depuis le début de 2003, le style croissance semble retrouver une partie de ce qu'il avait perdu. Les cycles sont finalement peut-être prévisibles ; c'est leur durée qui ne l'est pas.

La deuxième recommandation concerne l'acquisition des **fonds de dividendes.** Pendant les années 90, cette catégorie de fonds a souvent été considérée comme la « risée » en matière de placement. Évidemment, les années 2000 à 2002 ont démontré que, malgré sa piètre performance durant une décennie par rapport aux indices boursiers, cette catégorie d'actif ne doit jamais être négligée. Au contraire, c'est une catégorie qui, à long terme, se révèle très performante. De plus, son facteur de volatilité (risque) est l'un des plus faibles parmi toutes les catégories d'actif. Sur 15 ans, cette catégorie a procuré un rendement de plus de 9 % à l'investisseur, et ce, pour un facteur de risque très faible. Que demander de plus ? C'est une catégorie de fonds trop souvent négligée, surtout en période de croissance, alors que les investisseurs « courent » littéralement, sans trop se poser de questions, après les rendements… passés ! Mais c'est ce type de catégorie qui doit d'abord et avant tout composer ce que nous appelons le « noyau du portefeuille ». Cette partie de portefeuille, dite valeur, permet à l'investisseur de profiter des occasions boursières tout en restreignant son exposition aux risques.

Nous avions aussi fait la promotion des **fonds équilibrés** et des **fonds de répartition d'actifs.** Ces catégories, différentes mais aussi fort semblables, constituent les meilleurs compromis pour l'investisseur, ainsi qu'une solution simple et efficace pour bien profiter des différentes classes d'actif offertes sur le marché. En règle générale, les gestionnaires conserveront une pondération de 40 % à 60 % soit d'actions, soit d'obligations. C'est souvent le genre de recette qu'utilise le gestionnaire pour conserver son « équilibre » entre ces deux classes d'actif. Notons que malgré la composante action-obligation de ce type de produit, certains fonds sont beaucoup plus volatils que d'autres. Chaque gestionnaire possède son style bien particulier, et le rendement et l'écart type de ces fonds sont aussi disparates qu'il y a de fonds dans cette catégorie. Mais, en principe, l'investisseur qui achète ce type de fonds s'attend à une volatilité moyenne. C'est ici qu'un bon conseiller fera toute la différence.

Ce type de fonds, constitué d'actions et d'obligations, possède souvent aussi une certaine portion de titres internationaux. Un investisseur pourrait donc n'acheter qu'un seul fonds, et son portefeuille aurait les mêmes caractéristiques que les meilleurs portefeuilles sans les tracasseries administratives qui peuvent en découler. Il est possible de retirer les bienfaits d'une diversification effectuée avec professionnalisme, même avec un capital minime.

La dernière règle que nous avions émise dans le guide 2003 concerne l'importance de réserver une partie de son portefeuille pour les **petites capitalisations,** les capitalisations boursières inférieures à un milliard. Selon les données de PALTrak, il y aurait un peu moins de 70 fonds de cette catégorie offerts à l'investisseur canadien. Ce nombre a beaucoup diminué depuis septembre dernier à la suite d'un changement de critères sur lesquels se base la firme Morningstar. Évidemment, le risque associé à ce type de fonds est souvent plus élevé que celui correspondant à la moyenne des titres boursiers, mais il possède l'avantage de son principal défaut : les rendements à long terme sont généralement supérieurs à ceux des autres catégories d'actif. Cette catégorie démontre souvent son plein potentiel au début d'un cycle de croissance. La moyenne des fonds de petites capitalisations croissance a d'ailleurs obtenu un rendement de près de 28 % sur 12 mois en date du 31 octobre 2003.

DOIT-ON TOUT SIMPLEMENT VENDRE LES FONDS QUI ONT ÉTÉ SOUS-PERFORMANTS ?

Compte tenu de notre position actuelle dans le cycle économique, il est très important pour l'investisseur de résister à l'envie de « liquider » certains fonds dont il est insatisfait. Avant de procéder, il doit remettre en perspective certaines notions et justifier les motifs de délaisser cet investissement. Un fonds pourra avoir été sous-performant parce que sa catégorie n'a pas connu une bonne période dans le dernier cycle. Est-ce que le fonds est performant par rapport aux fonds de sa catégorie ? Est-ce un fonds acquis pour la croissance ou la valeur ?

À titre d'exemple, considérons les fonds internationaux qui, dans l'ensemble, ont connu de piètres rendements depuis quelques années. Ce n'est pas seulement un fonds, mais tout ce secteur qui a été sous-performant. La moyenne des rendements de cette catégorie a été d'environ 0 % sur 5 ans. Votre fonds pourrait être de premier quartile avec un rendement annualisé de 2 % sur 5 ans. Plusieurs explications sont possibles, mais disons que la bonne tenue du dollar canadien n'a pas aidé la cause de cette catégorie. Vendre serait donc une très mauvaise décision.

LES CLASSES D'ACTIF À PRIVILÉGIER : LES FONDS DE COUVERTURE

Les 24 derniers mois ont permis à l'investisseur de mieux connaître une nouvelle gamme de fonds, les fonds de couverture (*hedge funds*), dont nous avions parlé brièvement dans la dernière édition de notre guide. Cette catégorie de fonds qu'on appelle communément « fonds alternatifs » est un produit de plus en plus intéressant. Actuellement, le marché du Québec est surtout desservi par les firmes Tricycle et BluMont Capital (cette dernière s'appelait auparavant iPerform). Cette catégorie de fonds – reconnue légalement comme un produit offert compte tenu qu'elle a une garantie de capital à échéance – comporte plusieurs avantages pour l'investisseur. C'est un produit non corrélé avec les différents indices boursiers, ce qui constitue un avantage indéniable. Aussi, on reproche souvent à ce type de produit des frais de gestion trop élevés. Les frais sont peut-être élevés, mais nous devons toujours analyser un produit financier ou un service en regard du résultat attendu et obtenu.

Au Québec, ce type de fonds n'a pratiquement pas d'historique, mais la première émission de série N-2, de Tricycle, lancée en août 2000, a permis de donner à l'investisseur un rendement annualisé net de 8,9 % sur 3 ans, et ce, malgré des frais de gestion très élevés. Il est bon de se rappeler que pendant cette même période l'indice composé S&P/TSX a présenté un rendement annualisé de -5,3 %, un écart énorme ! Les produits de la firme BluMont Capital ont été tout aussi impressionnants. Un de ses produits émis en juillet 2000, Man Multistrategie Garantie Limitée, a connu un taux de rendement annuel composé (TRAC ; aussi appelé rendement annualisé) de 13,2 %, alors que celui lancé en décembre 1996 a un TRAC de 19 %. Mais nous ne croyons pas qu'il faille investir uniquement dans ces produits parce que leur performance dépasse celle des indices boursiers habituels. En effet, c'est surtout pour des objectifs de diversification et de corrélation négative avec les actions et les produits obligataires que ces produits doivent faire partie de votre portefeuille.

LE CONTEXTE ÉCONOMIQUE ET FINANCIER

Après ses très bonnes performances des années 2001 et 2002, voilà que l'économie canadienne voit sa croissance ralentir en 2003. Plusieurs facteurs négatifs sont venus modifier le contexte : l'épidémie de SRAS, la peur d'une nouvelle vague de maladie de la vache folle, le ralentissement de la demande mondiale, l'augmentation de la valeur de notre devise par rapport au billet vert, etc. Étant donné l'importance des exportations pour le Canada, tous ces facteurs ont agi très négativement sur l'économie.

La machine économique américaine a, quant à elle, affiché en 2003 une reprise digne de ce nom. Souvenons-nous qu'après la récession qui avait commencé au cours des trois premiers trimestres de 2001, la reprise américaine avait été plutôt timide.

Il faut souligner que le contexte est propice à la croissance. Les taux d'intérêt se situent à des niveaux historiquement bas, le gouvernement a mis en place d'importantes mesures fiscales incitatives, et le refinancement des prêts hypothécaires bat son plein. La croissance devrait tout de même se stabiliser, en raison de la baisse progressive de l'impact du refinancement des prêts hypothécaires et des mesures fiscales. Du côté des taux d'intérêt, rien ne semble indiquer pour le moment que la Réserve fédérale pourrait les augmenter, étant donné le niveau peu élevé de l'inflation.

LE DOLLAR AMÉRICAIN : DÉSAVANTAGEUX POUR LES FONDS AMÉRICAINS

La dépréciation du billet vert n'aide pas à la bonne tenue des fonds américains, puisque les titres doivent être convertis chaque jour en devises canadiennes. Malgré la bonne performance de la Bourse américaine en 2003, plusieurs fonds d'actions américaines affichent des rendements négatifs pour cette période.

En ce qui concerne le futur du billet vert, l'incertitude règne. C'est le marché qui en décidera, et non pas les banques centrales comme certains semblent le croire. À ce sujet, le gouverneur de la Banque du Canada a affirmé, lors d'une allocution prononcée au mois de mai : « Comme dans le cas d'autres actifs, la Banque ne dispose pas d'une cible pour le cours de la monnaie nationale. Celui-ci est déterminé par les marchés, et le taux de change flexible est un élément important de notre politique monétaire... » Pour les banques centrales, l'effet du taux de change sur le taux cible d'inflation est important.

Quant à l'impact économique négatif de la hausse du billet vert, nous le voyons davantage du côté du continent européen : les exportations vers les États-Unis vont ralentir. Le risque de voir les pays européens vivre des difficultés économiques s'accentue, d'autant plus que la croissance du vieux continent est actuellement très faible.

La baisse du dollar américain provoquera un rééquilibrage nécessaire de l'économie mondiale. Les États-Unis ne peuvent pas éternellement générer des déficits commerciaux de l'ampleur de ceux des dernières années. Le déficit commercial des États-Unis pour 2002 a été de 435 milliards de dollars. Il sera cependant intéressant de voir les répercussions de la baisse du dollar américain sur le déficit commercial de la superpuissance.

LA DÉFLATION : UN SUJET CHAUD

La déflation, un concept encore méconnu dans les années 90, est maintenant le sujet de discussion de l'heure. Ce phénomène de diminution du prix des biens et services concerne avant tout les États-Unis. Au Canada, on est loin de connaître un tel mouvement des prix. En effet, la Banque centrale y est même allée de cinq hausses de taux d'intérêt en 2002 et 2003 afin de ralentir la hausse de l'inflation.

La déflation fait peur parce qu'elle peut engendrer une diminution du profit des entreprises et avoir éventuellement des répercussions négatives sur la Bourse. Pour contrer la diminution du prix de vente des produits, les entreprises n'auront d'autre choix que de couper dans leurs dépenses.

Par ailleurs, un mouvement déflationniste pourrait inciter les consommateurs à remettre à plus tard certaines dépenses et ainsi retarder davantage la reprise économique. Un tel scénario finirait bien sûr par affecter l'économie canadienne.

En ce qui concerne les chances de voir réellement une baisse des prix, Alan Greenspan, président de la Réserve fédérale américaine, affirme qu'elles sont plutôt minimes. En fait, le risque de déflation s'accentuera si l'économie américaine devait progresser à un niveau faible. Pour faire face à la déflation, les banques centrales réduisent leur taux d'escompte. Le Japon a utilisé cette tactique, et ses taux d'intérêt se situent à zéro.

La dernière fois qu'on a connu une déflation aux États-Unis ? De 1929 à 1933. Un véritable marasme économique. Les prix avaient alors baissé de 24 %, des milliers d'entreprises avaient fait faillite, et environ 40 % des banques avaient subi le même sort.

LE SECTEUR DES FIDUCIES DE REVENU RÉSISTE À LA MONTÉE DE LA BOURSE

Ce secteur n'a pas affiché de faiblesses marquées au cours de la montée du marché boursier. L'indice plafonné des fiducies de revenu S&P/TSX a grimpé au cours de l'année 2003. Quant aux fonds de fiducies de revenu, ils ont pleinement profité de l'expansion de ce secteur.

Les hausses anticipées des taux d'intérêt devraient cependant avoir un impact sur certaines catégories de fiducies de revenu, comme celles basées sur l'immobilier. Des hausses de taux devraient augmenter l'attrait de certains titres à revenu fixe, et ce, au détriment du secteur des fiducies de revenu.

Ce qui est impressionnant – et à la fois inquiétant – au sujet des fiducies de revenu, c'est le grand nombre de premiers appels publics à l'épargne (ou PAPE ; et *Initial Public Offering,* ou IPO, en anglais) provenant de ce secteur. Selon la firme PriceWaterhouse Coopers, 22 PAPE d'une valeur de 1,1 milliard de dollars ont été lancés au cours des 6 premiers mois de l'année 2003. Les PAPE de fiducies de revenu ont formé 45 % de l'ensemble des PAPE et 80 % de leur valeur totale. Il s'agit cependant d'une baisse en comparaison des 6 premiers mois de 2002, où l'on avait plutôt assisté au lancement de 30 PAPE d'une valeur de 2,3 milliards. Notons que, pour 2002, les PAPE de fiducies de revenu avaient constitué 41 % de la valeur totale des émissions.

La capitalisation totale des fiducies de revenu au Canada atteint maintenant près de 50 milliards, soit près du double de l'année 2000.

EST-CE LA FIN DU MARCHÉ À LA HAUSSE POUR LES OBLIGATIONS ?

Aux États-Unis, l'augmentation des taux d'intérêt pour les long et moyen termes a été fulgurante au cours de 2003.

Plusieurs facteurs peuvent être avancés pour expliquer le recul du secteur obligataire au Canada et aux États-Unis. Aux États-Unis, les projections d'importants déficits budgétaires pour le gouvernement fédéral ont poussé à la hausse les taux d'intérêt de long terme. Ainsi, les investisseurs prévoient que le gouvernement fédéral n'aura pas d'autre choix que d'inonder le marché de nouvelles obligations afin de rembourser sa dette grandissante. L'amélioration des conditions économiques de 2003 n'est pas étrangère non plus à la baisse du secteur obligataire.

Mais avant de déclarer la mort des obligations, il est important de rappeler que les fonds de titres à revenu fixe ont toujours leur place dans un portefeuille, indépendamment des conditions du marché. Aux États-Unis, la Réserve fédérale se dit même prête à maintenir ses taux à un bas niveau, et ce, jusqu'à ce que l'environnement économique s'améliore.

Dans l'environnement actuel, les fonds d'obligations à court terme constituent toujours une solution de rechange pouvant vous apporter davantage de sécurité.

UNE PETITE PRÉVISION POUR LES ANNÉES À VENIR

À quoi doit-on s'attendre concernant les rendements du marché boursier ? À la fin de 1999, au cours d'une entrevue accordée au magazine *Fortune,* Warren Buffett prédisait que le marché obtiendrait un rendement se situant aux alentours de 6 % pour les 17 prochaines années. Si nous refaisons le calcul aujourd'hui, les prédictions du gourou indiquent que les rendements pourraient s'élever à plus de 7,5 %. Nous demeurons donc optimistes pour l'avenir.

Chapitre 2

Bâtir
le portefeuille
optimal

P lusieurs investisseurs croient qu'il est nécessairement difficile de construire un portefeuille de placement. Ce raisonnement est faux : bâtir un bon portefeuille doit se révéler un exercice facile.

Mieux encore, savez-vous que le degré de compréhension que vous avez de votre portefeuille est un élément fondamental qui déterminera votre taux de réussite ? Peter Lynch, qui a été l'un des meilleurs gestionnaires du monde lorsqu'il exerçait ce métier, met beaucoup l'accent sur cet aspect du succès financier. Il soutient qu'en tant qu'investisseur vous devriez être capable d'expliquer à un enfant de 11 ans, en deux minutes ou moins, pourquoi vous détenez les fonds qui composent votre portefeuille. Êtes-vous capable actuellement d'en faire autant ?

Une autre croyance largement répandue – et qu'il faut éliminer – est celle qui veut que le portefeuille optimal soit celui qui génère le plus haut taux de rendement. Selon nous, le portefeuille optimal n'est pas celui qui donne une performance à couper le souffle, mais plutôt celui qui vous permet de dormir sur vos deux oreilles. Dans notre pratique, nous rencontrons trop souvent des personnes qui ont miné leur santé parce qu'elles ont effectué des placements risqués. Il est clair que la santé mentale et physique des investisseurs doit toujours primer lorsqu'on touche au domaine de l'investissement personnel.

Dans ce chapitre, nous aborderons différents concepts de base qui s'avéreront essentiels afin que vous puissiez créer votre propre portefeuille optimal. Soulignons toutefois que l'apport d'un bon conseiller financier reste un atout essentiel pour la grande majorité des investisseurs.

LA RÉPARTITION DE L'ACTIF

« Il ne faut pas mettre tous ses œufs dans le même panier » est une vieille expression qui a pris tout son sens au cours du recul des marchés des années 2001 et 2002. Malheureusement, beaucoup d'investisseurs avaient une confiance démesurée dans le marché des actions lorsque celui-ci a atteint son sommet. Les investisseurs qui ont fait appel à d'autres classes d'actif, comme les fonds d'obligations et les fonds de couverture, ont pu s'en tirer à bon compte pendant cette période tumultueuse.

Il est important de souligner que la répartition de l'actif entre les différentes catégories de fonds constitue le seul moyen infaillible de protéger votre portefeuille contre un risque excessif du type de celui que nous avons connu et de le faire croître dans les marchés mouvementés et complexes que nous connaissons aujourd'hui. À ce propos, une étude réalisée aux États-Unis par John Y. Campbell, Martin Lettau, Burton G. Malkiel et Yexiao Xu[1] montre qu'il y a eu une augmentation significative du degré de volatilité associée aux titres individuels pour la période de 1962 à 1996. Leur étude conclut qu'il est plus que jamais important de posséder une bonne répartition de l'actif.

LES 4 GRANDES CATÉGORIES D'ACTIF FINANCIER

1. *Les liquidités (fonds du marché monétaire).* Ces produits offrent un maximum de sécurité à leur détenteur tout en permettant un accès rapide au montant investi. Les fonds du marché monétaire sont idéaux pour les investisseurs ne voulant pas laisser place à des rendements négatifs. À long terme, bien qu'offrant assurément des rendements positifs, il s'agit de la catégorie de fonds possédant la moins bonne perspective d'accroissement du capital.

2. *Les titres à revenu fixe (fonds d'obligations).* Ces outils de placement procurent une certaine stabilité et constituent un bon complément aux actions. La partie obligataire d'un portefeuille doit nécessairement s'accroître lorsque l'âge de la retraite approche. On peut accéder à cette classe d'actif directement dans le cadre d'un fonds d'obligations ou d'un fonds équilibré. Ces produits sont souvent considérés comme dépassés dans les périodes de boom financier, mais reviennent toujours en force lorsque les choses tournent mal à la Bourse.

3. *Les actions canadiennes ou internationales (fonds d'actions canadiennes ou étrangères).* Ce genre de placement offre la possibilité de fournir des rendements appréciables à long terme tout en étant teinté d'incertitudes concernant les rendements à court terme. La gamme de produits offerts est très vaste et peut répondre aux besoins particuliers de la plupart des investisseurs. Les rendements à long terme prouvent la supériorité des actions, mais l'investisseur judicieux sait qu'il ne faut pas s'en remettre totalement à cette classe d'actif.

4. *Les fonds de couverture.* Souvent méconnus et sous-pondérés dans les portefeuilles, ces produits possèdent le grand avantage d'avoir de faibles corrélations, des corrélations nulles ou même négatives avec le marché des actions et des obligations. Les gestionnaires des fonds de couverture possèdent une plus grande latitude, ce qui leur permet de profiter à la fois des marchés haussiers et baissiers. Le risque, bien que variant d'un fonds de couverture à un autre, peut s'avérer inférieur au marché des actions.

Toute décision prise en ce qui concerne la sélection d'un fonds doit être précédée d'une décision touchant la répartition de l'actif. La répartition de l'actif est l'élément le plus fondamental de toute décision d'investissement. Dites-vous bien que la façon dont vous répartissez votre actif déterminera le rendement à long terme de votre programme d'épargne-retraite. Jusqu'à quel point ? Une étude menée par Brinson[2] portant sur 91 caisses de retraite a montré qu'en moyenne plus de 90 % de la performance d'un portefeuille était attribuable à la répartition de l'actif et que seulement 7 % provenait de la sélection spécifique de titres.

Pourtant, paradoxalement, de nombreux investisseurs qui songent à la retraite abordent l'investissement comme si le choix de l'outil était beaucoup plus important que la répartition de l'actif. Ils consacrent la majeure partie de leurs énergies à essayer de dénicher le fonds qui a généré le meilleur rendement. Pendant ce temps, les meilleurs gestionnaires de fonds au monde avouent que leurs résultats ont été en grande partie le fruit d'une répartition judicieuse de l'actif.

Les investisseurs à long terme devraient favoriser les fonds d'actions

De nombreuses études ont démontré les rendements supérieurs à long terme du secteur des actions. Un exemple : des données fournies par Roger G. Ibbotson, un professeur de l'université Yale, démontrent que les actions se sont appréciées à un rythme annuel nominal de 10,7 % pour la période allant de 1926 à 2001. En comparaison, un investissement dans le secteur des obligations gouvernementales américaines et des bons du Trésor américains aurait obtenu des rendements respectifs de 5,3 % et 3,8 %.

Ainsi, 1 $ investi dans le secteur des actions en 1926 vaudrait actuellement 2 279 $ comparativement à 51 $ pour les obligations gouvernementales et à 17 $ pour les bons du Trésor. La logique derrière ces chiffres est simple : en acceptant de prendre plus de risques, vous obtiendrez une récompense plus grande. Bien sûr, certaines périodes au cours des 75 dernières années ont été tumultueuses : de 1929 à 1932, le marché américain a subi un déclin de 83 %. Aussi, même si les données à long terme favorisent le secteur des actions, il est important d'inclure des éléments de diversification à votre portefeuille. À moins que vous ayez un horizon de placement de 75 ans…

Le Fonds de dotation de l'université Yale : un exemple de répartition judicieuse de l'actif

Les rendements du Fonds de dotation de l'université Yale ont de quoi impressionner. Au cours des 10 dernières années, le fonds a eu un rendement de 16,9 %. Le secret d'un tel succès ? Selon les propos de David Swensen, gestionnaire principal du fonds, les bons résultats viennent principalement de la répartition judicieuse de l'actif. Selon lui, aucun autre élément n'a joué un plus grand rôle dans la performance du fonds.

FIGURE 2.1 : RENDEMENT DU FONDS DE DOTATION DE L'UNIVERSITÉ YALE	
2002	0,70 %
2001	9,20 %
2000	41 %
1999	12 %
1998	18 %

En 2002, la répartition de l'actif se faisait entre les 6 catégories suivantes : 25 % en produits alternatifs, 15 % en actions américaines, 12,5 % en actions étrangères, 10 % en obligations, 17,5 % en actions privées et 20 % en actifs réels (immobilier, pétrole et gaz). Mais attention, ne vous fiez pas à cette répartition pour bâtir votre propre portefeuille, celle-ci convenant aux besoins spécifiques du fonds… L'objectif ici est de démontrer l'ampleur que peut prendre la diversité de l'un des meilleurs fonds du monde.

Ce qui peut sembler surprenant dans le fonds de Yale, c'est la place importante qu'occupent les produits alternatifs. Il y a maintenant plus de 13 ans que le Fonds de dotation de l'université Yale met les produits alternatifs à contribution. Selon M. Swensen, l'avantage de cette classe d'actif vient du fait que les rendements générés sont non corrélés avec les classes d'actif traditionnelles et qu'ils devraient se rapprocher, pour un horizon de placement raisonnable, de ceux que l'on retrouve du côté des actions. M. Swensen souligne que « le rendement du portefeuille des produits alternatifs a été de 12,2 % par année, et la corrélation avec les actions domestiques a été approximativement nulle pour les 13 années où nous avons investi dans cette classe d'actif. L'écart type des rendements a été de 6,5 %, ce qui est vraiment frappant lorsque l'on sait que l'écart type des actions domestiques au cours des 75 dernières années se rapproche de 20 %». Nous aborderons plus en détail les fonds de couverture dans le chapitre 5, qui traite du portefeuille modéré.

L'IMPORTANCE DE LA CORRÉLATION

Un mythe persistant chez les investisseurs ? L'ajout d'un fonds dans un portefeuille apporte nécessairement un élément de diversité supplémentaire. En fait, une simple analyse de la corrélation entre les différents fonds nous permet de constater à quel point ce mythe est sans fondement. Beaucoup de fonds de placement évoluent de façon similaire, et l'acquisition parallèle de bon nombre d'entre eux est souvent inutile... pour ne pas dire nuisible.

Mais qu'est-ce que la corrélation et quelle est son utilité ? Il s'agit d'une mesure statistique permettant de constater à quel point le rendement de deux fonds est relié. La valeur que peut prendre une corrélation se situe toujours entre -1 et 1. Une corrélation positive signifie que le rendement de deux fonds évolue similairement, et ce, autant lorsqu'il y a mouvement à la hausse que mouvement à la baisse. Plus cette corrélation positive se rapproche de 1, plus l'évolution du rendement entre deux fonds tend à être identique. Au contraire, une corrélation négative signifie que les rendements tendent à aller en direction opposée. Enfin, une corrélation nulle indique que les rendements évoluent sans distinction.

Pour la construction d'un portefeuille bien équilibré, l'analyse de la corrélation est un travail que nous estimons important. D'autant plus que la dernière chute boursière a fait réaliser à plusieurs la nécessité de détenir des fonds dont les rendements ne se comportent pas de la même façon.

Ainsi, certains fonds appartenant à la classe des produits alternatifs ont vu leur popularité monter en flèche tout au long de la baisse du marché. La raison ? Leur corrélation au marché boursier canadien est souvent nulle. Exemple : la gestion de contrats à terme. En effet, que le marché boursier progresse de 20 % ou recule de 20 % et que le marché obligataire fasse du surplace, un produit basé sur la gestion de contrats à terme n'en ressent presque pas les effets.

Corrélation élevée : . . . . de 0,70 à 1,00

Corrélation modérée : . . . . de 0,11 à 0,69

Corrélation nulle : . . . . de 0,10 à -0,10

Corrélation modérée négative : . . . . de -0,11 à -0,69

Corrélation élevée négative : . . . . de -0,70 à -1,00

Ce qu'il faut éviter dans l'élaboration d'un portefeuille, c'est l'ajout de fonds possédant des corrélations élevées avec des fonds déjà détenus. Étant donné la taille restreinte du marché canadien, plusieurs fonds de même catégorie possèdent des corrélations supérieures à 0,75, ce qui est considéré comme élevé.

Prenons simplement les 10 plus gros fonds d'actions canadiennes, en excluant les fonds de dividendes : le degré de corrélation moyen entre eux est d'environ 0,80. Pour certains de ces fonds, la corrélation est extrêmement élevée. C'est le cas par exemple du fonds AGF titres canadiens et du fonds Fidelity Frontière Nord, qui possèdent une corrélation de 0,96. Détenir ces deux fonds à l'intérieur d'un portefeuille est donc à proscrire parce que l'un des deux traînant de la patte, l'autre – et la probabilité est forte – en fera autant, affectant ainsi doublement l'investisseur. Des constatations du même ordre ressortent souvent du côté d'autres catégories d'actif, tels les fonds d'obligations canadiennes.

Attention, la corrélation ne constitue cependant pas une mesure parfaite, puisqu'elle est appelée à évoluer constamment. Par exemple, la corrélation, pour la période des trois dernières années, entre les fonds d'obligations canadiennes et l'indice composé S&P/TSX, a été négative au début des années 2000 alors qu'elle était faible au cours des années 90. L'autre hic, c'est que les données concernant les corrélations ne sont pas facilement accessibles.

De plus, la corrélation ne nous dit rien à propos de la capacité d'un gestionnaire à générer des rendements. On retrouve des fonds possédant une corrélation élevée, mais dont les rendements ont été complètement différents.

La corrélation nous permet d'en savoir un peu plus sur la pertinence de détenir ou non un produit financier. En formant un portefeuille à partir de fonds aux caractéristiques différentes, l'investisseur élimine les répétitions inutiles et évite ainsi de débourser pour les services de plusieurs gestionnaires lorsque les services d'un seul seraient suffisants.

Trop souvent, nous sommes confrontés à des portefeuilles d'investisseurs contenant un nombre démesurément élevé de fonds. Une simple analyse des tableaux de corrélation permet souvent d'effectuer le ménage dans ces portefeuilles.

LE NOMBRE IDÉAL DE FONDS

Il n'existe pas de formule mathématique pouvant vous donner le nombre de fonds que vous devriez idéalement détenir. Un investisseur qui détient un portefeuille de 50 000 $ peut être à l'aise avec trois fonds, tandis qu'un autre possédant un portefeuille équivalent peut préférer détenir huit fonds.

On sait que le risque diminue lorsqu'un portefeuille est constitué d'un ensemble de fonds de types d'actif variés et possédant de faibles corrélations. Ainsi, répartir l'actif de votre portefeuille entre les grandes catégories d'actif (les actions, les obligations et les liquidités) et les fonds de couverture permet d'en diminuer le risque.

Une diversification efficace n'est pas synonyme d'un nombre élevé de fonds. Nous pouvons affirmer avec certitude qu'un portefeuille de placement moyen ne devrait pas inclure plus de 10 fonds. Cet énoncé s'appuie sur le fait qu'un fonds est, par sa nature, un placement diversifié. À l'exception des fonds spécialisés, les fonds se composent généralement de 30 à 250 titres et sont présents dans plusieurs secteurs à la fois. Il n'est donc pas nécessaire de chercher un grand nombre de fonds pour atteindre une diversification efficace.

L'accent doit être mis sur la sélection de catégories de fonds ayant des caractéristiques différentes et sur la qualité des fonds, et non pas sur la quantité des produits. Il est important de souligner que chaque fonds composant votre portefeuille devrait avoir une fonction qui lui est propre.

On peut facilement établir les bases d'une véritable diversification avec moins de 10 fonds. Le choix du nombre optimal de fonds doit se faire en considérant l'élément de la diversification entre types d'actif. Il faut donc en premier lieu examiner les deux grandes catégories d'actif : les fonds d'actions et les fonds d'obligations. Du côté des fonds d'actions, le choix s'exerce selon les paramètres suivants : les styles (croissance, valeur, mixte-neutre), les capitalisations (petite, moyenne, grande), et les secteurs géographiques. En ce qui concerne les fonds d'obligations, l'attention doit être portée sur les émetteurs (les gouvernements locaux ou étrangers, les entreprises), ainsi que sur la durée et les échéances (court, moyen ou long terme).

La diversification n'implique pas nécessairement la sélection de toutes ces catégories de fonds, mais plutôt le choix de quelques bons fonds aux caractéristiques différentes. Il faut à tout prix éviter la duplication des catégories. Il n'est pas utile, par exemple, de détenir deux fonds canadiens de petite capitalisation ou deux fonds d'obligations corporatives. En effet, examinez de près le contenu de deux fonds de grande capitalisation canadienne et vous constaterez à quel point les titres ont tendance à se ressembler. Cette redondance est due en partie au nombre limité d'entreprises canadiennes de grande capitalisation.

Le problème des portefeuilles dotés d'un trop grand nombre de fonds est qu'ils recréent, en quelque sorte, un indice boursier. Ainsi, un portefeuille composé d'une vingtaine de fonds contiendra la plupart des titres qu'on trouve dans les indices de référence, et le rendement de ce portefeuille se comportera de manière similaire. Les possibilités que vous puissiez battre les indices se trouvent donc réduites lorsque vous détenez un nombre trop élevé de fonds.

Il est toutefois à noter que plus un portefeuille comprend de titres, plus la marge de manœuvre ainsi créée permet d'ajouter d'autres catégories de fonds aux catégories existantes.

VENDRE UN FONDS : LES MOTIFS

Il faut se méfier de soi-même lorsqu'on veut se départir d'un fonds. Une étude récente effectuée par la firme Dalbar a récemment mis en lumière la difficulté évidente des investisseurs à obtenir de bons rendements à long terme. Cette étude prouve à quel point les *market timers,* c'est-à-dire ceux qui transigent activement en tentant de prévoir les mouvements du marché, ont généralement peu de succès dans leur approche. Voici les résultats de l'étude : de 1984 à 2003, les investisseurs qui transigeaient activement des fonds d'actions ont obtenu des rendements de 2,57 % par année. Et pour cette même période, le S&P 500 s'est apprécié en moyenne de 12,2 %. L'étude montre également que les investisseurs ont détenu en moyenne leurs fonds pendant une période de deux ans. Une période de temps très courte, trop courte…

Outre le *market timing* (ou synchronisation des marchés), certaines raisons sont valables pour procéder à la vente d'un fonds : mauvaise performance sur une longue période, changement de gestionnaires, changement de nos préférences, rééquilibre du portefeuille, etc.

Le départ d'un gestionnaire d'importance peut être un motif suffisant pour se départir d'un fonds. Chaque gestionnaire a son propre style de gestion, et le départ de l'individu signifie que vous ne profiterez plus de son expertise. Si vous avez apprécié le style de gestion du gestionnaire initial, un transfert de vos investissements vers un autre fonds géré par la même personne est une option à considérer. Généralement, les familles de fonds tentent de trouver un nouveau gestionnaire qui possède le même style de gestion que le précédent. Une chose est sûre, lorsque survient le départ d'un gestionnaire, il est nécessaire de garder l'œil ouvert pour savoir si le style de gestion de son successeur, la répartition du fonds et ses performances correspondent toujours à vos attentes.

Un changement dans les préférences est également une autre raison pour se départir d'un fonds. En vieillissant, l'investisseur voit sa tolérance au risque diminuer et sent le besoin de se diriger vers des fonds plus conservateurs ou vers des fonds qui procurent des revenus. Par exemple, si vous prévoyez prendre votre retraite dans cinq ans et que vous avez entièrement investi dans le secteur des actions, il est bon de vous rediriger vers des fonds plus conservateurs.

Il peut arriver également qu'un fonds ne soit plus composé du même genre de titres qu'au moment de l'investissement. Un changement d'orientation à l'intérieur d'un fonds peut être une raison valable pour s'en départir, car les modifications viennent changer la stratégie de placement que l'investisseur avait initialement élaborée.

Une autre raison potentiellement valable pour se départir d'un fonds peut être une mauvaise performance à long terme. En effet, si votre gestionnaire semble dormir, obtenant sur une certaine période des résultats inférieurs aux indices de référence ainsi qu'à la moyenne des fonds de même catégorie, il importe de réagir. Il faut toutefois être sûr d'éclaircir l'aspect suivant avant de vouloir vendre pour cette raison : la contre-performance est-elle due aux difficultés du secteur auquel s'attarde le gestionnaire ou bien tout simplement à ses mauvaises décisions ?

D'autres éléments, comme une hausse non justifiée des frais de gestion, peuvent suffire à vendre un fonds. Le plus choquant est de constater une hausse des frais de gestion dans un contexte où la performance n'est pas au rendez-vous. Si c'est le cas, n'hésitez pas à vous en départir.

D'après ce qu'on a pu constater dans le passé, les changements à apporter à un portefeuille de fonds communs de placement devraient être peu nombreux et appliqués avec parcimonie. Les diverses modifications devraient également toujours suivre une stratégie d'investissement réfléchie dont il ne faut pas trop s'éloigner.

BIEN SE CONNAÎTRE AFIN DE CHOISIR LE BON PORTEFEUILLE

Quelle est la raison principale qui se cache derrière votre décision d'investissement ? Vous devez procéder à l'achat d'une maison dans un avenir rapproché ? Vous désirez obtenir un revenu régulier ? Vous cherchez une croissance à long terme ? Telles sont les questions reliées à vos objectifs de placement que vous devez obligatoirement vous poser.

Si vous désirez, par exemple, procéder à l'achat d'une résidence dans quatre ans, la sélection d'un portefeuille constitué de fonds peu volatils s'impose. Si votre objectif est de rechercher un bon niveau de croissance tout en gardant un niveau de volatilité modéré, un portefeuille composé d'un mélange de fonds d'actions et d'obligations est fortement conseillé.

Choisir le bon portefeuille de placement demande également une bonne connaissance de sa propre personnalité et, avant tout, une bonne connaissance de son degré de tolérance au risque.

Dans la vie de tous les jours, le risque est omniprésent. Pour les travailleurs, le risque peut être représenté par la perte d'un emploi ; pour les entreprises, ce peut être l'échec du lancement d'un nouveau produit ; quant aux épargnants, il peut y avoir risque d'une baisse prononcée du marché.

Il est clair que les investisseurs n'apprécient pas le risque, préférant la sécurité à l'incertitude. Mais il faut tenir compte de certaines nuances : chaque investisseur possède sa propre définition du risque. Pour certains, le risque constitue la probabilité d'obtenir un rendement négatif. Pour d'autres, le risque est la possibilité de perdre tout son argent ou bien l'obtention d'un rendement inférieur à celui des bons du Trésor. Les définitions du risque sont donc nombreuses, mais toutes ont en commun la notion de perte par rapport à un certain point de référence que chacun se donne.

Les années 2001 et 2002 ont mis en évidence la mauvaise perception généralisée des degrés de tolérance au risque. Beaucoup d'investisseurs ne s'attendaient pas à des mouvements prononcés de certains secteurs du marché et ne détenaient donc pas un portefeuille qui y correspondait réelle-

ment. Un certain nombre de recherches démontrent clairement le changement dans l'attitude des investisseurs à l'égard du risque. Une étude menée
par Haliassos et Hassapis[3] en 2000 a mis en relief le fait que la majorité des
investisseurs n'ont pas un portefeuille pleinement diversifié, et que la détention d'actifs plus risqués avait augmenté. Cette étude a également souligné
le phénomène de la surestimation, de la part des investisseurs, du seuil de
tolérance au risque et de la sous-estimation des possibilités de perte.

Pour ne pas recréer ce genre d'erreur, il est nécessaire de prévoir ses propres réactions et de construire un portefeuille en conséquence. Est-ce que
vous êtes du genre à vendre au moindre soubresaut ou considérez-vous une
baisse du marché comme une occasion d'achat ? Si vous êtes allergique aux
mouvements du marché, tenez-vous loin des fonds sectoriels et des fonds
d'actions d'approche croissance. Considérez davantage les fonds d'approche
valeur et les fonds d'obligations.

Un autre élément important à considérer est votre situation financière. Le
portefeuille dépendra en grande partie du contexte financier dans lequel
vous évoluez et des objectifs financiers que vous désirez atteindre. Vous
devez à la fois estimer votre avoir actuel et évaluer quels seront vos besoins
futurs. Est-ce que vous jugez votre situation financière actuelle comme étant
sûre et stable ou plutôt incertaine et instable ? Est-ce que vous désirez
garder le même niveau de revenu à votre retraite qu'actuellement ? Telles
sont les questions pertinentes qui méritent des réponses précises.

La section suivante présente 12 questions qui vous aideront à sélectionner l'un des 5 portefeuilles proposés dans les chapitres 3 à 7. Ces questions
touchent vos objectifs de placement, votre tolérance au risque ainsi que
votre situation financière. Il est nécessaire de préciser encore une fois que
l'apport d'un conseiller financier est souvent essentiel au choix d'un bon
portefeuille de placement.

QUESTIONNAIRE

QUEL PORTEFEUILLE VOUS CONVIENT LE MIEUX ?

Vos objectifs

1. Quelle est la raison principale de l'investissement ?

A. Procéder à un achat important d'ici quelques années. (0 point)

B. M'assurer que mon capital puisse croître modérément tout en étant sécuritaire. (3 points)

C. Atteindre une croissance à long terme de mon capital tout en maintenant des fluctuations de rendement modérées. (6 points)

D. Atteindre une croissance à long terme de mon capital tout en acceptant des fluctuations importantes à l'intérieur de mon portefeuille. (10 points)

E. Atteindre une croissance à long terme de mon capital tout en acceptant des fluctuations très importantes à l'intérieur de mon portefeuille. (15 points)

2. Quand aurez-vous besoin de retirer en partie ou en totalité vos placements ?

A. Dans moins d'un an. (0 point)

B. Dans 1 à 3 ans. (5 points)

C. Dans 4 à 8 ans. (12 points)

D. Dans 9 à 15 ans. (20 points)

E. Dans plus de 15 ans. (25 points)

Votre tolérance au risque

3. Voici cinq scénarios qui comportent des taux de rendement variés. À votre avis, lequel de ces portefeuilles correspond le mieux à vos préférences ?

	Pire année	Année moyenne	Meilleure année	
A.	-5 %	5 %	8 %	(0 point)
B.	-10 %	6 %	10 %	(3 points)
C.	-15 %	7 %	15 %	(6 points)
D.	-20 %	8 %	20 %	(9 points)
E.	-25 %	9 %	25 %	(12 points)

4. Vous investissez avec l'intention de conserver ce placement pendant 10 ans. Après avoir examiné votre relevé trimestriel, vous notez une baisse importante de la valeur de votre compte. Quel énoncé exprime le mieux votre réaction ?

A. Vous réagissez vivement et vous vendez tous les fonds qui ont baissé. (0 point)

B. Vous vendez certains des fonds qui ont baissé. (1 point)

C. Vous attendez un peu, puis vendez les fonds qui ont baissé si leur valeur n'a pas augmenté. (3 points)

D. Vous ne prenez aucune mesure, sachant que les placements fluctuent à court terme et que votre horizon de placement est à long terme. (5 points)

E. Vous considérez la baisse du marché comme une occasion d'achat. (8 points)

5. En présumant que vous investissez à long terme, quel pourcentage de dépréciation de la valeur de votre portefeuille êtes-vous prêt à tolérer sur une période de un an ?

A. Une baisse de 5 % est le maximum que je peux me permettre. (0 point)

B. Une baisse de 10 % est le maximum que je peux me permettre. (3 points)

C. Une baisse de 15 % est le maximum que je peux me permettre. (6 points)

D. Une baisse de 20 % est le maximum que je peux me permettre. (9 points)

E. Une baisse de 25 % est le maximum que je peux me permettre. (12 points)

6. Quel serait le délai de récupération maximal que vous toléreriez à la suite d'une correction du marché qui réduirait la valeur de votre portefeuille ?

A. 6 mois   (0 point)

B. 12 mois   (2 points)

C. 18 mois   (4 points)

D. 24 mois   (6 points)

E. 36 mois et plus (8 points)

Votre situation personnelle

7. Quelle situation correspond le mieux à votre situation financière ?

A. Très incertaine et précaire. (0 point)

B. Plutôt incertaine et précaire. (3 points)

C. Moyennement sûre et stable. (10 points)

D. Sûre et stable. (15 points)

E. Très sûre et stable. (20 points)

8. Combien de personnes dépendent de vous financièrement ?

A. 4 personnes ou plus. (0 point)

B. 3 personnes. (1 point)

C. 2 personnes. (2 points)

D. 1 personne. (3 points)

E. Aucune. (4 points)

9. Quel est votre salaire avant impôt ?

A. Moins de 25 000 $. (0 point)

B. De 25 000 $ à 49 999 $. (5 points)

C. De 50 000 $ à 99 999 $. (10 points)

D. De 100 000 $ à 149 999 $. (12 points)

E. Plus de 150 000 $. (15 points)

10. Est-ce que vos placements serviront à couvrir les risques en cas d'invalidité ou de décès ?

A. Oui, je compte sur mes placements afin de subvenir à mes besoins en cas d'accident. (0 point)

B. Non, je possède des assurances qui me protègent. (3 points)

11. Dans combien d'années prévoyez-vous prendre votre retraite ?

A. Dans 1 à 2 ans. (0 point)

B. Dans 3 à 5 ans. (3 points)

C. Dans 6 à 10 ans. (6 points)

D. Dans 11 à 20 ans. (9 points)

E. Dans plus de 20 ans. (15 points)

12. À quelle tranche d'âge appartenez-vous ?

A. Moins de 30 ans. (10 points)

B. De 31 à 40 ans. (8 points)

C. De 41 à 50 ans. (4 points)

D. De 51 à 60 ans. (2 points)

E. 60 ans et plus. (1 point)

Total des points _____

INTERPRÉTATION DES RÉSULTATS

Si vous avez obtenu de 1 à 20 points, vous avez les caractéristiques d'un investisseur dont le portefeuille doit être de type très prudent. Le contenu du portefeuille sera constitué essentiellement de fonds du marché monétaire, de fonds d'obligations à courtes échéances, de fonds d'hypothèques ainsi que d'une faible proportion de fonds d'actions. *Le portefeuille qui pourrait vous convenir est présenté au chapitre 3.*

Si vous avez obtenu de 21 à 50 points, vous avez les caractéristiques d'un investisseur dont le portefeuille doit être de type prudent. Ce portefeuille mettra donc l'accent sur les fonds d'obligations, les fonds d'actions canadiennes peu volatils. *Le portefeuille qui pourrait vous convenir est présenté au chapitre 4.*

Si vous avez obtenu de 51 à 100 points, vous avez les caractéristiques d'un investisseur modéré. Votre portefeuille sera basé sur un mélange de fonds d'obligations et de fonds d'actions canadiennes. Il fera appel à la diversité des styles de gestion tout en étant davantage axé sur le marché canadien. *Le portefeuille qui pourrait vous convenir est présenté au chapitre 5.*

Si vous avez obtenu de 101 à 120 points, vous avez les caractéristiques d'un investisseur audacieux. Votre portefeuille fera appel à des fonds d'approche croissance et valeur tout en possédant une grande diversité sectorielle et géographique. Une partie importante du fonds est toujours consacrée à la partie obligataire. *Le portefeuille qui pourrait vous convenir est présenté au chapitre 6.*

Si vous avez obtenu de 121 à 147 points, vous avez les caractéristiques d'un investisseur très audacieux. Votre portefeuille contiendra des fonds d'approche croissance et valeur tout en possédant une grande diversité sectorielle et géographique. Les actions mondiales forment la plus grande pondération du portefeuille suivie par la partie constituée d'actions canadiennes. La partie obligataire constituera une part très restreinte. *Le portefeuille qui pourrait vous convenir est présenté au chapitre 7.*

AVANT DE CHOISIR VOTRE PORTEFEUILLE

La présente section s'adresse aux investisseurs qui ne veulent pas uniquement s'arrêter aux rendements passés et qui désirent voir au-delà des renseignements présentés par les maisons de fonds dans le but de vanter les mérites d'un produit.

Les investisseurs qui désirent effectuer une analyse détaillée de leur portefeuille de fonds ont droit à une foule de renseignements. Ces renseignements peuvent, par exemple, vous aider à répondre aux questions suivantes : quels pays dominent dans mon portefeuille ? est-ce que les obligations détenues dans mes fonds sont de bonne qualité ? quels types de titres mes gestionnaires privilégient-ils ?

Plus vous possédez des renseignements judicieux sur votre portefeuille de placements, mieux vous serez en mesure de comprendre la nature des rendements ainsi que le potentiel de risque de votre portefeuille.

Évidemment, l'information fournie sur les différents fonds recèle une lacune : celle de ne pas être mise à jour quotidiennement. Mais il ne faut pas s'en inquiéter. L'accès à la gestion active permet justement aux investisseurs de ne pas s'attarder à tout instant à l'évolution de leur portefeuille.

L'écart type

L'écart type mesure la dispersion statistique des rendements mensuels d'un fonds au cours des 36 derniers mois. Plus l'écart type est élevé, plus le fonds a affiché une grande volatilité de rendement. (Pour plus de détails sur l'écart type, consultez le chapitre 4, p. 98.)

La mesure de Sharpe

Cette mesure de performance indique le rendement obtenu par unité de risque pour la période couvrant les 36 derniers mois. Plus la mesure de Sharpe (appelée aussi ratio de Sharpe) est élevée, plus chaque unité de risque est récompensée par le rendement du fonds. Il est à noter que les portefeuilles ayant obtenu un rendement négatif pour les trois dernières années possèdent des ratios de Sharpe négatifs. (Pour plus de détails concernant la mesure de Sharpe, consultez le chapitre 6, p. 149.)

Le bêta

Le bêta mesure la propension d'un portefeuille à réagir aux diverses variations d'un indice de référence. On désigne le bêta comme étant la mesure du risque systématique. Un bêta supérieur à 1 signifie qu'un fonds a été plus volatil historiquement que son indice de référence, tandis que pour un portefeuille dont le bêta est inférieur à 1, la volatilité est inférieure à celle de l'indice. (Pour plus de détails concernant le bêta, consultez le chapitre 4, p. 99.)

La mesure de Jensen (alpha)

L'alpha indique la différence entre le rendement d'un fonds et son rendement anticipé (considérant le niveau de risque mesuré par le bêta). Autrement dit, l'alpha mesure ce qu'une gestion active a permis d'obtenir au-delà de la récompense obtenue pour faire face au risque du marché. Une mesure alpha positive indique qu'un portefeuille a surpassé les prévisions basées sur son bêta, tandis qu'un alpha négatif démontre l'obtention de rendements inférieurs à ces mêmes prévisions. (Pour plus de détails concernant la mesure de Jensen, ou alpha, consultez le chapitre 6, p. 151.)

Le R carré

Le R carré indique la portion des fluctuations du portefeuille, lesquelles trouvent leur explication dans les fluctuations de l'indice de référence. Le R carré d'un fonds peut varier de 0 à 1. Plus le R carré d'un fonds est élevé, plus les mouvements de celui-ci sont justifiés par l'indice. D'autre part, plus le R carré s'approche de 1, plus le bêta d'un fonds ainsi que la mesure alpha ont des valeurs significatives. (Pour plus de détails concernant le R carré, consultez le chapitre 6, p. 152.)

Les matrices de style

Les matrices de style indiquent les détentions du portefeuille. Les chiffres inscrits à l'intérieur de chaque case correspondent aux pondérations en pourcentage des titres correspondant aux différentes caractéristiques. Les matrices de style permettent d'obtenir une vue d'ensemble des avoirs d'un portefeuille.

La matrice de style des actions canadiennes et américaines

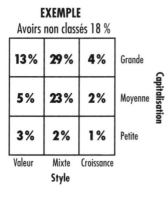

L'axe vertical détermine la capitalisation boursière des actions canadiennes et américaines détenues. La capitalisation boursière d'une entreprise est définie comme étant le prix d'une action à une date donnée multiplié par le nombre d'actions en circulation. Les capitalisations boursières des différents titres sont réparties en trois catégories : grande, moyenne et petite. Les titres à grande capitalisation sont généralement plus stables que les titres à petite capitalisation.

L'axe horizontal détermine pour sa part le style des titres : valeur, croissance et mixte. Les données des titres concernant le cours/bénéfice et le cours/valeur comptable sont utilisées pour déterminer leur style. Les titres de style mixte contiennent un mélange de caractéristiques axées sur la valeur et la croissance. Les titres de style valeur sont généralement plus stables que les titres de style croissance.

(Pour plus de détails sur l'approche valeur, consultez le chapitre 5, p. 111, et sur l'approche croissance, consultez le chapitre 6, p. 137.)

La matrice de style des obligations canadiennes

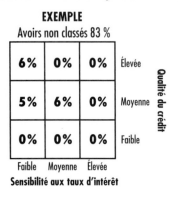

EXEMPLE

Avoirs non classés 83 %

6%	0%	0%	Élevée
5%	6%	0%	Moyenne
0%	0%	0%	Faible

Faible   Moyenne   Élevée

Sensibilité aux taux d'intérêt

L'axe vertical détermine la qualité du crédit des obligations canadiennes détenues. Cette qualité est déterminée selon les critères de Standard & Poor's et se répartit dans trois catégories : élevée, moyenne et faible. Les obligations qui ne possèdent pas une cote de crédit S&P ne sont pas classées dans la matrice. Les obligations dont la qualité de crédit est élevée possèdent un faible risque de défaut, tandis que les obligations dont la qualité de crédit est faible possèdent un niveau de risque de défaut non négligeable.

L'axe horizontal détermine la durée, utilisée pour mesurer la sensibilité des obligations aux variations des taux d'intérêt en considérant leur échéance et la taille de leur coupon.

(Pour plus de détails sur les obligations, consultez le chapitre 4, p. 85.)

La capitalisation moyenne des actions canadiennes et américaines

Ceci se veut un portrait de la capitalisation boursière moyenne, en milliers de dollars, des actions ordinaires détenues dans le portefeuille. La capitalisation boursière d'une entreprise est le prix de son titre, à une date donnée, multiplié par le nombre d'actions en circulation.

La moyenne des ratios de frais de gestion

Ceci mesure la moyenne des ratios de frais de gestion des fonds détenus dans le portefeuille. Le ratio des frais de gestion correspond au total des frais de gestion et des frais d'exploitation imputables directement au fonds au cours du dernier exercice ; le ratio s'exprime en pourcentage de l'actif total moyen du fonds.

Les caractéristiques des actions canadiennes et américaines

Les ratios financiers sont davantage utilisés par les spéculateurs sur séance (*day traders*) qui doivent vendre ou acheter directement des titres. Ces ratios visent essentiellement à vérifier la solidité financière et la rentabilité des entreprises ainsi qu'à estimer la valeur boursière des titres.

Étant donné que les détenteurs de fonds ne sont pas directement impliqués dans les transactions, l'analyse des ratios prend moins d'importance pour eux que pour les spéculateurs sur séance. On laisse plutôt au gestionnaire le soin de déchiffrer la multitude de ratios financiers, et ce, dans le but de dénicher les meilleurs titres.

Vous remarquerez que les ratios diffèrent grandement selon la nature des portefeuilles. Par exemple, un portefeuille conservateur possède des ratios cours/bénéfice plus faibles et des rendements de dividendes plus élevés en comparaison au portefeuille très audacieux. Ceci vient en quelque sorte confirmer le mandat donné aux gestionnaires.

Le ratio cours-bénéfice

Ce ratio est calculé en divisant le prix d'une action par le bénéfice courant par action. Le bénéfice par action est mesuré en divisant les bénéfices des 12 derniers mois par le nombre total d'actions ordinaires en circulation. Un plus haut ratio cours-bénéfice est considéré comme le résultat d'une anticipation de croissance élevée.

Le ratio cours-valeur comptable

Ce ratio est calculé en divisant le prix d'une action par la valeur comptable par action. La valeur comptable équivaut à l'actif total moins le passif total.

Le ratio cours-ventes

Ce ratio est calculé en divisant le prix d'une action par le total des ventes.

Le ratio cours-marge brute

Ce ratio est calculé en divisant le prix d'une action par le flux des liquidités (*cash flow*). Le *cash flow* fait référence aux liquidités que génère une entreprise pour financer sa croissance, pour rembourser ses dettes ainsi que pour payer des dividendes à ses actionnaires.

Le rendement du dividende

Ceci indique le dividende annuel versé par une entreprise, divisé par le prix de l'action. Des rendements de dividendes faibles indiquent généralement un réinvestissement des bénéfices et sont associés aux titres croissance, tandis que les rendements de dividendes élevés sont associés aux titres valeur conservateurs.

Le rendement des capitaux propres

C'est un ratio de rentabilité qui se mesure en divisant le bénéfice net par les capitaux propres. Il permet de mesurer l'efficacité de l'utilisation du capital-actions par l'entreprise pour générer des profits.

Les caractéristiques des titres à revenu fixe

Tout comme pour les ratios financiers, les caractéristiques des titres à revenu fixe sont davantage utilisées par les investisseurs qui désirent transiger directement des obligations. À ce sujet, l'échéance, la durée et la cote de crédit sont tous des éléments que considèrent quotidiennement les gestionnaires de fonds d'obligations.

Il peut toutefois être utile pour le détenteur de fonds de connaître la mesure dans laquelle la partie obligataire est sensible aux hausses ou aux baisses des taux d'intérêt ou de savoir la proportion d'obligations dont le risque de défaut est élevé. L'analyse des titres à revenu fixe permet de répondre à ces interrogations.

L'échéance

L'échéance indique le nombre d'années avant que le détenteur de l'obligation reçoive le principal. Plus l'échéance d'une obligation est éloignée, plus les variations des taux d'intérêt font varier son prix.

La durée

La durée est exprimée en années et est utilisée pour mesurer la sensibilité des obligations aux variations des taux d'intérêt, en considérant la longueur de l'échéance et la taille du coupon. Plus la durée est longue, plus les obligations sont sensibles aux variations des taux d'intérêt.

La durée mesure le changement dans la valeur d'une obligation résultant d'une variation de 1 % des taux d'intérêt. Par exemple, une obligation possédant une durée de 4 ans signifie que si les taux d'intérêt augmentent de 1 %, une obligation perdra 4 % de sa valeur. Dans le cas contraire, une baisse de 1 % des taux d'intérêt augmentera de 4 % la valeur d'une obligation.

La qualité du crédit des obligations selon Standard & Poor's

AAA - Qualité supérieure : Obligations qui présentent le plus haut niveau de protection.

AA - Très bonne qualité : Obligations offrant un très bon niveau de protection. Ces obligations diffèrent quelque peu des obligations AAA.

A - Bonne qualité : Obligations offrant une forte protection, mais dont les émetteurs sont plus susceptibles de subir les effets des changements dans les conditions économiques, et ce, comparativement aux obligations AAA et AA.

BBB - Qualité moyenne : L'émetteur des obligations possède les capacités requises pour respecter ses engagements. Mais des changements dans les conditions économiques peuvent affaiblir cette capacité.

BB et moins - Qualité incertaine : Les obligations BB, B, CCC et CC possèdent des caractéristiques spéculatives. BB indique le niveau le plus bas de spéculation, tandis que CC indique le plus haut niveau spéculatif.

Dans notre travail, nous sommes en mesure de constater que la plupart des investisseurs sont ignorants par rapport à la composition de leur portefeuille. Beaucoup se limitent au nom de leurs fonds pour en deviner le contenu. Mais les noms sont souvent trompeurs. Par exemple, un fonds possédant le dénominatif « valeur » ne fait pas automatiquement partie de la catégorie valeur... Toute l'information présentée dans ce chapitre les aide à mieux comprendre le contenu de leur portefeuille, leur permettant ainsi d'effectuer des ajustements judicieux advenant le besoin.

N'oublions pas que l'information concernant les actions et les obligations d'un portefeuille de fonds n'est, après tout, que l'équivalent d'une photographie prise à un moment précis. De ce point de vue, les gestionnaires modifient régulièrement la composition d'un portefeuille et l'information à laquelle nous avons accès n'est pas nécessairement le reflet exact de sa composition actuelle.

NOTES

[1] John Y. Campbell, Martin Lettau, Burton G. Malkiel et Yexiao Xu, 2000. « Have Individual Stocks Become More Volatile ? An Empirical Exploration of Idiosyncratic Risk », NBER Working Papers 7590, National Bureau of Economic Research, Inc.

[2] Gary P. Brinson, L. Randolph Hood et Gilbert L. Beebower, « Determinants of Portfolio Performance », *Financial Analysts Journal,* juillet-août 1986, p. 39-44 ; et Gary P. Brinson, Brian D. Singer et Gilbert L. Beebower, "Revisiting Determinants of Portfolio Performance II : An Update", *Financial Analysts Journal,* mai-juin 1991.

[3] Michael, Haliassos et Christis Hassapis, « Equity Culture and Household Behavior », *Oxford Economic Papers,* octobre 2002, 54 : 719-745.

Chapitre 3

Le portefeuille très prudent

e portefeuille très prudent vise essentiellement l'obtention d'un rendement stable avec un minimum de risque. Ce portefeuille s'adresse à l'investisseur qui ne veut pas subir les aléas du marché et dont la préservation du capital est l'objectif numéro un.

Le portefeuille très prudent peut répondre aux attentes de l'investisseur :

- pour qui les fluctuations du marché boursier sont intolérables ;

- qui pense effectuer un achat important d'ici quelques années ;

- qui ne vise pas l'obtention d'un rendement à long terme supérieur aux indices boursiers ;

- dont l'actif destiné à la retraite est suffisant.

Sa répartition de l'actif assure des rendements stables, peu importe les conditions boursières. Un investisseur ayant détenu ce type de portefeuille au cours des trois dernières années aurait obtenu un rendement annualisé de 5,3 % comparativement à -5,3 % pour l'indice composé S&P/TSX. Les gestionnaires à la tête des différents fonds du portefeuille très prudent ont tous prouvé un excellent contrôle du risque en période trouble.

LES CARACTÉRISTIQUES DU PORTEFEUILLE TRÈS PRUDENT

→ Très faible probabilité de perte sur une période de un an.

→ Pronostic le plus pessimiste sur un an : -5 %.

→ Contenu essentiellement canadien, donc faible risque lié au taux de change.

LES FONDS PROPOSÉS

Le contenu est constitué en grande partie de fonds composés de titres canadiens très sécuritaires : un fonds du marché monétaire, un fonds d'obligations à courtes échéances et un fonds hypothécaire.

On retrouve également une faible proportion de fonds composés de titres boursiers canadiens et étrangers : un fonds d'actions mondiales équilibré d'approche valeur et un fonds de dividendes.

FONDS	CATÉGORIE
1. Banque Nationale marché monétaire (30 %)	Fonds du marché monétaire (chapitre 3)
2. FISQ Municipal – profil Québec (30 %)	Fonds d'obligations à court terme (chapitre 3)
3. Banque Nationale hypothèques (25 %)	Fonds hypothécaire (chapitre 3)
4. CI Signature dividendes (10 %)	Fonds de dividendes (chapitre 4)
5. Mackenzie Cundill mondial équilibré (5 %)	Fonds mondial équilibré d'approche valeur

LES POINTS FORTS DE CHACUN DES FONDS PROPOSÉS

1. Banque Nationale marché monétaire (30 %)

Le fonds Banque Nationale marché monétaire a toujours répondu aux attentes, c'est-à-dire offrir à ses détenteurs des rendements très stables. Vous n'obtiendrez jamais de rendements négatifs avec ce fonds géré par Natcan. Sur 10 ans, ce produit obtient un rendement de 3,8 %. Ses frais de gestion, peu élevés, devraient contribuer au succès futur du produit.

2. FISQ Municipal - profil Québec (30 %)

La composition du fonds FISQ Municipal - profil Québec en fait un produit unique. En effet, le fonds détient uniquement des obligations de municipalités québécoises. Le risque de crédit associé à ces obligations est quasi inexistant. Malgré la sécurité du produit, le rendement affiché est très intéressant : sur trois ans, ce fonds géré par Guy Liebart obtient un rendement annualisé de 6,5 %.

3. Banque Nationale hypothèques (25 %)

Voici un fonds habitué à des performances de premier quartile. Les rendements sur 10 ans sont de 6,0 %, et ce, avec une volatilité moindre que celui d'un fonds d'obligations. Encore une fois, la bonne gestion de Natcan et des frais de gestion peu élevés ont avantagé le rendement. Une autre caractéristique intéressante ? Ce fonds n'a jamais obtenu de rendements négatifs au cours d'une année civile.

4. CI Signature dividendes (10 %)

Le fonds CI Signature dividendes est un vrai fonds de dividendes, c'est-à-dire que près de 50 % de son contenu est destiné aux actions privilégiées. Le fonds obtient un excellent rendement annualisé de 7,7 % sur 5 ans. En période difficile, ce fonds géré par Eric B. Bushell et Benedict G. Cheng réussit à tirer son épingle du jeu. Par exemple, pour les années civiles 2001 et 2002, ce fonds d'actions a obtenu des rendements respectifs de 5,7 % et de -2,3 % contre -12,6 % et -12,4 % pour l'indice composé S&P/TSX.

5. Mackenzie Cundill mondial équilibré (5 %)

Le fonds Mackenzie Cundill mondial équilibré est géré par l'un des meilleurs gestionnaires d'approche valeur que vous pouvez trouver au Canada : Peter Cundill. Sa réputation en matière de performances à long terme n'est plus à faire. Le fonds d'actions mondiales qu'il gère affiche un rendement annualisé de 9,9 % sur 15 ans. De plus, Peter Cundill s'est tiré avec brio de la tempête boursière, se contentant d'acquérir des titres correspondant à des critères de sélection typiques de ceux d'un gestionnaire conservateur.

QUELQUES SOLUTIONS DE RECHANGE ET LEURS POINTS FORTS

Les solutions de rechange consistent en des fonds similaires à nos premières suggestions, mais comportant certaines différences qui peuvent les rendre plus intéressantes à vos yeux, que ce soit sur le plan des rendements, des stratégies de placement, de la fiscalité, des frais de gestion, etc.

1. CI secteur court terme canadien (30 %)

Le CI secteur court terme canadien génère un gain en capital au lieu de l'intérêt. Il s'agit d'un avantage puisque les gains en capital bénéficient d'un meilleur traitement fiscal que les revenus d'intérêt. Intéressant pour une détention hors REER.

2. Fidelity obligations canadiennes court terme (30 %)

Fidelity obligations canadiennes court terme se distingue par son rendement annualisé de premier quartile de près de 5 % sur cinq ans. Aucun rendement négatif n'a été enregistré pour une année civile depuis sa création en 1996.

3. TD hypothécaire (25 %)

Le fonds TD hypothécaire obtient un rendement annualisé de 7,3 % sur 15 ans. Depuis 1988, le fonds n'a jamais enregistré de rendements négatifs au cours d'une année civile. Les preuves à long terme sont faites !

4. Bissett revenu de dividendes (10 %)

Bien que contenant peu d'actions privilégiées, ce fonds se distingue par une volatilité très faible. À preuve, il a généré des rendements positifs à la fois pour les années 2001 et 2002. Et que dire d'un rendement de 10,5 % sur 10 ans... On peut affirmer que ce fonds allie le meilleur des deux mondes : un faible risque et un rendement élevé.

5. Trimark mondial équilibré (5 %) - offert aussi en version REER

Bien que la création de ce fonds soit assez récente, ses performances au cours des trois dernières années démontrent bien la maîtrise des gestionnaires lors de périodes mouvementées. Sur 4 ans, le fonds obtient un rendement de 10,6 %.

L'ANALYSE DU PORTEFEUILLE

FIGURE 3.1 : ANALYSE DU RENDEMENT DES FONDS PROPOSÉS									
FONDS DU PORTEFEUILLE TRÈS PRUDENT	**% DE L'ACTIF**	**ÉCART TYPE 3 ANS**	**RENDEMENT ANNUEL COMPOSÉ AU 31 OCTOBRE 2003**						**DATE DE CRÉATION**
			3 MOIS	1 AN	3 ANS	5 ANS	10 ANS	DEPUIS LA CRÉATION	
Banque Nationale marché monétaire	30	0,3	0,5	2,1	2,8	3,4	3,8	4,4	Déc. 90
FISQ Municipal - profil Québec	30	3,5	0,8	4,3	6,5	-	-	6,7	Nov. 99
Banque Nationale hypothèques	25	1,5	0,7	4,7	6,3	5,5	6	6,7	Août 91
CI Signature dividendes	10	4,8	3,2	9,6	5,1	7,7	-	7,3	Nov. 96
Mackenzie Cundill mondial équilibré	5	7	6,8	14,6	7,2	-	-	7,1	Oct. 99
Rendement du portefeuille avant impôts	100	1,31	1,2	4,9	5,3	-	-	5,9	Nov. 99

FIGURE 3.2 : ANALYSE RISQUE/RENDEMENT

	3 ANS PORTEFEUILLE	5 ANS PORTEFEUILLE	10 ANS PORTEFEUILLE
Écart type	1,31	-	-
Mesure de Sharpe	1,33	-	-
Alpha	1,81	-	-
Bêta	0,03	-	-
R carré	3,40	-	-

MEILLEURE/PIRE PÉRIODE

	3 MOIS	RENDEMENT %	1 AN	RENDEMENT %	3 ANS	RENDEMENT %
Meilleure	06-00/08-00	2,7	02-00/01-01	9,9	02-00/01-03	6,4
Pire	01-03/03-03	-0,1	0,3-02/02-03	3,0	11-00/10-03	5,3

FIGURE 3.3 : RÉPARTITION DES AVOIRS

Répartition	% de l'actif
■ Liquidités	30,4
▨ Actions canadiennes	3,1
▨ Actions américaines	0,6
■ Actions internationales	1,7
▨ Obligations canadiennes	38,3
■ Obligations étrangères	0,5
▨ Autre	25,4
☐ Non classé	0,0

FIGURE 3.4 : MATRICES DE STYLE

ACTIONS CANADIENNES ET AMÉRICAINES

Avoirs non classés 18 %

13%	**29%**	**4%**	Grande
5%	**23%**	**2%**	Moyenne
3%	**2%**	**1%**	Petite
Valeur	Mixte	Croissance	

Capitalisation

Style

OBLIGATIONS CANADIENNES

Avoirs non classés 83 %

6%	**0%**	**0%**	Élevée
5%	**6%**	**0%**	Moyenne
0%	**0%**	**0%**	Faible
Faible	Moyenne	Élevée	

Qualité du crédit

Sensibilité aux taux d'intérêt

FIGURE 3.5 : RÉPARTITION GÉOGRAPHIQUE

Portefeuille	% de l'actif
Canada	97,2
États-Unis	1,1
Europe	0,6
Japon	0,6
Amérique latine	0,0
Bassin du Pacifique	0,2
Autre	0,3
Non classé	0,0

FIGURE 3.6 : ANALYSE FONDAMENTALE

Maturité du marché	% du portefeuille
Marchés développés	99,6
Marchés émergents	0,4
Non disponible	-

Caractéristiques des actions canadiennes et américaines

Cours-bénéfice	16,2
Cours-valeur comptable	1,7
Cours-ventes	2,0
Cours-marge brute	9,1
Rendement du dividende	1,4
Rendement des capitaux propres	8,6

Capitalisation boursière moyenne (M$) des actions canadiennes et américaines

Portefeuille	16 035,3

Statistiques du fonds

Moyenne des ratios de frais de gestion	1,54

Caractéristiques des obligations canadiennes

Échéance	3,46
Durée	2,60
Qualité moyenne du crédit	A

Qualité du crédit des obligations canadiennes

	% des obligations		% des obligations
AAA	5,82	BB	0,00
AA	0,40	B	0,00
A	10,68	Sous B	0,00
BBB	0,20	ND	82,91

FIGURE 3.7 : MATRICE DE CORRÉLATION

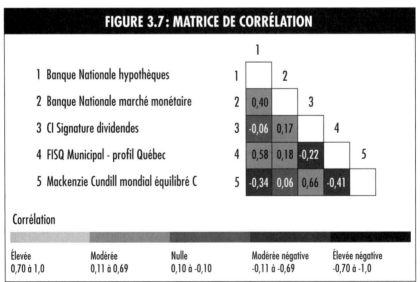

		1	2	3	4	5
1	Banque Nationale hypothèques					
2	Banque Nationale marché monétaire	0,40				
3	CI Signature dividendes	-0,06	0,17			
4	FISQ Municipal - profil Québec	0,58	0,18	-0,22		
5	Mackenzie Cundill mondial équilibré C	-0,34	0,06	0,66	-0,41	

Corrélation

Élevée	Modérée	Nulle	Modérée négative	Élevée négative
0,70 à 1,0	0,11 à 0,69	0,10 à -0,10	-0,11 à -0,69	-0,70 à -1,0

Source: Morningstar Research Inc. et FMR Corp., au 31 octobre 2003.

LES FONDS DU MARCHÉ MONÉTAIRE

FIGURE 3.8 : RENDEMENT ET VOLATILITÉ DES FONDS DU MARCHÉ MONÉTAIRE								
	RENDEMENT ANNUALISÉ (%)						ÉCART TYPE	
	1 AN	2 ANS	3 ANS	5 ANS	10 ANS	15 ANS	3 ANS	10 ANS
Moyenne des fonds du marché monétaire	1,86	1,69	2,45	3,16	3,70	5,42	0,4	0,5

Source : PALTrak, au 31 octobre 2003.

Pour faire partie de cette catégorie, un fonds du marché monétaire doit investir l'ensemble de son actif dans des liquidités et des titres de créance qui viennent à échéance, au plus tard, dans les 365 jours et qui ont une échéance moyenne maximale de 90 jours. Vous trouverez donc dans ce genre de fonds des bons du Trésor, des papiers commerciaux, des certificats de dépôt ainsi que des obligations canadiennes à très court terme.

Les fonds du marché monétaire constituent un substitut au traditionnel compte bancaire. Ce type de fonds est très liquide et peu risqué. Si vous voulez maintenir une certaine liquidité à court terme, il est généralement préférable d'investir dans un fonds du marché monétaire plutôt que de laisser votre argent dans un compte bancaire. Vous obtiendrez la plupart du temps un rendement supérieur sans courir de risques.

Évidemment, les taux d'intérêt peu élevés que nous connaissons au Canada ainsi qu'aux États-Unis n'ont pas aidé le rendement des fonds du marché monétaire pour les années 2001 et 2002. Toutefois, l'investisseur qui souhaite profiter de l'éventuelle augmentation des taux d'intérêt peut rester tranquille en détenant un tel fonds. Il faut toutefois être conscient que, si vous avez un horizon de placement supérieur à un an, certaines catégories d'actif représentent de meilleures perspectives avec de faibles risques de perte.

Généralement, les valeurs des unités de ces fonds sont fixes : les investisseurs touchent les distributions mais ne bénéficient pas de l'augmentation de la valeur des parts. Le prix des parts est généralement fixé à 10 $. Toutefois, certains fonds, qui versent des gains en capital au lieu des intérêts, voient les prix de parts varier. Il s'agit d'un avantage évident pour l'investisseur, étant donné le meilleur traitement fiscal dont bénéficient les gains en capital par rapport à celui des revenus d'intérêt.

Il faut être vigilant quand on investit dans un fonds du marché monétaire afin d'éviter les fonds qui affichent des frais de gestion élevés. Comme le travail du gestionnaire est plutôt restreint dans ce secteur, une attention particulière doit être accordée aux frais de gestion, car ceux-ci peuvent sérieusement nuire au rendement.

Les taux de rendement courant et effectif

Les taux de rendement courant et effectif sont souvent utilisés pour l'analyse des fonds du marché monétaire. Le taux de rendement courant est un taux d'intérêt annuel calculé à partir de ce qu'a généré un fonds au cours des sept derniers jours. Le taux d'intérêt effectif est pour sa part une projection du rendement des 12 prochains mois. Cette projection est calculée en se basant sur le taux d'intérêt courant et en considérant que les intérêts seront réinvestis et composés sur une base hebdomadaire. Les sites Internet www.globefund.com et www.fundlibrary.com fournissent de l'information permettant de comparer les taux d'intérêt courants des différents fonds.

LES FONDS HYPOTHÉCAIRES

FIGURE 3.9 : RENDEMENT ET VOLATILITÉ DES FONDS HYPOTHÉCAIRES								
	RENDEMENT ANNUALISÉ (%)						ÉCART TYPE	
	1 AN	2 ANS	3 ANS	5 ANS	10 ANS	15 ANS	3 ANS	10 ANS
Moyenne des fonds hypothécaires	3,9	3,4	5,0	4,5	5,5	7,2	1,9	2,7

Source : PALTrak, au 31 octobre 2003.

Les fonds hypothécaires allouent la plus grande partie de leur portefeuille à des hypothèques résidentielles canadiennes ainsi qu'à des titres hypothécaires canadiens qui sont généralement garantis par la Société canadienne d'hypothèques et de logement. Les fonds hypothécaires peuvent également être constitués d'investissements dans les hypothèques commerciales et industrielles.

Un fonds de cette catégorie doit accorder un minimum de 50 % de la portion de ses titres à revenu fixe aux hypothèques ou aux titres hypothécaires. On retrouve généralement dans ces fonds d'autres classes d'actif comme des obligations et des titres du marché monétaire.

Le risque est faible, étant donné que les termes hypothécaires se situent généralement en-deçà de cinq ans. De plus, en ce qui concerne les rendements générés, la moyenne des fonds de cette catégorie au cours des 10 dernières années se rapproche de celle des fonds d'obligations à court terme, ce qui représente un rendement supérieur aux certificats de placement garanti.

LES FONDS D'OBLIGATIONS À COURT TERME

FIGURE 3.10 : RENDEMENT ET VOLATILITÉ DES FONDS D'OBLIGATIONS À COURT TERME								
	RENDEMENT ANNUALISÉ (%)						ÉCART TYPE	
	1 AN	2 ANS	3 ANS	5 ANS	10 ANS	15 ANS	3 ANS	10 ANS
Moyenne des fonds d'obligations à court terme	3,3	2,9	4,7	4,2	5,1	6,8	2,1	2,7

Source : PALTrak, au 31 octobre 2003.

Pour les personnes plus sensibles au risque qui désirent posséder des fonds d'obligations moins perméables aux variations des taux d'intérêt, les fonds d'obligations à court terme peuvent se révéler un bon compromis. Les obligations qui composent ces fonds doivent posséder, en moyenne, des échéances inférieures à cinq ans, ce qui les rend moins sensibles aux variations de taux d'intérêt que la catégorie des fonds d'obligations canadiennes. (Nous traitons plus en profondeur de l'impact des taux d'intérêt sur les obligations dans le chapitre 4.)

Pour la période couvrant les 10 dernières années, on remarque que les fonds d'obligations à court terme sont près de deux fois moins volatils que les fonds d'obligations canadiennes. Mais cette caractéristique a évidemment un prix : le rendement des fonds d'obligations à court terme ne se montre pas aussi élevé lors de périodes haussières dans le secteur obligataire. Ils tirent cependant leur avantage, d'une part, du fait qu'ils comportent des rendements négatifs moins nombreux et, d'autre part, que leur chute est moins prononcée que celle de l'ensemble des obligations canadiennes lorsqu'une hausse de taux d'intérêt se présente.

Certains fonds d'obligations à courte échéance peuvent représenter une solution de rechange intéressante aux fonds du marché monétaire. Pourquoi peut-on faire confiance à ces produits ? Depuis 1987, seule l'année 1994 a connu un rendement négatif. De plus, le recul de 1987 n'a été que de 1,8 %. Ajoutons que sur une période de cinq ans, le rendement des fonds d'obligations à court terme est de 4,6 %, comparativement à 3,2 % pour les fonds du marché monétaire. Une différence de rendement qui n'est pas à négliger.

EN QUÊTE DE STABILITÉ ET DE CROISSANCE ?
VOICI DES PRODUITS À CONSIDÉRER.

La période de turbulence boursière a eu des conséquences directes sur l'approche des investisseurs à l'égard des placements. Après les reculs de l'indice composé S&P/TSX de 12,6 % pour 2001 et de 12,4 % pour 2002, nombreux sont ceux qui désiraient limiter au maximum l'exposition de leur portefeuille au marché des actions. La quête a été, tout au long de cette période difficile, plus que jamais axée vers des produits financiers qui assurent que le capital investi ne pourra jamais baisser.

Dans le domaine des fonds communs de placement, la fameuse préservation du capital se retrouve essentiellement du côté des fonds spécialisés dans le marché monétaire. Au Canada, ce sont plusieurs dizaines de milliards de dollars qui sont engloutis dans cette classe d'actif. Cela constitue un montant appréciable si l'on tient compte du mandat de ces fonds, qui est de préserver le capital des détenteurs afin de répondre à leurs besoins à court terme.

Certains coûts sont associés au fait de laisser « dormir » trop longtemps une partie importante d'un portefeuille à l'intérieur des fonds du marché monétaire. D'une part, il y a le rendement faible ou négatif qu'ils procurent en termes réels, l'intérêt obtenu de ces fonds se rapprochant de l'accroissement du prix des biens et services. On peut également considérer les coûts associés aux occasions, c'est-à-dire les mouvements à la hausse du marché dont ne peuvent profiter les investisseurs qui ne sont pas constamment à l'affût du marché des actions.

Il ne faut pas négliger, en ce qui concerne les autres produits financiers disponibles, que lesdites garanties sont plus souvent qu'autrement compensées par un ou plusieurs des facteurs suivants : frais de gestion plus élevés, exposition limitée au marché des actions, rendements plafonnés et gel du placement pour une certaine période. Certains coûts non négligeables doivent être envisagés pour ceux qui désirent à tout prix éviter l'obtention de rendements négatifs.

Prenons le cas de certains billets à capital protégé. Ces produits permettent à l'investisseur de profiter de l'accroissement boursier sans subir le risque lié au placement. Plusieurs familles de fonds, tels que AGF, CI, Mackenzie et Templeton, offrent des billets à capital protégé liés à leurs fonds. Il faut cependant regarder plus loin et constater que ces produits ont généralement des frais de gestion plus élevés ainsi que des frais à la sortie si l'investisseur désire se départir de son placement avant un certain nombre d'années.

Les fonds qui devraient retenir l'attention

Les fonds contenant des actions et qui permettent de générer des rendements positifs à tous les ans n'existent tout simplement pas. Par contre, plusieurs fonds contenant des actions possèdent d'excellentes caractéristiques pour ce qui est de la préservation du capital. C'est sur ces produits que devrait porter l'attention des investisseurs.

Nous avons tenté de dénicher les fonds possédant les meilleures caractéristiques pour la préservation et l'accroissement du capital. Notre choix s'est arrêté sur ceux ayant au moins 10 ans d'existence et dont le rendement pour chacune des 10 dernières années civiles n'a jamais baissé au-dessous de -4 %. De plus, nous avons sélectionné uniquement les fonds qui ont obtenu un rendement annualisé sur 10 ans d'au moins 4 % supérieur à la performance qu'obtiennent les fonds de marché monétaire, c'est-à-dire un rendement annualisé plus élevé que 8 %.

Les fonds d'actions canadiennes

FIGURE 3.11 : RENDEMENT ET VOLATILITÉ DES FONDS D'ACTIONS CANADIENNES								
	RENDEMENT ANNUALISÉ (%)						ÉCART TYPE	
FONDS	1 AN	2 ANS	3 ANS	5 ANS	10 ANS	15 ANS	3 ANS	10 ANS
TD croissance de dividendes	25,8	10,8	7,2	10,7	10,8	10,8	10,3	10,1
Dynamique canadien de dividendes	18,7	10,7	7,4	8,1	8,5	8,6	9,1	8,0
Bissett revenu de dividendes	10,5	6,0	6,3	6,8	10,5	9,3	5,8	6,7

Source : PALTrak, au 31 octobre 2003.

FIGURE 3.12 : LA PIRE ET LA MEILLEURE ANNÉE DE CES FONDS DE DIVIDENDES		
FONDS	PIRE ANNÉE	MEILLEURE ANNÉE
TD croissance de dividendes	-2,9 % en 1998	33,2 % en 1997
Dynamique canadien de dividendes	-3,7 % en 1999	18,3 % en 1996
Bissett revenu de dividendes	-3,2 % en 1999	28,5 % en 1996

Ce sont des fonds de dividendes qui ont été en mesure de répondre aux critères de sélection pour la catégorie des fonds d'actions canadiennes. Malgré le recul important du marché des actions des trois dernières années, ces fonds de dividendes ont tous réussi à obtenir des rendements annualisés sur 10 ans supérieurs à 8 %.

Les fonds équilibrés canadiens

FIGURE 3.13 : RENDEMENT ET VOLATILITÉ DE FONDS ÉQUILIBRÉS CANADIENS

	RENDEMENT ANNUALISÉ (%)						ÉCART TYPE	
FONDS	1 AN	2 ANS	3 ANS	5 ANS	10 ANS	15 ANS	3 ANS	10 ANS
Renaissance équilibré canadien	4,6	1,5	1,5	4,8	8,1	7,5	4,9	5,4
Trimark croissance du revenu SC	11,1	8,7	9,3	10,3	8,8	9,8	6,2	6,7

Source : PALTrak, au 31 octobre 2003.

FIGURE 3.14 : LA PIRE ET LA MEILLEURE ANNÉE DE CES FONDS ÉQUILIBRÉS CANADIENS

FONDS	PIRE ANNÉE	MEILLEURE ANNÉE
Renaissance équilibré canadien	-1,8 % en 2002	24,3 % en 2000
Trimark croissance du revenu SC	-3,7 % en 1999	18,3 % en 1996

Deux fonds « équilibrés » ont été en mesure de répondre aux critères de sélection. Le rendement annualisé sur 10 ans de chacun de ces fonds est supérieur à 8 %. Pour le fonds Renaissance équilibré canadien, son pire recul pour une année n'a été que de 1,8 %.

Avec tout le pessimisme que suscite le domaine des actions, il est intéressant de constater que plusieurs fonds exposés à cette classe d'actif ont été en mesure de limiter les effets du recul boursier. Se lancer à corps perdu dans les produits garantis, tels que les CPG, les produits indiciels à capital garanti, qui comportent souvent des frais élevés ainsi qu'un manque de flexibilité, ne devrait pas constituer la seule solution pour les investisseurs désirant une plus grande tranquillité d'esprit.

Aux investisseurs qui stationnent à long terme leur capital dans les fonds du marché monétaire, rappelons que le coût d'opportunité est un élément non négligeable qu'il faut prendre en considération. Certes, obtenir un rendement intéressant nécessite l'acceptation de la présence d'un certain risque, mais plusieurs fonds sont en mesure de contrôler grandement cet aspect tout en ayant un potentiel de rendement intéressant.

L'INVESTISSEMENT PÉRIODIQUE OU L'ACHAT EN UN SEUL BLOC ?

L'investissement périodique est une stratégie qui met de l'avant l'achat de parts de fonds à intervalles réguliers. Pour les fonds communs, l'investissement périodique peut se faire à partir d'un montant aussi petit que 50 $ par mois. Il s'agit d'une méthode d'investissement simple, et son objectif est le suivant : acheter des parts régulièrement sans se laisser influencer par les mouvements de la Bourse. Cette stratégie vous évite donc d'investir massivement lorsqu'il y a de bonnes nouvelles boursières et de vendre lorsque le pessimisme s'installe.

De plus, étant donné que le montant investi est fixe, cette option permet d'acheter plus de parts lorsque le marché est bas et moins lorsqu'il est haut. Ainsi, l'investissement périodique contribue à réduire le coût d'achat moyen. Cette stratégie vous incite également à prendre l'habitude d'investir, ce qui est un atout intéressant.

Il ne s'agit toutefois pas d'une solution à toute épreuve pour réduire le risque. Il ne faut pas croire que le détenteur d'un fonds techno ayant basé sa stratégie sur cette méthode d'investissement au cours de la dernière débandade boursière est un investisseur heureux…

Moshe Milevsky, professeur au Schulich School of Bussiness de l'université York et auteur du livre *Investir en toute logique* (Éditions Transcontinental), souligne quelques aspects intéressants à propos de cette stratégie tant vantée. Il s'agirait, selon lui, d'une méthode remplaçant un grand risque par une série de petits risques : « Au lieu d'investir votre argent d'un seul coup, vous le faites tranquillement. Ainsi, vous remplacez un gros pari par une série de petits paris. »

Selon Moshe Milesvky, il existe une meilleure stratégie. Il s'agirait d'emprunter le montant nécessaire afin d'investir d'un seul bloc, et ce, dans un portefeuille diversifié. Ainsi, au lieu d'investir un montant fixe par mois, il suffirait de rembourser le prêt en question. D'après M. Milesvky, c'est une stratégie supérieure à celle de l'investissement périodique, puisque, historiquement, le marché boursier a été plus souvent à la hausse qu'à la baisse.

Cependant, ne l'oublions pas, réduire la volatilité passe d'abord et avant tout par la détention d'un portefeuille équilibré, c'est-à-dire un portefeuille composé de fonds aux caractéristiques différentes. Et, si on le fait dans le cadre de l'investissement périodique, on adopte une stratégie d'investissement fiable permettant de mettre de côté l'aspect émotionnel lors de l'acquisition de parts de fonds communs de placement. La stratégie de M. Milesvky est excellente, en autant que ceux qui choisissent cette solution possèdent le bon portefeuille. Pour ceux qui mettent en application cette stratégie sans posséder un portefeuille équilibré, les conséquences peuvent cependant être dramatiques.

Chapitre 4

Le portefeuille prudent

L e portefeuille prudent vise essentiellement l'obtention d'un rendement stable tout en présentant un niveau de risque faible. Il s'adresse aux investisseurs qui tolèrent le risque à court terme, mais qui n'acceptent pas les mouvements inhérents au marché boursier.

Le portefeuille prudent peut répondre aux attentes de l'investisseur :

- – pour qui les fluctuations du marché boursier sont intolérables, mais qui désire quand même profiter de la croissance de ce secteur ;

- – qui possède un horizon de placement de plus cinq ans ;

- – qui vise à obtenir un rendement supérieur à des placements à court terme, comme les certificats de placement garanti (CPG).

La répartition de l'actif dans les huit fonds du portefeuille prudent assure une volatilité moindre que celle du marché boursier. De plus, un investisseur ayant détenu ce portefeuille au cours des trois dernières années aurait obtenu un rendement annualisé de 6,1 %, comparativement à -5,3 % pour l'indice composé S&P/TSX. Les gestionnaires à la tête de ces différents fonds ont tous démontré un excellent contrôle du risque au cours du dernier marché baissier.

LES CARACTÉRISTIQUES DU PORTEFEUILLE PRUDENT

→ Faible probabilité de perte sur une période de deux ans.

→ Pronostic le plus pessimiste sur un an : -10 %.

→ Contenu essentiellement canadien, donc faible risque lié au taux de change.

LES FONDS PROPOSÉS

Le contenu est constitué en partie de titres à revenu fixe sécuritaires : un fonds d'obligations municipales, un fonds d'obligations à rendement réel et un fonds d'obligations à coupons détachés.

On retrouve également des fonds un peu plus « dynamiques », mais dont le risque de rendement négatif est relativement faible dans le cas où ils sont détenus pendant quelques années seulement : un fonds d'actions canadiennes d'approche valeur, un fonds de dividendes et un fonds équilibré canadien d'approche valeur.

Enfin, on note deux fonds dont le risque est plus grand, mais dont la présence est nécessaire quand il s'agit de diversifier son portefeuille : un fonds d'actions mondiales d'approche valeur et un fonds de couverture.

FONDS	CATÉGORIE
1. Billets BDC contrats à terme gérés (5 %)	Fonds de couverture (chapitre 5)
2. FISQ Municipal – profil Québec (20 %)	Fonds d'obligations à court terme (chapitre 3)
3. FISQ Zéro coupon – profil Québec (5 %)	Fonds d'obligations à coupons détachés (chapitre 4)
4. TD obligations à rendement réel (10 %)	Fonds d'obligations à rendement réel (chapitre 4)
5. Renaissance valeur équilibré canadien (15 %)	Fonds équilibré canadien d'approche valeur

FONDS	CATÉGORIE
6. Bissett revenu de dividendes (25 %)	Fonds de dividendes (chapitre 4)
7. Mackenzie Ivy canadien (10 %)	Fonds d'actions canadiennes (chapitre 5) d'approche valeur
8. Trimark croissance Sélect (10 %)	Fonds d'actions mondiales d'approche valeur

LES POINTS FORTS DE CHACUN DES FONDS PROPOSÉS

1. Billets BDC contrats à terme gérés (5 %)

L'avantage de ce fonds se situe sur le plan de la diversification. Il est composé de contrats à terme gérés évoluant de façon plutôt indépendante aux marchés boursiers. Le rendement de la série N-2 de ce produit géré par la firme Tricycle est très intéressant : 8,9 % sur 3 ans. Le fonds est également assorti d'une garantie de rendement minimum à échéance. Il est à noter qu'il est impossible d'investir dans les billets de la série N-2, mais de nouvelles émissions de billets similaires sont faites chaque année par Tricycle.

2. FISQ Municipal - profil Québec (20 %)

La composition du fonds FISQ Municipal - profil Québec en fait un produit unique. En effet, le fonds contient uniquement des obligations de municipalités québécoises. Le risque de crédit associé à ces obligations est quasi inexistant. Malgré la sécurité du produit, le rendement affiché est très intéressant : sur trois ans, ce fonds géré par Guy Liebart obtient un rendement de 6,5 %.

3. FISQ Zéro coupon – profil Québec (5 %)

Le fonds FISQ Zéro coupon – profil Québec ne trouve son équivalent avec aucun autre produit. Ce fonds est constitué d'obligations à coupons détachés provenant du gouvernement du Québec et de sociétés publiques québécoises comme Hydro-Québec. Il s'agit d'un excellent produit pour diversifier la partie obligataire d'un portefeuille. Ce fonds affiche un solide rendement annualisé de 7,6 % sur 3 ans.

4. TD obligations à rendement réel (10 %)

Le fonds TD obligations à rendement réel assure une protection efficace contre l'inflation. En effet, les obligations canadiennes gouvernementales qui forment ce produit ont la particularité de s'ajuster en fonction des variations de l'indice canadien des prix à la consommation. Sur 5 ans, le fonds affiche un solide rendement de premier quartile de 8,1 %.

5. Renaissance valeur équilibré canadien (15 %)

Le fonds Renaissance valeur équilibré canadien utilise une véritable gestion d'approche valeur. Même en période de forte croissance boursière, vous ne verrez jamais le gestionnaire diverger de sa méthode de gestion conservatrice. Sur 3 ans, le fonds affiche un rendement annualisé de 6,6 %. De plus, ce fonds n'a jamais obtenu de rendements négatifs au cours d'une année civile depuis sa création en 1999.

6. Bissett revenu de dividendes (25 %)

Bien que contenant peu d'actions privilégiées, ce fonds se distingue par une volatilité très faible. À preuve, il a généré des rendements positifs à la fois pour les années 2001 et 2002. Et que dire de son rendement de 10,5 % sur 10 ans... On peut dire que ce fonds allie le meilleur des deux mondes : un faible risque et un rendement élevé.

7. Mackenzie Ivy canadien (10 %)

Jerry Javasky, responsable du fonds Mackenzie Ivy canadien, est reconnu comme un gestionnaire très prudent. Attendez-vous à ce que ce fonds se tienne dans les rendements de premier quartile pendant les reculs boursiers, mais qu'il traîne de la patte dans les marchés fortement haussiers. Les rendements à long terme (9,5 % sur 10 ans) témoignent de la qualité du gestionnaire.

8. Trimark croissance Sélect (10 %) – offert aussi en version REER

Le fonds Trimark croissance Sélect est guidé par l'approche valeur. Les trois gestionnaires ont été en mesure de limiter les dégâts de façon admirable pendant la débâcle boursière. Le rendement sur 3 ans est de

2,9 %, ce qui est excellent quand on sait que ce produit tend à surpondérer les titres américains. Sur une période de 10 ans, le fonds obtient un rendement annualisé de 9,6 %.

QUELQUES SOLUTIONS DE RECHANGE ET LEURS POINTS FORTS

Les solutions de rechange consistent en des fonds similaires à nos premières suggestions, mais comportant certaines différences qui peuvent les rendre plus intéressants à vos yeux, que ce soit sur le plan des rendements, des stratégies de placement, de la fiscalité, des frais de gestion, etc.

1. Billets BluMont Man Multistratégie (5 %)

La firme BluMont s'est jointe à la firme Man Investments pour offrir un véritable fonds de couverture diversifié. Le choix des stratégies utilisées constitue l'un des points forts du produit. Les billets font appel à cinq stratégies : les contrats à terme gérés, l'arbitrage, les fonds de fonds de couverture, les titres couverts et les stratégies d'actions acheteur/vendeur. Notons que ce produit offre une diversification exceptionnelle qui peut permettre à la fois un rendement supérieur au marché boursier et une volatilité moindre.

2. Fidelity obligations à court terme (20 %)

Ce fonds se distingue par son rendement annualisé de premier quartile de près de 5 % sur 5 ans. Aucun rendement négatif n'a été enregistré depuis sa création en 1996. Jeff Moore gère ce fonds de façon prudente.

3. Fidelity obligations canadiennes (5 %)

Le fonds Fidelity obligations canadiennes est géré de main de maître par Jeff Moore depuis octobre 2000. Sur 3 ans, le fonds obtient un rendement de premier quartile de 7,1 %. L'avantage de ce produit vient du fait qu'une importante proportion du fonds est constituée d'obligations de sociétés privées, ce qui augmente le rendement.

4. Renaissance obligations à rendement réel (10 %)

Peu de fonds d'obligations à rendement réel existent sur le marché canadien et la création récente du fonds Renaissance obligations à rendement réel est venu agrandir le choix offert aux investisseurs. Ce fonds a été lancé en mai 2003 et est géré par la firme TAL Gestion globale d'actifs, un joueur connu sur le marché financier canadien.

5. Mackenzie Ivy croissance et revenu (15 %)

Le fonds Mackenzie Ivy croissance et revenu est géré par Jerry Javasky depuis sa création en octobre 1992. En choisissant ce fonds, vous optez pour un produit générant des rendements stables. Le fonds a obtenu des rendements négatifs pour seulement deux années civiles, soit 2002 avec -1,4 % et 1994 avec -0,7 %. Sur 10 ans, le fonds obtient un solide rendement annualisé de 9,2 %.

6. CI Signature dividendes (25 %)

Le fonds CI Signature dividendes est un vrai fonds de dividendes, c'est-à-dire que près de 50 % de son contenu est destiné aux actions privilégiées. Le fonds obtient un excellent rendement annualisé de 7,7 % sur 5 ans. En période difficile, ce fonds géré par Eric B. Bushell et Benedict G. Cheng réussit à tirer son épingle du jeu. Par exemple, pour les années civiles 2001 et 2002, ce fonds d'actions a obtenu des rendements respectifs de 5,7 % et de -2,3 % par rapport à -12,6 % et -12,4 % pour l'indice composé S&P/TSX.

7. Mackenzie Cundill canadien sécurité (10 %)

Géré par le réputé Peter Cundill, le fonds Mackenzie Cundill a obtenu un spectaculaire rendement annualisé de 12,9 % sur 10 ans. Un autre exploit étonnant : le gestionnaire a été en mesure de générer des rendements positifs en 2001 et 2002, deux années boursières extrêmement difficiles. En choisissant ce fonds, vous optez nécessairement pour un style de gestion qui a fait ses preuves à long terme.

8. Mackenzie Ivy actions étrangères (10 %) – offert aussi en version REER

Le fonds Mackenzie Ivy actions étrangères est géré par Jerry Javasky. Son excellente maîtrise de la gestion d'approche valeur lui a permis de limiter les dégâts au cours des trois dernières années. Son rendement à long terme, c'est-à-dire de 10 % sur 10 ans, témoigne de son succès.

L'ANALYSE DU PORTEFEUILLE

FONDS DU PORTEFEUILLE PRUDENT	% DE L'ACTIF	ÉCART TYPE 3 ANS	RENDEMENT ANNUEL COMPOSÉ AU 31 OCTOBRE 2003						DATE DE CRÉATION
			3 MOIS	1 AN	3 ANS	5 ANS	10 ANS	DEPUIS LA CRÉATION	
Billets BDC contrats à terme gérés N-2	5	12,1	1,3	0,6	8,9	-	-	9,3	Août 2000
FISQ Municipal - profil Québec	20	3,5	0,8	4,3	6,5			6,7	Nov. 99
FISQ Zéro coupon - profil Québec	5	5,8	0,8	4,7	7,6	-	-	8,2	Nov. 99
TD obligations à rendement réel	10	5,2	3,4	10,5	7,1	8,1	-	7,9	Nov. 94
Renaissance valeur équilibré canadien	15	6,4	3,8	11,5	6,6	-	-	7,7	Mars 99
Bissett revenu de dividendes	25	5,8	2,3	10,5	6,3	6,8	10,5	9,3	Mai 88
Mackenzie Ivy Canadien	10	8,3	4,1	6,8	1,6	5,9	9,5	9,5	Oct. 92
Trimark croissance Sélect	10	13,8	0,7	5,4	2,9	8,2	9,6	11,2	Mai 89
Rendement du portefeuille avant impôts	100	4,05	2,2	7,9	6,1	-	-	6,5	Août 2000

FIGURE 4.1 : ANALYSE DU RENDEMENT DES FONDS PROPOSÉS

FIGURE 4.2 : ANALYSE RISQUE/RENDEMENT

	3 ANS PORTEFEUILLE	5 ANS PORTEFEUILLE	10 ANS PORTEFEUILLE
Écart type	4,05	-	-
Mesure de Sharpe	-0,62	-	-
Alpha	3,85	-	-
Bêta	0,33	-	-
R carré	48,33	-	-

MEILLEURE/PIRE PÉRIODE

	3 MOIS	RENDEMENT %	1 AN	RENDEMENT %	3 ANS	RENDEMENT %
Meilleure	04-03/06-03	5,2	09-00/08-01	8,7	09-00/08-03	6,4
Pire	01-03/03-03	-3,3	0,4-02/03-03	-2,7	10-00/09-03	6,0

FIGURE 4.3 : RÉPARTITION DES AVOIRS

Répartition	% de l'actif
Liquidités	5,0
Actions canadiennes	25,0
Actions américaines	15,2
Actions internationales	4,8
Obligations canadiennes	43,8
Obligations étrangères	0,2
Autre	6,0
Non classé	0,0

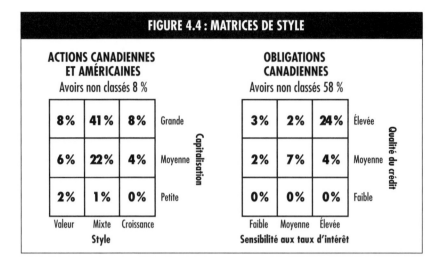

FIGURE 4.4 : MATRICES DE STYLE

ACTIONS CANADIENNES ET AMÉRICAINES

Avoirs non classés 8 %

8%	41%	8%	Grande
6%	22%	4%	Moyenne
2%	1%	0%	Petite
Valeur	Mixte	Croissance	

Style

OBLIGATIONS CANADIENNES

Avoirs non classés 58 %

3%	2%	24%	Élevée
2%	7%	4%	Moyenne
0%	0%	0%	Faible
Faible	Moyenne	Élevée	

Sensibilité aux taux d'intérêt

FIGURE 4.5 : RÉPARTITION GÉOGRAPHIQUE

Portefeuille	% de l'actif
Canada	79,7
États-Unis	15,4
Europe	3,4
Japon	0,9
Amérique latine	0,4
Bassin du Pacifique	0,2
Autre	0,0
Non classé	0,0

FIGURE 4.6 : ANALYSE FONDAMENTALE

Maturité du marché	% du portefeuille
Marchés développés	99,6
Marchés émergents	0,4
Non disponible	-

Caractéristiques des actions canadiennes et américaines

Cours-bénéfice	17,2
Cours-valeur comptable	2,4
Cours-ventes	1,8
Cours-marge brute	9,1
Rendement du dividende	2,1
Rendement des capitaux propres	23,2

Capitalisation boursière moyenne (M$) des actions canadiennes et américaines

Portefeuille	29 066,0

Statistiques du fonds

Moyenne des ratios de frais de gestion	1,98

Caractéristiques des obligations canadiennes

Échéance	10,99
Durée	7,72
Qualité moyenne du crédit	AA

Qualité du crédit des titres canadiens

	% des obligations		% des obligations
AAA	26,37	BB	0,00
AA	3,40	B	0,00
A	11,66	Sous B	0,00
BBB	1,15	ND	57,42

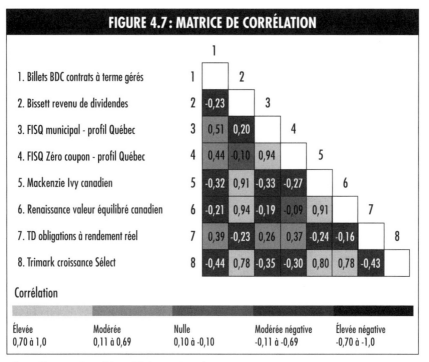

FIGURE 4.7 : MATRICE DE CORRÉLATION

Source: Morningstar Research Inc. et FMR Corp., au 31 octobre 2003.

LES FONDS D'OBLIGATIONS

Voyons en détail ce qu'est une obligation. Une obligation est en quelque sorte l'émission d'une dette par un organisme privé ou public. Les entreprises, les divers paliers de gouvernement ainsi que les institutions publiques émettent des obligations afin d'obtenir de l'argent liquide pour financer leurs activités. Ces titres permettent habituellement au détenteur, en échange d'un montant initial, de toucher certains flux de paiement à l'intérieur d'un intervalle de temps déterminé à l'avance. Les paiements intermédiaires sont appelés coupons. Le dernier paiement, qui équivaut à la valeur nominale, est donné au détenteur lorsque l'obligation atteint sa maturité.

L'échéance des obligations, contrairement à certains autres titres à revenu fixe, tels que les bons du Trésor, est toujours supérieure à un an. L'échéance de certaines obligations peut même aller jusqu'à plus de 30 ans.

Le prix des fonds d'obligations fluctue, tout comme celui des fonds d'actions, selon les variations de l'offre et de la demande des investisseurs. Lorsque les investisseurs délaissent en masse les obligations à la suite de certains changements dans l'environnement économique et financier, le prix des fonds d'obligations diminue. À l'inverse, lorsque les obligations ont la cote, le prix de cette catégorie d'actif augmente.

On constate que les variations du prix des obligations sont moins prononcées que celles qui touchent les fonds d'actions. Ainsi, sur une période de 15 ans, la volatilité des fonds d'obligations canadiennes ne représente environ que 40 % de celle affichée par les fonds d'actions canadiennes. Ajouter des fonds d'obligations à l'intérieur d'un portefeuille permet donc de diminuer les fluctuations.

L'inclusion de fonds d'obligations doit être considérée comme un compromis entre le rendement et le risque. En effet, cet ajout permet à l'ensemble d'un portefeuille de subir moins de fluctuations lorsque les marchés financiers ont la déprime. Toutefois, la détention de fonds d'obligations peut être perçue comme un inconvénient à court terme parce que le potentiel de rendement à la hausse d'un portefeuille mixte peut s'avérer moindre qu'un portefeuille composé exclusivement de fonds d'actions. C'est cependant le prix à payer pour se protéger contre les mauvaises surprises. La question à se poser pour un investisseur est donc de savoir s'il est prêt à réduire quelque peu son rendement lors des périodes de marché haussier afin de mieux respirer lorsque le marché baissier s'installe à demeure.

Les investisseurs qui ont une aversion au risque plus élevée et qui craignent fortement les marchés baissiers auraient donc avantage à posséder une grande proportion de fonds d'obligations. Les investisseurs retraités ou qui seront bientôt à l'âge de la retraite sont attirés par le côté conservateur des fonds d'obligations. D'autre part, ces fonds procurent généralement des distributions mensuelles ou trimestrielles également appréciées par cette clientèle.

L'apport des fonds d'obligations à un portefeuille de placement procure les avantages suivants :

- Préservation de capital

- Amélioration de rendement lors des périodes de fluctuations boursières

- Source de revenu

- Propice pour les investisseurs possédant un horizon d'investissement plus court

Les fonds d'obligations ou les obligations ?

Comme pour tous les autres types de fonds communs de placement, l'accessibilité constitue l'un des principaux attraits des fonds d'obligations. Plus de 400 fonds d'obligations sont offerts aux investisseurs canadiens, et il est relativement facile d'y investir. L'investissement minimal peut s'établir à aussi peu que 200 $.

La comparaison entre les fonds est assez simple à faire ; il suffit de comparer ceux ayant des caractéristiques similaires. Elle peut se faire par rapport au contenu, à la taille ou à la fréquence des distributions. Il peut s'agir d'intérêts fixes ou variables, et les distributions peuvent être versées mensuellement, trimestriellement ou de façon irrégulière. La variété offerte aux investisseurs est vaste.

Parce que les fonds d'obligations sont habituellement plus faciles à gérer que les fonds d'actions, le ratio des frais de gestion associé à leur détention est généralement moins élevé. Il s'établit en moyenne à 1,8 %. Ces frais sont clairement établis, tandis que ceux rattachés à l'achat individuel d'obligations ne sont pas toujours évidents à déterminer. De plus, étant donné les sommes importantes dont dispose généralement un fonds, les gestionnaires obtiennent très souvent des escomptes lorsque vient le temps de transiger les titres.

En possédant un fonds, l'investisseur s'épargne tout le travail qu'exige la gestion d'un portefeuille composé d'obligations. C'est un professionnel qui s'occupe de la gestion. La possession de fonds d'obligations ne demande pas la connaissance de toutes les caractéristiques des obligations. Pas besoin de faire la lecture des prospectus, d'évaluer le risque, de réinvestir les intérêts ou de négocier les titres : le gestionnaire prend en charge tout l'aspect difficile. De plus, quelques catégories d'obligations plus complexes exigent la maîtrise de certaines connaissances financières que beaucoup d'investisseurs ne possèdent pas.

Quant à la détention directe d'obligations, elle donne davantage de contrôle à l'investisseur. En détenant un fonds, l'investisseur ne décide pas quelle obligation acheter et il ne peut pas choisir la fréquence et l'ampleur des distributions. De plus, si le détenteur conserve une obligation jusqu'à échéance, il évite le risque associé aux fluctuations des taux d'intérêt.

L'impact des taux d'intérêt

Le prix des obligations est influencé par les variations des taux d'intérêt. Lorsqu'on se trouve dans une période de baisse de taux d'intérêt, le prix des obligations tend à grimper. Cette situation découle du fait que les taux d'intérêt diminuant, les obligations présentes sur le marché offrent des taux supérieurs, qui entraînent du même coup une augmentation de leur demande et de leur prix. C'est justement ce qui s'est passé au cours des années 2002 et 2003, quand les taux d'intérêt ont atteint des niveaux historiquement bas. Lorsqu'il y a des hausses de taux, les investisseurs préfèrent, au contraire, se départir de leurs obligations afin d'en acquérir d'autres émises à des taux plus élevés. Une hausse des taux d'intérêt a donc pour effet de pousser à la baisse le prix des obligations.

L'échéance et la taille des coupons

Plus l'échéance d'une obligation est éloignée, plus les variations des taux d'intérêt font varier son prix. Pourquoi ? Parce que les obligations à longue échéance contiennent davantage de titres escomptés que les obligations à courte échéance et, par rapport à des variations de taux d'intérêt, l'escompte des flux monétaires éloignés réagit plus que les flux monétaires rapprochés. Les fonds qui comportent des obligations atteignant leur maturité après 20 ans ou plus sont considérés comme étant à longue échéance.

D'autre part, plus le coupon est élevé, plus l'investisseur récupérera rapidement son argent, et moins l'obligation sera sensible aux variations des taux d'intérêt. Le contraire est aussi vrai : les fonds à faibles coupons sont davantage sensibles aux taux d'intérêt. À ce sujet, les fonds à coupons détachés constituent une catégorie relativement sensible aux variations des taux d'intérêt. Ainsi, les fonds qui réagissent le plus aux baisses de taux d'intérêt sont ceux combinant des échéances plutôt longues avec des coupons faibles ou nuls.

La durée

Un indicateur, appelé durée, évalue le risque de taux d'intérêt associé à la détention d'une obligation. La durée inclut à la fois la sensibilité de taux d'intérêt que possède une obligation selon la longueur de son échéance et la taille des coupons qui y sont rattachés. Plus la durée est longue, plus l'obligation devient sensible aux variations des taux d'intérêt. Il est à noter que l'utilisation du bêta est mal adaptée à l'analyse du risque des obligations car celles-ci, contrairement aux actions, ont une échéance.

Les types de fonds d'obligations

Voici les sept types de fonds d'obligations :
Fonds d'obligations à rendement élevé
Fonds d'obligations d'entreprises
Fonds d'obligations municipales
Fonds d'obligations gouvernementales

Fonds indiciels d'obligations
Fonds d'obligations étrangères
Fonds d'obligations à coupons détachés

Une attention toute particulière doit être portée à la composition des fonds d'obligations. Une vaste gamme de fonds est disponible, et leur sélection doit se faire en fonction de la tolérance au risque de l'investisseur.

La plus importante catégorie représentée à l'intérieur des fonds d'obligations canadiennes est celle des obligations gouvernementales : elle constitue en moyenne près de 44 % de ces fonds. Ces produits représentent une importante source de financement pour les gouvernements. En effet, la majorité de la dette gouvernementale canadienne est composée d'obligations. Les obligations émises par les gouvernements et les organismes gouvernementaux sont généralement celles qui présentent le plus bas niveau de risque de crédit. Le fait que les gouvernements puissent hausser les taxes et les impôts offre une excellente assurance par rapport au paiement des flux monétaires futurs.

Certains fonds privilégient des obligations possédant des qualités de crédit moins élevées. Cette sélection permet d'aller chercher une prime de risque plus élevée qui résulte en un rendement accru. Cependant, plus les obligations détenues dans un fonds ont une cote de crédit faible, plus le fonds est susceptible de fluctuer. Il faut toutefois considérer le fait que, prise sur le plan individuel, une obligation ne représente généralement qu'une petite portion d'un fonds. À l'intérieur des fonds d'obligations canadiennes, une seule obligation représente en moyenne seulement près de 2 % du contenu. Étant donné cette particularité, le risque de crédit des obligations considérées individuellement est minime. Il est à noter que même si les fonds détiennent plusieurs obligations, certaines catégories de fonds, par exemple les fonds d'obligations à rendement élevé, montrent un risque de crédit supérieur. (Nous abordons le sujet des fonds d'obligations à rendement élevé au chapitre 7.)

Les fonds d'obligations à rendement réel

Trois familles de fonds connues offrent maintenant des fonds d'obligations à rendement réel : il s'agit d'une bonne nouvelle pour les investisseurs. Les fonds d'obligations à rendement réel possèdent la particularité de protéger l'investisseur en période d'inflation. Les obligations à rendement réel sont ajustées au taux d'inflation à la fois sur le coupon et sur la valeur nominale de l'obligation. Le résultat d'un tel ajustement ? Des rendements plus stables, corrélés à l'inflation et non corrélés aux autres classes d'actif.

LES FONDS DE DIVIDENDES

Quelle est la catégorie de fonds d'actions qui était quasiment la risée du milieu financier lors du boom des années 90, mais dont le haut niveau de stabilité en fait maintenant l'une des catégories les plus respectées ? Les fonds de dividendes. Si l'on exclut la performance époustouflante de certains fonds sectoriels, elle est la seule catégorie de fonds d'actions qui a obtenu un rendement positif au cours de la débandade boursière. Il ne faut donc pas se surprendre si les fonds de dividendes affichent maintenant des rendements qui se situent davantage dans le premier quartile et qui, par conséquent, attirent beaucoup plus l'attention.

Malgré l'éclatement de la bulle financière, le ralentissement économique et les scandales financiers, les fonds de dividendes ont su démontrer une stabilité exemplaire. De plus, si l'on considère une période de 10 ans, il s'agit de la catégorie de fonds qui affiche le plus haut rapport risque/rendement.

Les caractéristiques des titres composant ces fonds ont agi tel un coussin. Mais trop peu d'investisseurs ont su profiter de ce confort. En effet, alors que les marchés grimpaient fortement, les fonds de dividendes ont tout simplement été relégués aux oubliettes.

Regardons de plus près cette catégorie de fonds. L'une des caractéristiques que doit posséder un fonds pour entrer dans la catégorie « fonds de dividendes » a trait aux distributions des dividendes et du revenu, qui doivent se faire trimestriellement au minimum. Avec un critère aussi large de classi-fication, des fonds de nature assez différente se retrouvent sous la dénomi-nation dividendes. Il est donc essentiel de bien les distinguer a priori.

Des pur-sang pour investisseurs conservateurs

FIGURE 4.8 : RENDEMENT ET VOLATILITÉ								
	RENDEMENT ANNUALISÉ (%)						ÉCART TYPE	
FONDS	1 AN	2 ANS	3 ANS	5 ANS	10 ANS	15 ANS	3 ANS	5 ANS
CI Signature dividendes	9,6	4,0	5,1	7,7			4,8	6
GGOF dividendes mensuels	12,4	10,5	11,2	7,9	6,5	7,1	3,3	4,2
Banque Nationale dividendes	13,2	7,4	7,6	8,6	8,3		5,0	4,7

Source : PALTrak, au 31 octobre 2003.

Commençons par les pur-sang, soit les fonds consacrant une proportion importante de leur contenu aux actions privilégiées. On ne retrouve qu'une poignée de ces « vrais » fonds de dividendes. Le fonds CI Signature divi-dendes, le Banque Nationale dividendes ainsi que le GGOF dividendes mensuels font partie de cette classe sélecte. Le contenu en actions pri-vilégiées de chacun de ces fonds est d'environ 50 %.

Bien que ces fonds de dividendes n'aient pas été immunisés contre le recul boursier, il n'en demeure pas moins que leur performance comparative est plus que respectable, tant à court qu'à long terme. Prenons le cas du fonds CI Signature dividendes, géré par Eric B. Bushell. Le contenu en actions pri-vilégiées de ce fonds est de 47,5 %, et la distribution mensuelle s'élève à 4 cents. L'écart type sur 3 ans est de 70 % inférieur à celui du S&P/TSX et de 59 % moindre que celui de la moyenne des fonds d'actions canadiennes. Fait surprenant à noter : l'écart type sur 3 ans est de 35 % inférieur à la catégorie relativement stable que constitue la moyenne des fonds équilibrés. Les divi-dendes ont été, de façon évidente, porteurs de stabilité.

Le fonds GGOF dividendes mensuels, avec 49,5 % de son contenu con-sacré aux actions privilégiées, est géré par John Priestman. Il s'agit de l'un des fonds les moins volatils de sa catégorie. Les distributions mensuelles sont fixes et s'élèvent à 3,5 cents par part. Notons également que les parts de fiducies constituent près de 35 % du fonds, tandis que la pondération moyenne des fonds de dividendes en parts de fiducies s'élève à 16 % : les investisseurs doivent cependant se questionner sur la pertinence de détenir des fonds de dividendes qui surpondèrent ce secteur.

Banque Nationale dividendes est un excellent fonds. La volatilité, à presque la moitié de la moyenne de sa catégorie, est donc quatre fois moins élevée que celle de l'indice de référence du marché boursier canadien. De plus, ce fonds bat presque en tout temps le rendement de la moyenne de cette catégorie de 1 an à 10 ans. Son portefeuille contient généralement 50 % d'actions privilégiées, pour une efficacité fiscale maximale et sa distribution, trimestrielle variable, équivaut à environ 4 %.

Des fonds de dividendes pour tous les goûts

FIGURE 4.9 : RENDEMENT ET VOLATILITÉ DE 3 FONDS DE DIVIDENDES

Fonds	RENDEMENT ANNUALISÉ (%)						ÉCART TYPE	
	1 AN	2 ANS	3 ANS	5 ANS	10 ANS	15 ANS	3 ANS	5 ANS
Dynamique dividendes	12	7,2	8,1	6,4	7,7	8,2	5,6	6,2
Mackenzie Maxxum dividendes	17,1	8,2	6,4	10,4	12,0	11,0	9,0	9,3
Standard Life dividendes canadiens de croissance	19,7	9,9	6,4	12,5			10,3	10,2

Source : PALTrak, au 31 octobre 2003.

Les fonds ne contenant pas une proportion importante d'actions privilégiées répondent à différents types de besoins. La volatilité varie beaucoup d'un fonds à un autre. Cependant, la majorité de ces fonds possèdent des caractéristiques qui les rendent plus conservateurs que l'ensemble des fonds d'actions canadiennes. Le secteur des services financiers et des services publics y est habituellement surpondéré, tandis que les grandes capitalisations s'y trouvent souvent dans des proportions importantes. La stabilité que procurent de telles caractéristiques n'entraîne toutefois pas une constance des rendements équivalente à celle des « vrais » fonds de dividendes.

Le fonds Standard Life dividendes canadiens de croissance est l'un des fonds de dividendes affichant les meilleures performances à long terme. Il se classe parmi les premiers pour les rendements sur cinq ans. Ce bon rendement a cependant eu un «prix», la volatilité du fonds étant l'une des plus élevées de sa catégorie. Toutefois, si l'on considère à la fois les facteurs rendement et risque, le fonds affiche une excellente performance.

Le fonds Dynamique dividendes possède un bon noyau d'actions privilégiées (26,3 %) et contient également une proportion appréciable (39,5 %) de parts de fiducies. Ce fonds convient à ceux qui préfèrent une source constante de revenus ainsi qu'un bon degré de stabilité. Pour ceux qui recherchent un fonds de dividendes davantage axé sur la croissance, la famille Dynamique offre le fonds Dynamique croissance de dividendes

Le fonds Mackenzie Maxxum dividendes est un autre produit intéressant, mais qui s'apparente davantage à un fonds d'actions. Aucune trace d'actions privilégiées n'est visible lorsqu'on observe les banques de données. Plus volatil que la moyenne de ses concurrents, ce fonds géré par Bill Procter affiche une impressionnante performance à long terme (11,0 sur 15 ans).

Conçus pour être le noyau central d'un portefeuille ?

Étant donné le rapport risque-rendement intéressant affiché par les fonds de dividendes, beaucoup d'investisseurs se demandent si ce genre de placement devrait constituer le noyau central de leur portefeuille. Nous ne sommes tout simplement plus dans le même environnement que dans les années 90, et de plus en plus d'investisseurs s'interrogent sérieusement sur la répartition de leur actif dans une situation boursière aussi volatile. Le coup de pouce que peuvent donner les revenus engendrés par les actions privilégiées ainsi que la gestion plutôt conservatrice de l'ensemble des fonds de dividendes seront, sans aucun doute, des atouts de taille pour la bonne tenue d'un portefeuille. En fait, cette catégorie n'est plus à considérer uniquement pour les ultra-conservateurs, mais s'adresse à une gamme d'investisseurs beaucoup plus vaste.

Il faut toutefois se rappeler le côté « tranquille » des fonds de dividendes au cours des périodes de croissance boursière. L'erreur à ne pas faire consiste à acheter un fonds de cette catégorie pour s'en départir lorsque les autres catégories de fonds d'actions montrent des rendements supérieurs. Les fonds de dividendes ont montré leur supériorité sur de longues périodes, et c'est justement sur le long terme que doit être basée la détention de tels fonds.

LE CONCEPT DE RISQUE

Dans le domaine des fonds de placement, le risque est omniprésent. Nous n'avons qu'à penser à la variation de la valeur de notre devise et de son effet sur le rendement des fonds d'actions internationales, à l'impact de la variation des taux d'intérêt sur le rendement d'un fonds d'obligations ou à la conséquence de l'incertitude reliée à une guerre sur les performances des fonds d'actions et d'obligations. Il est dans l'intérêt de l'investisseur de bien saisir la réalité du risque.

L'arbitrage risque-rendement

L'arbitrage risque-rendement est un concept financier de base qui signifie simplement que l'investissement ayant le plus grand potentiel de croissance possède également le plus haut niveau de risque. À l'inverse, les investissements affichant un potentiel peu élevé de risque possèdent des perspectives de rendement inférieur.

Pour que les investisseurs acceptent un niveau de risque supplémentaire, ils doivent percevoir un rendement accru. Si les investisseurs ne s'attendaient pas à une récompense plus élevée en échange d'un placement risqué, ils délaisseraient tout simplement la classe d'actif en question.

Les fonds du marché monétaire forment une catégorie « tranquille » : le risque est le moins élevé, mais le potentiel de rendement est faible. À l'inverse, certaines catégories de fonds d'actions représentent des risques élevés, mais possèdent également des potentiels de rendement supérieurs.

Il est à noter que ce concept liant le risque et le rendement n'est pas toujours vérifiable. Il peut donc arriver, pour une certaine période de temps, que la prime de risque associée à un risque élevé soit nulle ou même négative. C'est le cas des actions dont le rendement a été inférieur à celui des obligations pour les années 2001 et 2002.

On constate toutefois, pour des périodes de long terme, que l'arbitrage risque-rendement est un concept bien réel : le marché récompense pour le risque encouru. Si l'on compare, par exemple, les deux grandes classes d'actif que forment les actions et les obligations, on constate que les actions ont obtenu des rendements supérieurs si l'on tient compte de la période couvrant les 50 dernières années.

Le risque systématique

Associé à un déclin affectant toutes les classes d'actif. Ce genre de risque peut provenir, par exemple, des rumeurs entourant une guerre éventuelle, d'une augmentation marquée du prix du pétrole, d'une variation des taux d'intérêt, etc. Le risque systématique est lié à la tendance à la contagion entre les économies et les entreprises. Il est impossible de se protéger entièrement contre le risque systématique étant donné qu'il affecte l'ensemble de l'économie.

Le risque spécifique

Le risque spécifique est associé à un titre d'entreprise en particulier. Une nouvelle concernant des profits moins élevés pour une entreprise fera diminuer le prix de son titre, sans qu'il y ait de conséquences sur le prix des autres titres. Plus l'entreprise est petite, plus le risque spécifique est grand. La diversification permet d'éliminer ce type de risque. Voici les principaux risques spécifiques

Risque d'inflation

Associé à un rendement inférieur au taux d'inflation. Pour mesurer le rendement réel d'un placement, il suffit de soustraire le taux d'inflation du rendement du placement. Les décennies 70 et 80 ont été caractérisées par des taux d'inflation dépassant parfois les 10 %. C'est ainsi qu'à cette époque, par exemple, les fonds dont le rendement positif était inférieur à 10 % auraient quand même pu donner des rendements réels négatifs. Il faut toutefois se rappeler que le principal objectif de la Banque du Canada est de contenir le taux d'inflation et que la fourchette cible du maintien de l'inflation se situe entre 1 % et 3 %.

Risque de taux de change

Le risque de taux de change est un autre facteur qui affecte les investisseurs qui possèdent des fonds contenant une partie étrangère. Parce que les titres achetés à l'extérieur du Canada doivent être acquis avec des devises étrangères, les variations du taux de change influent directement sur le rendement du fonds. Toutefois, certains fonds sont protégés contre ces fluctuations grâce à l'utilisation de certains produits financiers.

FIGURE 4.10 : DIFFÉRENCE DE RENDEMENT (%)

	RENDEMENT ANNUEL (%)						
INDICE	2002	2001	2000	1999	1998	1997	1996
S&P 500 ($ US)	-17,5	-12,0	-10,1	19,5	26,7	31,0	20,3
S&P 500 ($ CAN)	-22,7	-6,5	-5,5	14,1	37,7	39,2	23,4
Différence	5,2	5,5	4,6	-5,4	11,0	8,2	3,1

Risque de crédit

Il s'agit du risque couru par les détenteurs de fonds d'obligations. Il peut survenir lorsqu'il y a défaut de paiement, soit des intérêts, soit du principal. Pendant les périodes de récession, le risque de crédit augmente.

Risque législatif

Résulte des changements apportés à la législation relative au traitement fiscal des placements. Cela peut toucher, par exemple, le taux d'imposition des gains en capital.

Risque des taux d'intérêt

Les variations de taux d'intérêt ont une influence sur certaines classes d'actif. Ainsi, lorsque les taux d'intérêt augmentent, généralement, le prix des obligations diminue.

Risque sectoriel

Concerne les placements concentrés dans un secteur particulier. Il s'agit donc du risque que prennent les investisseurs en investissant dans les fonds technologiques ou dans les fonds de la santé.

2 mesures pour mieux cerner le risque : l'écart type et le bêta

Dans le domaine de la finance, certaines recherches ont permis de mettre au point des formules mathématiques permettant de mieux cerner le risque. Des mesures telles que le bêta et l'écart type s'avèrent très pratiques afin de distinguer les fonds selon leur degré de fluctuations passées.

Mais ces mesures comportent des limites. Souvenons-nous que chaque investisseur possède sa propre définition du risque. De ce point de vue, il est naïf de croire que de simples calculs mathématiques basés sur les rendements passés permettront de dire si un fonds est risqué ou non pour n'importe quel type d'investisseur. Il est donc nécessaire d'être prudent avec la manipulation des données fournies par l'écart type et le bêta.

• L'écart type

Henry Markowitz fut l'un des pionniers dans les recherches portant sur les mesures de risque. En publiant en 1952 un article intitulé « Portfolio Selection », Markowitz introduisit l'idée qu'il est possible de mesurer le risque en utilisant l'écart type.

L'écart type est une mesure de dispersion. Pour calculer cette mesure de dispersion, on additionne tout d'abord les différences entre le rendement d'un fonds et son rendement moyen, pour chacune des périodes considérées. Ce total est ensuite divisé par le nombre de périodes visées. L'écart type est la racine carrée du résultat de cette division.

L'écart type n'est pas une mesure parfaite du risque. Ainsi, l'écart type d'un fonds dont le rendement s'établit à 10 % pour les trois premières années, et à 45 % pour la quatrième année sera plus élevé que celui d'un fonds dont le rendement est de 10 % sur quatre ans. Un investisseur se fiant surtout à l'écart type pourrait donc être davantage tenté par le fonds dont l'écart type est moins élevé si la nature de cette volatilité lui est inconnue. Un autre exemple : un fonds qui obtient constamment un rendement négatif de -5 % aura le même écart type qu'un autre affichant un rendement constant de +5 %. Dans ce cas également, l'écart type est loin d'être une mesure de risque satisfaisante.

Un fait intéressant à noter : en observant l'écart type des fonds sur de longues périodes, nous remarquons que cette mesure de volatilité tend à diminuer avec le temps. En d'autres mots, plus vous conservez un fonds longtemps, moins le risque est élevé. C'est l'un des motifs de la forte insistance des conseillers financiers à ce que l'investissement fasse partie d'une stratégie financière à long terme.

FIGURE 4.11 : ÉCART TYPE DES CATÉGORIES DE FONDS

CATÉGORIE DE FONDS	ÉCART TYPE 5 ANS
Sciences et technologie	40,1
Actions américaines	18,1
Actions européennes	17,2
Actions canadiennes	15,1
Équilibré canadien	8,3
Obligations canadiennes	3,8

Source : PALTrak, au 30 septembre 2003.

• Le bêta

Le bêta mesure la propension d'un fonds à réagir aux diverses variations du marché des actions. Au Canada, on utilise l'indice composé S&P/TSX pour représenter le marché des actions, alors qu'aux États-Unis c'est plutôt le S&P 500 qui sert d'indice de référence. On désigne également le bêta comme mesure du risque systématique.

En résumé, un bêta supérieur à 1 signifie qu'un fonds a été plus volatil historiquement que son indice de référence, tandis que pour un fonds dont le bêta est inférieur à 1, la volatilité est inférieure à celle de l'indice. Un fonds avec un bêta de 1 signifie pour sa part qu'il a varié, en moyenne, dans la même proportion que l'indice. En termes concrets, nous obtenons un bêta de 1 lorsque le marché a progressé de 2 % et qu'en général le fonds a aussi augmenté de 2 %. Quant au fonds dont le bêta est de 0,5, il a affiché un progrès général de 1 % lorsque le marché a augmenté de 2 %.

Chapitre 5

Le portefeuille modéré

L e portefeuille modéré vise essentiellement à favoriser la croissance à long terme du capital tout en conservant un niveau de risque modéré. Il s'adresse aux investisseurs pouvant tolérer l'obtention de rendements négatifs sur de courtes périodes.

Le portefeuille modéré peut répondre aux attentes de l'investisseur :

- qui désire détenir un portefeuille pour une période de long terme de plus de huit ans ;

- qui veut être en mesure de bien dormir la nuit, mais avec un objectif minimal de conserver son pouvoir d'achat après inflation ;

- qui possède une certaine tolérance au risque.

Un investisseur ayant détenu ce portefeuille au cours des trois dernières années aurait obtenu un rendement de 6 % pour l'ensemble de cette pé-riode, comparativement à -5,6 % pour l'indice composé S&P/TSX. Les ges-tionnaires à la tête des différents fonds du portefeuille modéré ont tous démontré une bonne maîtrise du risque en période trouble.

LES CARACTÉRISTIQUES DU PORTEFEUILLE MODÉRÉ

→ Faible probabilité de perte sur une période de trois ans.

→ Pronostic le plus pessimiste sur un an : -15 %.

LES FONDS PROPOSÉS

Le portefeuille modéré se base principalement sur un mélange de fonds d'obligations et de fonds d'actions canadiennes. Du côté de la partie actions, le portefeuille fait appel à des fonds possédant différents styles de gestion : un fonds d'actions canadiennes d'approche valeur, un fonds d'actions canadiennes d'approche croissance et deux fonds d'actions mondiales d'approche valeur.

Du côté de la partie obligataire, le portefeuille contient deux produits qui se complètent bien : un fonds d'obligations municipales et un fonds d'obligations à coupons détachés. Une diversité supplémentaire est atteinte grâce à la présence d'un fonds de fiducies de revenu ainsi qu'un fonds de couverture.

FONDS	CATÉGORIE
1. Billets BDC contrats à terme gérés (5 %)	Fonds de couverture (chapitre 6)
2. Mackenzie Cundill canadien sécurité (15 %)	Fonds d'actions canadiennes d'approche valeur (chapitre 5)
3. Fidelity Discipline actions Canada (15 %)	Fonds d'actions canadiennes d'approche croissance (chapitre 6)
4. Mackenzie Ivy actions étrangères (15 %)	Fonds d'actions mondial d'approche valeur
5. Talvest Millénium revenu élevé (10 %)	Fonds de fiducies de revenu (chapitre 5)
6. FISQ Municipal – profil Québec (20 %)	Fonds d'obligations à court terme (chapitre 3)

FONDS	CATÉGORIE
7. FISQ Zéro coupon – profil Québec (10 %)	Fonds d'obligations à coupons détachés (chapitre 4)
8. Trimark croissance Sélect (10 %)	Fonds d'actions mondiales d'approche valeur

LES POINTS FORTS DE CHACUN DES FONDS PROPOSÉS

1. Billets BDC contrats à terme gérés (5 %)

L'avantage de ce fonds se situe sur le plan de la diversification. Il est composé de contrats à terme gérés évoluant de façon plutôt indépendante aux marchés boursiers. Le rendement de la série N-2 de ce produit géré par la firme Tricycle est très intéressant : 8,9 % sur 3 ans. Le fonds est également assorti d'une garantie de rendement minimal à échéance. Il est à noter qu'il est impossible d'investir dans les billets de la série N-2, mais de nouvelles émissions de billets similaires sont faites chaque année par Tricycle.

2. Mackenzie Cundill canadien sécurité (15 %)

Géré par le réputé Peter Cundill, le fonds Mackenzie Cundill a obtenu un spectaculaire rendement annualisé de 12,9 % sur 10 ans. Un autre exploit étonnant : le gestionnaire a été en mesure de générer des rendements positifs en 2001 et 2002, deux années boursières extrêmement difficiles. En choisissant ce fonds, vous optez nécessairement pour un style de gestion qui a fait ses preuves à long terme.

3. Fidelity Discipline actions Canada (15 %)

Le fonds Fidelity Discipline actions Canada est géré par Robert J. Haber, gestionnaire-vedette chez Fidelity. L'approche du gestionnaire a permis au fonds d'obtenir des performances supérieures au S&P/TSX. Le rendement sur 5 ans s'élève à 13,3 %, comparativement à 6,3 % pour l'indice composé S&P/TSX. Le fonds fait appel à une gestion d'approche croissance, qui permet de profiter pleinement de la montée du marché boursier.

4. Mackenzie Ivy actions étrangères (15 %) – offert aussi en version REER

Le fonds Mackenzie Ivy actions étrangères est géré par Jerry Javasky. Son excellente maîtrise de la gestion d'approche valeur lui a permis de limiter les dégâts au cours des trois dernières années. Son rendement à long terme, c'est-à-dire un rendement annualisé de 10 % sur 10 ans, témoigne de son succès.

5. Talvest Millénium revenu élevé (10 %)

Le fonds est géré par Barry A. Morrison depuis sa création en 1997. La répartition de l'actif démontre clairement une gestion prudente : 59,2 % du fonds est destiné au secteur des fiducies de revenu, 29,9 % est composé de liquidités, tandis que près de 10 % est formé d'actions canadiennes et étrangères. Bien sûr, le fonds a bénéficié pleinement de l'expansion des fiducies de revenu comme le démontre le rendement annualisé de 15,3 % sur 5 ans.

6. FISQ Municipal - profil Québec (20 %)

La composition du fonds FISQ Municipal - profil Québec en fait un produit unique. En effet, le fonds contient uniquement des obligations de municipalités québécoises. Le risque de crédit associé à ces obligations est quasi inexistant. Malgré la sécurité du produit, le rendement affiché est très intéressant : sur trois ans, ce fonds géré par Guy Liebart obtient un rendement de 6,4 %.

7. FISQ Zéro coupon – profil Québec (10 %)

Le fonds FISQ Zéro coupon – profil Québec ne trouve son équivalent avec aucun autre produit. Il contient des obligations à coupons détachés provenant du gouvernement du Québec et de sociétés publiques québécoises comme Hydro-Québec. Il s'agit d'un excellent produit pour diversifier la partie obligataire d'un portefeuille. Ce fonds affiche un solide rendement annualisé de 7,6 % sur 3 ans.

8. Trimark croissance Sélect (10 %) – offert aussi en version REER

Le fonds Trimark croissance Sélect est guidé par l'approche valeur. Les trois gestionnaires ont été en mesure de limiter les dégâts de façon admirable pendant la débâcle boursière. Le rendement sur 3 ans est de 2,9 %, ce qui est excellent quand on sait que ce fonds tend à surpondérer les titres américains. Sur une période de 10 ans, le fonds obtient un rendement annualisé de 9,6 %.

QUELQUES SOLUTIONS DE RECHANGE ET LEURS POINTS FORTS

Les solutions de rechange consistent en des fonds similaires à nos premières suggestions, mais comportant certaines différences qui peuvent les rendre plus intéressants à vos yeux, que ce soit sur le plan des rendements, des stratégies de placement, de la fiscalité, des frais de gestion, etc.

1. Billets BluMont Man Multistratégie (5 %)

La firme BluMont s'est jointe à la firme Man Investments pour offrir un véritable fonds de couverture diversifié. Le choix des stratégies utilisées constitue l'un des points forts du produit. Les billets font appel à cinq stratégies : les contrats à terme gérés, l'arbitrage, les fonds de fonds de couverture, les titres couverts et les stratégies d'actions acheteur/vendeur. Notons que ce produit offre une diversification exceptionnelle qui peut permettre à la fois un rendement supérieur au marché boursier et une volatilité moindre.

2. CI Signature Sélect canadien (15 %)

Eric B. Bushell est responsable du CI Signature Sélect canadien depuis sa création en 1998. Le rendement annualisé de 15,2 % sur 5 ans en fait l'un des fonds d'actions canadiennes les plus performants depuis cette période. Ce fonds a été en mesure de générer d'excellents rendements en 1999, 2000 et 2001 tout en chutant de façon moins prononcée que l'indice en 2002.

3. AGF titres canadiens (15 %)

Ce fonds d'approche croissance est géré par Martin Hubbes depuis le mois d'août 1996. Celui-ci a été en mesure de battre l'indice composé S&P/TSX à la fois pour les années 1997, 1998, 1999, 2000 et 2001. Sur une période de 5 ans, le fonds obtient un rendement de premier quartile de 10,4 %.

4. Brandes actions globales (15 %) – offert aussi en version REER

Bien que la création de ce fonds soit récente, la réputation de Brandes Investment Partners, ancien gestionnaire du fonds AGF valeur internationale, n'est plus à faire. Sur un an, le fonds Brandes actions globales a généré un rendement de premier quartile de 11,6 %. Le succès de Brandes n'est pas sur le point de se démentir !

5. Elliott & Page revenu mensuel élevé (10 %)

Alan Wicks a continué le bon travail amorcé avant sa nomination à titre de gestionnaire en juin 2000. Il s'agit du fonds qui obtient la meilleure performance sur six ans dans le secteur des fiducies. La répartition du fonds est diversifiée et ne met pas exclusivement l'accent sur le secteur des fiducies de revenu. La répartition de l'actif se rapproche plutôt de celle d'un fonds équilibré qui surpondèrerait le secteur des fiducies de revenu.

6. Fidelity obligations à court terme (20 %)

Ce fonds se distingue par son rendement annualisé de premier quartile de près de 5 % sur 5 ans. Aucun rendement négatif n'a été enregistré depuis sa création en 1996. Le gestionnaire Jeff Moore gère ce fonds de façon prudente.

7. Fidelity obligations canadiennes (10 %)

Le fonds Fidelity obligations canadiennes est géré de main de maître par Jeff Moore depuis octobre 2000. Sur 3 ans, le fonds obtient un rendement de premier quartile de 7,1 %. L'avantage de ce produit vient du fait qu'une importante proportion du fonds est constituée d'obligations de sociétés privées, ce qui augmente le rendement.

8. Fidelity Étoile du Nord (10 %) – offert aussi en version REER

Le concept original du fonds Fidelity Étoile du Nord est basé sur le fait que les gestionnaires ne possèdent aucune restriction quant à la façon de générer des rendements. Ils peuvent investir où bon leur semble. De plus, Fidelity a fait appel à la crème de la crème pour gérer ce fonds : Joel Tilinghast, l'un des meilleurs gestionnaires aux États-Unis dans le secteur des petites capitalisations, et Alan Radlo, l'un des meilleurs gestionnaires au Canada. Sur un an, le fonds a enregistré un solide rendement de 14,8 %.

L'ANALYSE DU PORTEFEUILLE

FIGURE 5.1 : ANALYSE DU RENDEMENT DES FONDS PROPOSÉS									
FONDS DU PORTEFEUILLE MODÉRÉ	**% DE L'ACTIF**	**ÉCART TYPE 3 ANS**	**RENDEMENT ANNUEL COMPOSÉ AU 31 OCTOBRE 2003**						**DATE DE CRÉATION**
			3 MOIS	1 AN	3 ANS	5 ANS	10 ANS	DEPUIS LA CRÉATION	
Billets BDC contrats à terme gérés N-2	5	12,1	1,3	0,6	8,9	-	-	9,3	Août 2000
Mackenzie Cundill canadien sécurité	15	8,4	5,3	17,1	8,6	11,8	12,9	10,2	Déc. 80
Fidelity Discipline actions Canada	15	14,2	8,3	24,7	-0,2	13,3	-	14,9	Sept. 98
Mackenzie Ivy actions étrangères	15	10,6	0,9	-3	0,2	4,3	10	9,7	Oct. 92
Talvest Millénium revenu élevé	10	6,6	3,5	12,8	16,4	15,3	-	10,2	Févr. 97
FISQ Municipal - profil Québec	20	3,5	0,8	4,3	6,5	-	-	6,7	Nov. 99
FISQ Zéro coupon - profil Québec	10	5,8	0,8	4,7	7,6	-	-	8,2	Nov. 99
Trimark croissance Sélect	10	13,8	0,7	5,4	2,9	8,2	9,6	11,2	Mai 89
Rendement du portefeuille avant impôts	100	5,35	2,9	8,9	6	-	-	5,9	Août 2000

FIGURE 5.2 : ANALYSE RISQUE/RENDEMENT

	3 ANS PORTEFEUILLE	5 ANS PORTEFEUILLE	10 ANS PORTEFEUILLE
Écart type	5,35	-	-
Mesure de Sharpe	0,45	-	-
Alpha	4,54	-	-
Bêta	0,51	-	-
R carré	64,49	-	-

MEILLEURE/PIRE PÉRIODE

	3 MOIS	RENDEMENT %	1 AN	RENDEMENT %	3 ANS	RENDEMENT %
Meilleure	10-01/12-01	7,0	04-01/03-02	10,3	11-00/10-03	6,0
Pire	01-03/03-03	-4,0	0,4-02/03-03	-4,7	10-00/09-03	5,7

FIGURE 5.3 : RÉPARTITION DES AVOIRS

Répartition	% de l'actif
Liquidités	13,6
Actions canadiennes	21,8
Actions américaines	14,3
Actions internationales	12,4
Obligations canadiennes	30,1
Obligations étrangères	0,5
Autre	7,3
Non classé	0,0

FIGURE 5.4 : MATRICES DE STYLE

ACTIONS CANADIENNES ET AMÉRICAINES

Avoirs non classés 16 %

			Capitalisation
3%	36%	2%	Grande
4%	21%	8%	Moyenne
3%	6%	1%	Petite
Valeur	Mixte	Croissance	

Style

OBLIGATIONS CANADIENNES

Avoirs non classés 94 %

			Qualité du crédit
0%	0%	3%	Élevée
1%	2%	0%	Moyenne
0%	0%	0%	Faible
Faible	Moyenne	Élevée	

Sensibilité aux taux d'intérêt

FIGURE 5.5 : RÉPARTITION GÉOGRAPHIQUE

Portefeuille	% de l'actif
Canada	72,9
États-Unis	14,7
Europe	7,4
Japon	3,7
Amérique latine	0,4
Bassin du Pacifique	0,9
Autre	0,1
Non classé	0,0

FIGURE 5.6 : ANALYSE FONDAMENTALE

Maturité du marché	% du portefeuille
Marchés développés	99,6
Marchés émergents	0,4
Non disponible	-

Caractéristiques des actions canadiennes et américaines

Cours-bénéfice	21,9
Cours-valeur comptable	2,3
Cours-ventes	-
Cours-marge brute	-
Rendement du dividende	1,6
Rendement des capitaux propres	21,6

Capitalisation boursière moyenne (M$) des actions canadiennes et américaines

Portefeuille	13 979,5

Statistiques du fonds

Moyenne des ratios de frais de gestion	2,29

Caractéristiques des obligations canadiennes

Échéance	7,26
Durée	6,16
Qualité moyenne du crédit	A

Qualité du crédit obligations canadiennes

	% des obligations		% des obligations
AAA	0,00	BB	0,00
AA	3,29	B	0,00
A	3,04	Sous B	0,00
BBB	0,00	ND	93,68

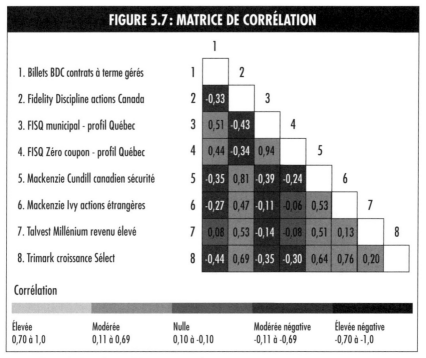

FIGURE 5.7 : MATRICE DE CORRÉLATION

		1	2	3	4	5	6	7	8
1. Billets BDC contrats à terme gérés	1								
2. Fidelity Discipline actions Canada	2	-0,33							
3. FISQ municipal - profil Québec	3	0,51	-0,43						
4. FISQ Zéro coupon - profil Québec	4	0,44	-0,34	0,94					
5. Mackenzie Cundill canadien sécurité	5	-0,35	0,81	-0,39	-0,24				
6. Mackenzie Ivy actions étrangères	6	-0,27	0,47	-0,11	-0,06	0,53			
7. Talvest Millénium revenu élevé	7	0,08	0,53	-0,14	-0,08	0,51	0,13		
8. Trimark croissance Sélect	8	-0,44	0,69	-0,35	-0,30	0,64	0,76	0,20	

Corrélation

Élevée	Modérée	Nulle	Modérée négative	Élevée négative
0,70 à 1,0	0,11 à 0,69	0,10 à -0,10	-0,11 à -0,69	-0,70 à -1,0

Source: Morningstar Research Inc. et FMR Corp., au 31 octobre 2003.

LES FONDS D'ACTIONS D'APPROCHE VALEUR

C'est au cours de la débandade boursière que l'approche valeur a vu son prestige augmenter. Développée par Benjamin Graham, l'approche valeur avait été remise en question pendant la croissance exceptionnelle de la fin des années 90. Mais le contexte a bien évolué depuis, et ce style de gestion est maintenant grandement populaire auprès des investisseurs échaudés...

Les grands principes de l'approche valeur

La pensée qui obsède les gestionnaires de fonds valeur est le prix d'acquisition des titres. Le ratio cours-bénéfice des entreprises sélectionnées est donc généralement faible. Les gestionnaires valeur sont principalement à la recherche de titres d'entreprises sous-évaluées par rapport à leur valeur réelle. Autrement dit, les titres doivent posséder une valeur intrinsèque plus grande que leur valeur boursière. Les gestionnaires centrent également leur attention, en premier lieu, vers les entreprises et non pas vers les secteurs de l'économie. C'est ce qui permet de dire que l'approche valeur est ascendante.

Selon les adeptes de l'approche valeur, les titres sous-évalués finiront par s'apprécier au fur et à mesure que le marché reconnaîtra leur valeur réelle. Les gestionnaires ne tentent donc pas d'anticiper la direction future du marché dans leur sélection de titres. Ils recherchent simplement des aubaines et prétendent être en mesure de le faire avant le marché.

Les gestionnaires valeur considèrent une panoplie de facteurs avant de procéder à l'acquisition d'un titre, tels que le positionnement face aux compétiteurs, l'efficacité de la production et la qualité de la direction.

On considère toutefois que l'approche utilisée par les gestionnaires de fonds valeur fait davantage appel à l'aspect quantitatif. Ainsi, le bilan comptable d'une entreprise sélectionnée, analysé de fond en comble, doit afficher une solidité supérieure à celui des compétiteurs. De plus, les revenus de l'entreprise doivent démontrer une bonne stabilité. De nombreux éléments quantitatifs sont ainsi considérés afin d'assurer la meilleure prévision possible en ce qui a trait à la stabilité et à la régularité des rendements futurs des entreprises.

La volatilité des titres qui composent les fonds valeur est moins importante que pour les fonds croissance. L'une des raisons avancées pour expliquer cette situation serait l'écart entre le prix des titres et leur valeur intrinsèque. Cet écart, existant davantage pour les fonds valeur, permet l'établissement d'une certaine marge de sécurité qui amoindrit le risque.

Les gestionnaires d'approche valeur optent souvent pour des titres d'entreprises qui soulèvent généralement peu d'enthousiasme chez les investisseurs. Les raisons pour lesquelles ces entreprises sont peu considérées par le marché sont multiples : problème concernant le lancement d'un nouveau produit, grève des employés, rumeur concernant le départ d'un dirigeant, etc. Un gestionnaire d'approche valeur analyse de manière exhaustive les problèmes de ces entreprises et juge s'il s'agit de situations temporaires ou de quelque chose de plus problématique.

Le temps est, selon les gestionnaires valeur, un atout qui joue en faveur de ce type de fonds. Le rendement de ces fonds sur de courtes périodes peut parfois être décevant comparativement à d'autres catégories, mais une plus longue période permet d'apprécier avec plus de justesse leur performance.

L'approche valeur suscite l'intérêt

Les années 2001 et 2002 ont été une période de douce revanche pour les gestionnaires qui ont gardé intacte leur stratégie d'investissement axée sur la valeur. Nombre de leurs fonds ont réussi à limiter les dégâts reliés à la débandade boursière et à afficher des rendements positifs intéressants.

Avec la volatilité rattachée au marché boursier et la plus grande réticence des investisseurs vis-à-vis des fonds plus volatils, il n'est pas surprenant de constater que peu d'investisseurs soient enclins à renouer aveuglément avec le style croissance, l'approche qui avait obtenu un succès sans précédent pendant le dernier marché haussier. Du côté des fonds d'actions, la faveur va nettement aux fonds répondant à l'approche développée par Benjamin Graham, mentor de Warren Buffett. Cette situation contraste avec celle de la fin des années 90, où certains titres devaient être éliminés des fonds valeur afin de faire face aux sorties d'argent…

Quant à l'efficience des deux approches, c'est maintenant la valeur qui domine haut la main en ce qui a trait au rendement des fonds. Sur les données à long terme, on constate la supériorité des fonds d'approche valeur. Mais, comme on le sait, toute bonne chose a une fin, et c'est pratiquement un dogme dans le domaine de la finance. Aussi voit-on rarement une catégorie spécifique de fonds garder longtemps une position dominante. Un retour du balancier se fera sans doute, et les fonds croissance tape-à-l'œil regagneront la faveur.

Une vision pessimiste

Sans vouloir nous prêter au jeu des prédictions, disons que certains facteurs incitent toujours à la prudence par rapport à l'approche croissance. Historiquement, le taux de valorisation des titres boursiers, surtout ceux des États-Unis, demeure élevé. Le danger relié aux titres de croissance est donc présent et constitue toujours une source d'inquiétude.

Par ailleurs, les ménages américains font face à un taux d'endettement élevé, et leur taux d'épargne est trop bas. Si les Américains veulent prendre leur retraite un jour, ils devront se concentrer davantage sur l'épargne, et ce, aux dépens de la consommation. La combinaison de tous ces facteurs peut signifier une croissance plutôt faible de l'économie américaine au cours des prochaines années et avoir une conséquence directe sur les titres de croissance.

Plus de stabilité

Rien de mieux qu'un fonds valeur pour affronter d'éventuelles turbulences dans le marché boursier. Quand les choses tournent mal à la Bourse, l'approche de Benjamin Graham a prouvé qu'il est possible de se démarquer avantageusement. La pensée qui obsède les gestionnaires d'approche valeur, à savoir des prix d'acquisition peu élevés par rapport à la valeur intrinsèque des entreprises, permet d'obtenir des fluctuations moins prononcées. Sur 5 ans, l'écart type des fonds d'actions d'approche valeur à grande capitalisation est d'environ 25 % inférieur à celui de l'indice composé S&P/TSX. De telles caractéristiques sont plutôt attrayantes.

Les fonds valeur peuvent répondre aux besoins des investisseurs qui désirent renouer avec le marché des actions mais qui demeurent tout de même craintifs en cas d'éventuelles fluctuations du marché. Un portefeuille diversifié, pas très corrélé au mouvement des titres volatils et qui a tout de même le potentiel de s'apprécier à long terme, voilà ce à quoi le détenteur de fonds valeur peut s'attendre.

3 exemples de fonds canadiens d'approche valeur

FIGURE 5.8 : RENDEMENT ET VOLATILITÉ DE 3 FONDS CANADIENS D'APPROCHE VALEUR								
	RENDEMENT ANNUALISÉ (%)						ÉCART TYPE	
FONDS	1 AN	2 ANS	3 ANS	5 ANS	10 ANS	15 ANS	3 ANS	5 ANS
Mackenzie Cundill canadien sécurité	17,1	11,7	8,6	11,8	12,9	9,8	8,4	9,9
CI Signature Sélect canadien	15,2	6,2	6,5	15,2			12,2	11,7
Trimark canadien croissance Sélect	15,9	8,4	4,8	8,6	8,2		10,7	11,2

Source : PALTrak, au 31 octobre 2003.

1. Mackenzie Cundill canadien sécurité

Le fonds valeur Mackenzie Cundill canadien sécurité, centré sur le marché canadien, retient particulièrement notre attention. Il est géré par Peter Cundill, Wade Burton et Tony Massie. Fidèle à l'approche Cundill, qui vise à acheter 1 $ avec 0,50 $, ce fonds est considéré comme étant *contrarian*. En effet, les gestionnaires s'intéressent systématiquement aux titres que tout le monde semble dédaigner. Les rendements sont appréciables en période de trouble boursier. Quant aux périodes de forte croissance boursière, vous ne trouverez jamais ce fonds dans les rendements de premier quartile. Les rendements à long terme montrent cependant l'efficacité des gestionnaires. La portion allouée aux liquidités est la plupart du temps élevée, mais il ne faut pas s'en inquiéter.

2. CI Signature Sélect canadien

Un autre fonds digne de mention est le CI Signature Sélect canadien, géré par Eric B. Bushell. Le rendement annualisé sur cinq ans est impressionnant. En fait, seule une poignée de fonds d'actions canadiennes, dont surtout des fonds de petite capitalisation, ont obtenu un rendement supérieur sur cette période. Le fonds est fortement présent dans le secteur bancaire, un secteur particulièrement prisé par le style valeur. Notons également la forte présence de liquidités, tout comme pour le fonds Mackenzie Cundill canadien sécurité.

3. Trimark canadien croissance Sélect

La gestionnaire Heather Hunter est à la tête de ce fonds depuis avril 1999. Elle recherche des titres canadiens de sociétés bien établies, mais dont le prix est attrayant par rapport à leur valeur intrinsèque. Le bas taux de volatilité du fonds démontre bien ses talents de gestionnaire valeur. Le secteur financier détient une place importante dans le fonds.

Il faudra plus qu'une remontée du marché comme celle que nous avons connue depuis le début de 2003 pour que les investisseurs choisissent de nouveau les fonds à volatilité élevée. L'environnement boursier demeure toujours incertain, et il est nécessaire de bâtir un portefeuille en conséquence. Si l'on tient compte de ces conditions, il est clair que l'approche valeur a toujours la cote.

Pour les investisseurs qui s'inquiètent d'une éventuelle défaveur de l'approche valeur, il n'y a pas de quoi s'en faire outre mesure. En effet, le potentiel de risque associé aux fonds valeur est moins élevé que ce que l'approche croissance pourrait générer. Mais ne l'oublions pas, c'est toujours le facteur « temps » qui permet d'apprécier correctement les performances du style valeur.

LES FONDS DE FIDUCIES DE REVENU

Les fiducies de revenu attirent de plus en plus l'attention, et pour cause. Ces produits offrent l'occasion d'obtenir des rendements élevés dans un contexte de taux d'intérêt bas.

Les fonds de fiducies de revenu, qui permettent de profiter aisément de l'essor de ce secteur, sont de plus en plus présents dans les portefeuilles. Il s'agit d'une catégorie de fonds dont on ne peut pas négliger l'analyse.

Le contexte

Voilà une catégorie de fonds qui a traversé fièrement la tempête boursière et qui, par conséquent, attire l'attention d'une vaste gamme d'investisseurs.

Plusieurs éléments ont contribué à l'essor des fonds de fiducies de revenu. On peut noter, entre autres, l'apport favorable des faibles taux d'intérêt, ainsi que la montée du prix des ressources énergétiques.

Un autre élément non négligeable ayant contribué à la popularité de ces fonds provient de la quête, par les baby-boomers, d'instruments financiers basés sur le revenu. En effet, avec les taux d'intérêt historiquement peu élevés que rapportent les obligations, beaucoup de baby-boomers ont vu, dans les fiducies de revenu, une solution de rechange en matière de revenu.

Au Canada, la capitalisation totale des fiducies de revenu a été évaluée à plus de 45 milliards à la fin de 2002, comparativement à 29,5 milliards à la fin de 2001 et 2 milliards à la fin de 1994. L'augmentation phénoménale de ce secteur a été causée par la hausse du nombre de premiers appels publics à l'épargne (PAPE) et l'augmentation de la valeur des unités de fiducie de revenu.

Ces produits s'échangent à la Bourse de Toronto, mais sont générale-ment moins liquides que les actions. En effet, il s'agit d'un marché beaucoup plus restreint.

Il existe plus de 40 fonds rattachés à ce secteur qui sont offerts aux investisseurs canadiens. Le fonds de fiducies de revenu le plus important au Canada est le CI Signature revenu élevé, dont l'actif atteint près de 1,2 mil-liard de dollars. D'autre part, il est intéressant de noter que les fiducies de revenu forment souvent des portions importantes de certains fonds équili-brés et de fonds de dividendes. À vous et à votre conseiller de voir si ces portions vous conviennent.

Les types de fiducies de revenu

Qu'est-ce qu'une fiducie de revenu ? Il s'agit, grosso modo, d'une structure particulière qui fait en sorte que les flux de revenus générés sont presque entièrement distribués aux détenteurs, et ce, d'une manière avantageuse sur le plan fiscal. L'investisseur reçoit un haut taux de distribution parce que la fiducie minimise l'impact des taxes corporatives.

Il existe trois grandes catégories de fiducies de revenu : les fiducies de redevance (*royalty trust*), qui sont basées sur les redevances régulières que procurent des propriétés de ressources naturelles ; les fiducies immobilières (REITS), dont le revenu provient de la location de propriétés immobilières ; et les fiducies commerciales (*business trust*), qui procurent des revenus en intérêts et dividendes provenant d'entreprises ayant des spécialités très diverses.

Chaque catégorie de fiducie comporte un risque qui lui est propre. Les fiducies comportant le plus de risques sont celles rattachées au secteur du pétrole et du gaz, tandis que les fiducies reliées à l'immobilier sont relativement stables. Il ne faut toutefois pas considérer les parts de fiducies comme étant des titres semblables aux obligations, comme plusieurs le croient. La volatilité des parts de fiducies se rapproche plutôt de celle des actions.

Pourquoi les entreprises décident-elles de devenir des fiducies ?

La raison qui incite certaines entreprises à devenir des fiducies, plutôt que des entreprises publiques, a trait à leur perspective limitée de croissance. Certains les qualifient même de « mortes ».

Étant donné qu'un investissement est, à toutes fins utiles, inintéressant dans un environnement sans croissance, les entreprises préfèrent se transformer en fiducies. Les dirigeants ne voient aucun avantage notable à rechercher de la croissance dans un environnement où il n'y en a pas. D'autre part, les fiducies de revenu requièrent très peu de dépenses et dépendent souvent d'actifs dont la durée de vie est plutôt longue.

Les entreprises qui deviennent des fiducies sont très variées. Elles peuvent œuvrer dans un domaine aussi particulier que celui de la sardine. Les perspectives de croissance du secteur de la sardine sont plutôt faibles, mais l'entreprise évoluant dans ce secteur est tout de même en mesure de procurer un certain flux de revenus. Ses dirigeants peuvent décider de vendre à une fiducie plutôt que de devenir une société par actions parce qu'il s'agit tout simplement d'une décision plus lucrative pour eux.

La même logique s'applique pour certaines entreprises du secteur pétrolier. Il faut toutefois faire la distinction entre les entreprises qui exploitent le pétrole et font de l'exploration pétrolière et celles qui se limitent à exploiter une réserve pétrolière particulière. Étant donné qu'une réserve de pétrole possède une durée de vie limitée, la fiducie est davantage appropriée dans ce contexte. En ce qui touche l'immobilier, l'avantage de devenir une fiducie immobilière peut tout simplement résider dans les importants avantages fiscaux qu'en retire le vendeur.

Un avantage fiscal évident

La plupart du temps, les distributions versées aux porteurs de parts sont composées à la fois d'intérêts et de retour de capital. Le retour de capital ne constitue pas le montant que vous avez initialement investi ; c'est plutôt une sorte d'allégement fiscal accordé aux fiducies. Par exemple, les distributions liées aux fiducies de redevance bénéficient d'un traitement fiscal spécial : l'imposition est reportée au moment de la vente des unités détenues. Cet avantage fiscal provient du fait que les entreprises sont considérées comme des fiducies. La fiducie permet donc aux détenteurs de parts d'éviter la double imposition des revenus.

Le retour de capital réduit le coût de base ajusté et permet donc de reporter l'imposition jusqu'au moment de la vente de la part. Lors de la vente de la part, il y aura un ajustement fiscal qui sera calculé selon la différence entre le prix de base ajusté et le prix initial. L'impact fiscal immédiat d'une distribution provenant d'un fonds de fiducies de revenu est donc limité.

Comme il est toujours dans l'intérêt des investisseurs de repousser le plus loin possible l'imposition, les fiducies de revenu constituent un produit avantageux sur le plan fiscal. Il s'agit d'un atout important si vous désirez détenir ce produit à l'extérieur d'un REER.

Intéressant pour le revenu

Les fiducies de revenu sont des produits intéressants, et il n'y a aucun doute sur le fait que leur popularité continuera de croître au cours des prochaines années. Il ne faut cependant pas se procurer ces produits en ayant en tête qu'ils reproduiront les mêmes performances qu'au cours des années 2000, 2001 et 2002. Leur acquisition devrait plutôt se faire dans le but de toucher un revenu.

Il ne faut surtout pas oublier que ces instruments sont sujets à certains risques. Les hausses de taux d'intérêt, par exemple, ont des effets négatifs sur les fiducies. L'impact est à peu près semblable aux variations du prix des obligations. D'autres éléments, comme les fluctuations des prix du pétrole et du gaz, peuvent avoir un effet considérable sur les fiducies de redevance.

D'autre part, pour ceux qui s'intéressent depuis peu à ce produit, la meilleure façon de participer à l'expansion de ce secteur est par l'intermédiaire d'un fonds. Gestion professionnelle et diversification sont des éléments essentiels que vous obtiendrez alors. De plus, détenir un fonds vous permettra d'éviter la tâche complexe de la comptabilité rattachée aux distributions de fiducies de revenu. Pour un détenteur de fonds, c'est à la famille de fonds que revient la tâche de calculer le coût de base rajusté et de préparer les documents nécessaires pour l'impôt. Vous devez bien sûr payer des frais de gestion, mais les bénéfices de tels fonds surpassent nettement les inconvénients.

Les unités de fiducie ne sont pas des obligations

Une autre perception erronée veut que les unités d'une fiducie de revenu soient des produits similaires aux obligations. Une obligation est différente parce qu'elle permet généralement de toucher, en échange d'un montant initial, un certain nombre de coupons ainsi que le capital à l'échéance. Pour les parts de fiducie, le mécanisme est tout à fait différent.

Il est important de rappeler que les flux de revenu passés des fiducies ne sont pas d'excellents indicateurs des flux de revenu futurs. À ce sujet, la stabilité du flux de revenu des fiducies n'est pas comparable à celle des titres à revenu fixe. Notons que la possibilité que le revenu généré par une fiducie de revenu soit revu à la baisse est omniprésente et que ce risque est d'autant plus grand si le rendement offert par la fiducie est élevé. Puis, contrairement aux obligations, les fiducies ne remettent évidemment pas le capital à une date donnée.

Concernant les performances à venir, oublions la perspective de rendements équivalents à ceux des années 2000, 2001, 2002 et 2003. D'une part, on s'attend à ce que les taux d'intérêt soient à la hausse au cours des prochaines années. D'autre part, il est probable que le prix des matières énergétiques se mette à baisser. Donc, si l'on combine tous ces facteurs, on peut dire que l'augmentation du prix de certains types de parts de fiducie risque fort de ne pas être celui des trois dernières années.

LES FONDS DE COUVERTURE : DE PLUS EN PLUS NÉCESSAIRES

La popularité des fonds de couverture (*hedge funds*) a augmenté de façon fulgurante au cours des trois dernières années. La bonne performance de plusieurs fonds de cette catégorie s'explique, en bonne partie, par la grande latitude des gestionnaires dans un contexte de recul boursier. Ces derniers ont ainsi pu mettre de l'avant diverses stratégies de placement permettant de limiter l'impact de la volatilité boursière.

On associe souvent, à tort, un risque élevé à la détention d'un fonds de couverture. Le cas du Long Term Capital Management (LTCM) explique en partie la propagation de cette idée reçue. Le LTCM est un fonds qui possédait en 1998 un actif de 130 milliards et qui empruntait à l'occasion près de 30 fois son capital. Voilà un effet de levier dangereux qui s'est transformé en une perte de 90 % pour ceux qui ont investi dans ce fonds.

Mais le LTCM est un cas unique en son genre, et il est faux de prétendre que les fonds de couverture constituent tous des produits similaires au LTCM. Il existe actuellement plus de 7 000 fonds de couverture dans le monde, et pas moins de 11 catégories ont été répertoriées par le TASS Research : acheteur/vendeur sur actions, arbitrage d'obligations convertibles, événements spécifiques, spécialisés en vente à découvert, actions marché neutre, marché émergent, arbitrage de titres à revenu fixe, transactions mondiales, opérations sur actions opportunistes, contrats à terme gérés et fonds de fonds. Le potentiel de rendement et de risque varie grandement d'une catégorie à une autre. Par exemple, un fonds de fonds comme le BluMont Man-IP, qui est présent dans plusieurs des catégories répertoriées par le TASS, est en mesure de maintenir un niveau de risque inférieur à celui des indices boursiers tout en obtenant un rendement supérieur.

Les 4 catégories de fonds de couverture les plus vendues au Canada

1. *Acheteur/vendeur sur actions.* Cette catégorie comprend les placements avec positions acheteuses et à découvert sur actions. Les gestionnaires de ces fonds, qui exercent donc des positions acheteuses et à découvert sur actions, bénéficient de la capacité de réaliser des opérations de couverture grâce à l'utilisation de contrats à terme, d'options, d'actions de type valeur et croissance, d'actions de petite, moyenne et grande capitalisation, etc. Les portefeuilles de style acheteur/vendeur sont beaucoup plus concentrés que ceux des fonds d'actions traditionnels et possèdent également certains penchants en faveur d'un secteur ou d'une zone géographique en particulier.

2. *Actions marché neutre.* Ces fonds prospèrent grâce à l'interaction profitable entre des actions sous-évaluées détenues et des actions surévaluées vendues à découvert, ce qui crée une exposition minimale au marché. Bien qu'ils soient à l'abri des fluctuations du marché, qui déterminent normalement le rendement d'un portefeuille, ils procurent habituellement des mesures de Sharpe plus élevées – de meilleurs rendements en fonction du risque – que d'autres types de fonds de couverture. Les portefeuilles d'actions neutres à l'égard du marché peuvent être préparés pour la capitalisation industrielle, sectorielle, boursière et d'autres expositions ; de plus, ils font souvent l'objet d'un effet de levier, ce qui permet de hausser les rendements.

3. *Contrats à terme gérés.* Cette stratégie touche les contrats à terme disponibles mondialement et ayant trait à des marchandises, des devises et d'autres produits. La plupart des négociateurs de contrats à terme gérés for-

ment leur portefeuille en fonction de données techniques sur les prix ainsi qu'en fonction de données propres au marché. D'autres préfèrent une approche plus discrétionnaire, qui tient compte des facteurs économiques et politiques fondamentaux. Les contrats à terme gérés sont parfois inconstants, mais ils procurent d'excellents rendements dans de mauvais marchés. Aussi, depuis peu, leurs résultats se comparent très avantageusement à ceux des autres catégories de fonds de couverture.

4. *Fonds de fonds*. Un mélange de fonds de couverture et d'autres instruments de placement réunis dans un seul fonds de couverture peut procurer plus de stabilité que n'importe lequel de ces fonds pris individuellement. L'ensemble peut comprendre 5 ou 6 fonds au minimum et jusqu'à plus de 40 fonds, ce qui rappelle la diversité que les investisseurs peuvent atteindre au moyen des fonds communs de placement traditionnels.

L'art de contrôler le risque

La liberté de mouvement des gestionnaires des fonds de couverture leur permet de mettre en place des stratégies diminuant le risque. Notons l'utilisation de la vente à découvert, qui procure des rendements positifs lorsque le marché recule. Si elle est utilisée de façon adéquate, cette technique permet de réduire le risque d'un portefeuille. Mais d'un autre côté, les positions de vente à découvert peuvent représenter un risque supplémentaire parce que le potentiel de perte est, contrairement aux positions acheteuses, théoriquement infini. Il faut donc que le gestionnaire utilise judicieusement les outils mis à sa disposition.

De plus, contrairement aux gestionnaires de fonds communs de placement, dont la principale défense contre les marchés en déclin est de se rabattre sur les bons du Trésor, de nombreux gestionnaires de fonds de couverture ont recours à des techniques de négociation telles que :

- l'établissement de positions acheteuses et à découvert grâce à l'utilisation de l'arbitrage ;

- l'achat de titres sous-évalués ou la vente de titres surévalués ;

- la saisie d'occasions pouvant entraîner des rendements au-
dessus de la moyenne à peu de risques, y compris des fusions,
des réorganisations et des « achats hostiles », souvent profitables
grâce à d'habiles manœuvres d'achat et de vente d'actions ;

- l'utilisation de produits dérivés, tels que des contrats à terme,
des options ou des bons de souscription (*warrants*) dont les
valeurs varient en fonction des marchandises, des devises ou
d'autres facteurs, afin d'exercer un effet de levier sur les rendements et d'éliminer certains risques.

Une catégorie respectée

Les fonds de couverture sont de plus en plus respectés en tant que classe
d'actif à détenir dans le cadre d'un portefeuille équilibré. D'autant plus que
le principal problème qui empêchait les investisseurs d'y accéder tend à dis-
paraître. En effet, les fonds de couverture nécessitent de moins en moins les
investissements minimaux de 150 000 $ auparavant exigés. Des firmes telles
que Tricycle et BluMont offrent maintenant des fonds de couverture multi-
gestionnaire et multistratégie pour des montants de 5 000 $ ou moins. Et, ce
qui est encore plus attrayant, c'est le fait que certaines garanties de rendement minimum à échéance sont rattachées aux produits offerts par Tricycle
et BluMont.

Malgré tous ces avantages intéressants, nous devons faire certaines
mises en garde. Il demeure possible que la grande liberté d'action dont jouissent les gestionnaires de ces fonds se retourne contre eux. Aussi, en dépit
du succès de nombreux fonds de couverture, l'investisseur devrait restrein-
dre sa participation aux alentours de 10 % de son portefeuille. Nous suggérons de ne pas consacrer une trop grande proportion d'un portefeuille à
un seul produit et d'opter pour des fonds qui rassemblent plusieurs gestionnaires et plusieurs stratégies sous le même toit.

De nombreux gestionnaires institutionnels d'importance entrevoient de bonnes années de rendement pour les fonds de couverture et se positionnent en conséquence. Ébranlés par le recul du marché boursier, de gros joueurs sont en quête de solutions de rechange afin d'arrêter la saignée. Le California Public Employees Retirement System (CalPERS), le plus gros régime de retraite américain, est un bon exemple. Le CalPERS gère un actif de près de 131 milliards de dollars pour le compte d'environ 1,3 million d'employés du secteur public. La partie consacrée à la classe des produits d'investissement de rechange, qui a été revue à la hausse en 2003, est passée de 1 % à un niveau se situant entre 3 % et 4 %. Les investisseurs devraient s'inspirer de cette stratégie et regarder d'un peu plus près cette classe d'actif trop souvent méconnue des petits épargnants.

Chapitre 6

Le portefeuille audacieux

L e portefeuille audacieux vise essentiellement l'obtention d'un rendement élevé à long terme et suppose un degré de volatilité élevé. Il s'adresse aux investisseurs qui tolèrent l'obtention de rendements négatifs à court et à moyen terme.

Le portefeuille audacieux peut répondre aux attentes de l'investisseur :

- qui désire obtenir un rendement élevé en période de croissance boursière ;

- qui est peu affecté par les chutes soudaines et prolongées du rendement ;

- qui possède un horizon de placement de long terme.

Un investisseur ayant détenu ce portefeuille au cours des trois dernières années aurait obtenu un rendement de 6,4 %, comparativement à -5,3 pour l'indice composé S&P/TSX. Le portefeuille a eu relativement de bons résultats au cours de la descente boursière.

LES CARACTÉRISTIQUES DU PORTEFEUILLE AUDACIEUX

➔ Faible probabilité de perte sur une période de quatre ans.

➔ Pronostic le plus pessimiste sur un an : -20 %.

LES FONDS PROPOSÉS

Les gestionnaires responsables des différents fonds n'exercent pas nécessairement un style de gestion audacieux. Pour le présent portefeuille, c'est plutôt la répartition de l'actif qui est audacieuse.

Du côté de la partie actions, le portefeuille fait appel à différentes catégories de fonds : un fonds d'actions canadiennes à petite capitalisation d'approche valeur, un fonds d'actions américaines, un fonds d'actions québécoises, un fonds d'actions mondiales d'approche valeur, un fonds de dividendes et un fonds de soins de la santé.

Du côté des titres à revenu fixe, le portefeuille fait appel à un fonds d'obligations à coupons détachés et à un fonds d'obligations internationales.

Une diversité supplémentaire est atteinte grâce à la présence d'un fonds de couverture.

FONDS	CATÉGORIE
1. Billets BDC contrats à terme gérés (5 %)	Fonds de couverture (chapitre 5)
2. Clarington petites sociétés canadiennes (10 %)	Fonds d'actions canadiennes à petite capitalisation d'approche valeur (chapitre 6)
3. FISQ Zéro coupon – profil Québec (15 %)	Fonds d'obligations à coupons détachés (chapitre 4)
4. GGOF valeur américain (10 %)	Fonds d'actions américaines
5. Maestral croissance Québec (10 %)	Fonds d'actions québécoises
6. Standard Life dividendes canadiens de croissance (15 %)	Fonds de dividendes (chapitre 4)
7. Talvest global sciences de la santé (5 %)	Fonds de soins de la santé (chapitre 7)

FONDS	CATÉGORIE
8. Trimark croissance Sélect (15 %)	Fonds d'actions mondiales d'approche valeur
9- AIC obligations universelles (15 %)	Fonds d'obligations internationales (chapitre 4)

LES POINTS FORTS DE CHACUN DES FONDS PROPOSÉS

1. Billets BDC contrats à terme gérés (5 %)

L'avantage de ce fonds se situe sur le plan de la diversification. Il est composé de contrats à terme gérés évoluant de façon plutôt indépendante aux marchés boursiers. Le rendement de la série N-2 de ce produit géré par la firme Tricycle est très intéressant : 8,9 % sur 3 ans. Le fonds est également assorti d'une garantie de rendement minimal à échéance. Il est à noter qu'il est impossible d'investir dans les billets de la série N-2, mais de nouvelles émissions de billets similaires sont faites chaque année par Tricycle.

2. Clarington petites sociétés canadiennes (10 %)

Géré par Leigh Pullen, ce fonds a affiché une performance exceptionnelle au cours des deux dernières années. L'année civile 2002 s'est terminée avec un rendement de 25,7 %, et 2001, 26,7 %. Le fonds est basé sur une approche valeur. Et la bonne tenue du fonds semble se perpétuer : le rendement sur un an est de 31,5 %.

3. FISQ Zéro coupon – profil Québec (15 %)

Le fonds FISQ Zéro coupon – profil Québec ne trouve son équivalent avec aucun autre produit. Le fonds contient des obligations à coupons détachés provenant du gouvernement du Québec et de sociétés publiques québécoises comme Hydro-Québec. Il s'agit d'un excellent produit pour diversifier la partie obligataire d'un portefeuille. Ce fonds affiche un solide rendement annualisé de 7,6 % sur 3 ans.

4. GGOF valeur américain (10 %) – offert aussi en version REER

Le fonds GGOF valeur américain obtient un rendement annualisé de premier quartile de 10,3 % sur 15 ans. Sur 3 ans, il a subi une chute contrôlée avec un rendement annualisé de -9,5 %, comparativement à -12,7 % pour l'indice S&P 500 ($ CAN).

5. Maestral croissance Québec (10 %)

Le fonds Maestral croissance Québec est géré par Peter Harrison. Les titres québécois forment la majeure partie du portefeuille, et cette répartition de l'actif a permis d'obtenir d'excellentes performances à long terme. Selon les gestionnaires, c'est l'accès plus difficile des entreprises québécoises au capital-actions qui permet d'obtenir un rendement supérieur. D'ailleurs, le fonds a obtenu un rendement exceptionnel de 13,4 % sur 15 ans.

6. Standard Life dividendes canadiens de croissance (15 %)

Voici l'un des produits les plus volatils de la catégorie des fonds de dividendes. Mais les rendements soutenus qu'il a générés ont de quoi faire oublier cette facette. Sur 5 ans, il obtient un rendement annualisé de 12,5 %.

7. Talvest global sciences de la santé (5 %) – offert aussi en version REER

Le fonds Talvest global sciences de la santé est l'incontournable du secteur de la santé. Il est géré par Edward P. Owens, gestionnaire très connu du côté américain. La meilleure performance de ce fonds a été obtenue en 2000 avec un rendement supérieur à 100 %. Le fonds affiche un rendement de 22,3 % sur 5 ans.

8. Trimark croissance Sélect (15 %) – offert aussi en version REER

Le fonds Trimark croissance Sélect est guidé par l'approche valeur. Les trois gestionnaires ont été en mesure de limiter les dégâts de façon admirable pendant la débâcle boursière. Le rendement sur 3 ans est de 2,9 %, ce qui est excellent quand on sait que ce fonds tend à surpondérer les titres américains. Sur une période de 10 ans, le fonds obtient un rendement annualisé de 9,6 %.

9. AIC obligations universelles (15 %)

AIC obligations universelles permet aux investisseurs d'obtenir une diversification géographique à l'intérieur d'un seul fonds obligataire. Au cours des 3 dernières années, le fonds a généré un rendement annualisé exceptionnel de 9 %.

QUELQUES SOLUTIONS DE RECHANGE ET LEURS POINTS FORTS

Les solutions de rechange consistent en des fonds similaires à nos premières suggestions, mais comportant certaines différences qui peuvent les rendre plus intéressants à vos yeux, que ce soit sur le plan des rendements, des stratégies de placement, de la fiscalité, des frais de gestion, etc.

1. Billets BluMont Man Multistratégie (5 %)

La firme BluMont s'est jointe à la firme Man Investments pour offrir un véritable fonds de couverture diversifié. Le choix des stratégies utilisées constitue l'un des points forts du produit. Les billets font appel à cinq stratégies : les contrats à terme gérés, l'arbitrage, les fonds de fonds de couverture, les titres couverts et les stratégies d'actions acheteur/vendeur. Notons que ce produit offre une diversification exceptionnelle qui peut permettre à la fois un rendement supérieur au marché boursier et une volatilité moindre.

2. Elliott & Page occasions de croissance (10 %)

Ted Whitehead impressionne par sa bonne gestion dans le secteur des petites capitalisations. Ses performances constantes depuis la création du fonds en 1998 lui ont permis d'obtenir des rendements de premier quartile pour chacune des quatre dernières années. M. Whitehead utilise à la fois des méthodes quantitatives et fondamentales dans son processus de sélection de titres. Le résultat de cette approche ? Un rendement annualisé de 16,4 % sur 3 ans.

3. Fidelity obligations canadiennes (15 %)

Le fonds Fidelity obligations canadiennes est géré de main de maître par Jeff Moore depuis octobre 2000. Sur 3 ans, le fonds obtient un rendement de premier quartile de 7,1 %. L'avantage de ce produit vient du fait qu'une importante proportion du fonds est constituée d'obligations de sociétés privées, ce qui augmente le rendement.

4. AIC avantage américain (10 %) – offert aussi en version REER

AIC avantage américain est géré par Jonathan Wellum depuis sa création en 1997. Sur 5 ans, ce fonds a donné un rendement annualisé de 4,1 %, comparativement à -2,6 pour l'indice S&P 500 ($ CAN). Fait intéressant à noter, ce fonds investit exclusivement dans le secteur financier et contient moins de 20 actions, un nombre peu élevé.

5. Banque Nationale croissance Québec (10 %)

Bien que ce fonds date de seulement trois ans, le fonds Banque Nationale croissance Québec a pleinement profité de la bonne tenue des titres québécois. Ce fonds obtient un rendement annualisé de 12,3 % sur 4 ans.

6. Mackenzie Maxxum dividendes (15 %)

Le fonds Mackenzie Maxxum dividendes possède une bonne répartition de l'actif. Il est présent dans le secteur des actions canadiennes, étrangères et des fiducies de revenu. Sur 10 ans, le fonds affiche un solide rendement annualisé de 12 %.

7. Trimark découverte (5 %) – offert aussi en version REER

Ce fonds de sciences et technologie a pour but l'investissement dans des entreprises créant des produits et services innovateurs. L'avantage du fonds tient dans le fait que les gestionnaires font une gestion conservatrice dans un secteur volatil.

8. AGF valeur internationale (15 %) – offert aussi en version REER

Le fonds AGF valeur internationale est géré par Edward Loeb et David Herro, de la firme Harris Associates. Il s'agit de véritables gestionnaires d'approche valeur à la recherche d'entreprises qui se transigent aux alentours de 50 % à 70 % de leur valeur réelle. Une façon pour les gestionnaires d'accroître le rendement à long terme.

9. AGF Mondial obligations gouvernementales (20 %) – offert aussi en version REER

Sur 3 ans, il a obtenu un rendement de premier quartile de 8,7 %. L'avantage de ce produit vient de son excellente répartition géographique. On note la forte présence d'obligations provenant de l'Europe et de la région Asie-Pacifique.

L'ANALYSE DU PORTEFEUILLE

FONDS DU PORTEFEUILLE AUDACIEUX	% DE L'ACTIF	ÉCART TYPE 3 ANS	RENDEMENT ANNUEL COMPOSÉ AU 31 OCTOBRE 2003						DATE DE CRÉATION
			3 MOIS	1 AN	3 ANS	5 ANS	10 ANS	DEPUIS LA CRÉATION	
Billets BDC contrats à terme gérés N-2	5	12,1	1,3	0,6	8,9			9,3	Août 2000
Clarington petites sociétés canadiennes	10	14	16,1	31,5	26,5	16,2		11	Mars 97
FISQ Zéro coupon - profil Québec	15	5,8	0,8	4,7	7,6			8,2	Nov. 99
GGOF valeur américain	10	15,9	0,2	3,2	-9,5	2	7,5	10	Avril 60
Maestral croissance Québec	10	16,3	9	16,1	0,7	9,8	11,2	6,3	Févr. 87
Standard Life dividendes canadiens de croissance	15	10,3	6,1	19,7	6,4	12,5		16,3	Nov. 94
Talvest global sciences de la santé	5	13,5	-2,3	5,9	1,8	22,3		20,9	Oct. 96
Trimark croissance Sélect	15	13,8	0,7	5,4	2,9	8,2	9,6	11,2	Mai 89
AIC obligations universelles	15	7,7	-1,3	3,2	9			4,8	Juin 99
Rendement du portefeuille avant impôts	100	6,66	3,4	10,4	6,4			6	Août 2000

FIGURE 6.1 : ANALYSE DU RENDEMENT DES FONDS PROPOSÉS

FIGURE 6.2 : ANALYSE RISQUE/RENDEMENT

	3 ANS PORTEFEUILLE	5 ANS PORTEFEUILLE	10 ANS PORTEFEUILLE
Écart type	6,66	-	-
Mesure de Sharpe	0,45	-	-
Alpha	4,54	-	-
Bêta	0,51	-	-
R carré	64,49	-	-

MEILLEURE/PIRE PÉRIODE

	3 MOIS	RENDEMENT %	1 AN	RENDEMENT %	3 ANS	RENDEMENT %
Meilleure	10-01/12-01	7,0	04-01/03-02	10,3	11-00/10-03	6,0
Pire	01-03/03-03	-4,0	0,4-02/03-03	-4,7	10-00/09-03	5,7

FIGURE 6.3 : RÉPARTITION DES AVOIRS

Répartition	% de l'actif
Liquidités	4,5
Actions canadiennes	32,6
Actions américaines	22,7
Actions internationales	6,8
Obligations canadiennes	27,4
Obligations étrangères	3,2
Autre	3,1
Non classé	0,0

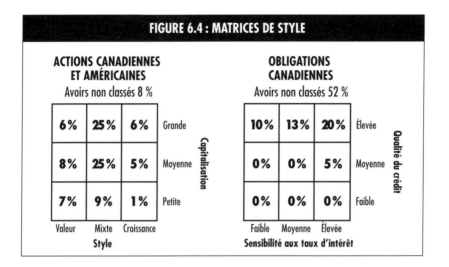

FIGURE 6.4 : MATRICES DE STYLE

ACTIONS CANADIENNES ET AMÉRICAINES
Avoirs non classés 8 %

6%	25%	6%	Grande
8%	25%	5%	Moyenne
7%	9%	1%	Petite
Valeur	Mixte	Croissance	

Style — Capitalisation

OBLIGATIONS CANADIENNES
Avoirs non classés 52 %

10%	13%	20%	Élevée
0%	0%	5%	Moyenne
0%	0%	0%	Faible
Faible	Moyenne	Élevée	

Sensibilité aux taux d'intérêt — Qualité du crédit

FIGURE 6.5 : RÉPARTITION GÉOGRAPHIQUE

Portefeuille	% de l'actif
Canada	67,3
États-Unis	24,6
Europe	4,1
Japon	1,7
Amérique latine	0,8
Bassin du Pacifique	1,5
Autre	0,0
Non classé	0,0

FIGURE 6.6 : ANALYSE FONDAMENTALE

Maturité du marché	% du portefeuille
Marchés développés	98,1
Marchés émergents	1,9
Non disponible	-

Caractéristiques des actions canadiennes et américaines

Cours-bénéfice	18,3
Cours-valeur comptable	2,3
Cours-ventes	-
Cours-marge brute	-
Rendement du dividende	1,3
Rendement des capitaux propres	24,5

Capitalisation boursière moyenne (M$) des actions canadiennes et américaines

Portefeuille	24 607,6

Statistiques du fonds

Moyenne des ratios de frais de gestion	2,34

Caractéristiques des obligations canadiennes

Échéance	10,96
Durée	8,86
Qualité moyenne du crédit	AA

Qualité du crédit obligations canadiennes

	% des obligations		% des obligations
AAA	21,16	BB	0,00
AA	21,99	B	0,00
A	4,82	Sous B	0,00
BBB	0,00	ND	52,03

FIGURE 6.7 : MATRICE DE CORRÉLATION

		1	2	3	4	5	6	7	8	9
1. AIC obligations universelles	1									
2. Billets BDC contrats à terme gérés	2	0,53								
3. Clarington petites sociétés canadiennes	3	-0,38	-0,32							
4. FISQ Zéro coupon - profil Québec	4	0,70	0,44	-0,24						
5. GGOF valeur américain	5	-0,46	-0,50	0,42	-0,36					
6. Maestral croissance Québec	6	-0,30	-0,36	0,65	-0,31	0,68				
7. Standard Life dividendes canadiens de croissance A	7	-0,34	-0,41	0,64	-0,36	0,65	0,81			
8. Talvest global sciences de la santé	8	-0,18	-0,36	0,24	-0,11	0,58	0,40	0,60		
9. Trimark croissance Sélect	9	-0,38	-0,44	0,45	-0,30	0,80	0,64	0,74	0,74	

Corrélation

Élevée	Modérée	Nulle	Modérée négative	Élevée négative
0,70 à 1,0	0,11 à 0,69	0,10 à -0,10	-0,11 à -0,69	-0,70 à -1,0

Source: Morningstar Research Inc. et FMR Corp., au 31 octobre 2003.

L'APPROCHE CROISSANCE

Les grands principes de l'approche croissance

Les gestionnaires de style croissance sélectionnent les titres selon leur potentiel de croissance. Les titres d'entreprises appartenant à un secteur dont le taux de croissance anticipé surclasse celui des autres secteurs sont souvent pris en considération par ces gestionnaires. C'est ainsi qu'on entend souvent parler d'approche descendante pour qualifier cette méthode de sélection des titres.

La croissance, considérée comme un élément primordial par les gestion-naires, touche plusieurs aspects de l'entreprise. La croissance peut avoir trait aux bénéfices, au flux de trésorerie, au chiffre d'affaires ainsi qu'au volume des ventes. Étant donné qu'il s'agit d'un effort d'anticipation de la croissance à long terme, les données comptables de l'entreprise ne sont pas les seuls éléments considérés. En effet, on tente de dénicher les secteurs prometteurs grâce à des analyses économique, démographique, sociologique, etc. Ce penchant du gestionnaire pour la sélection d'entreprises ayant des perspectives supérieures de croissance se fait souvent aux dépens du prix des acquisitions. C'est que le ratio cours-bénéfice des titres sélectionnés à l'intérieur des fonds croissance s'avère relativement élevé. Plus le ratio cours-bénéfice de l'ensemble des titres du fonds est élevé, plus un fonds est considéré comme appartenant à la catégorie croissance.

L'aspect plus spéculatif des titres croissance donne à cette catégorie une volatilité accrue. Les mouvements baissiers du marché ont amené plusieurs gestionnaires de fonds croissance à revoir leur façon de considérer le prix des titres. Une méthode de plus en plus prisée par les gestionnaires consiste à sélectionner des titres croissance qui possèdent également un prix raisonnable.

L'approche croissance constitue une méthode plus audacieuse que le style valeur. Les secteurs couverts par les fonds croissance sont souvent moins prévisibles. Les technologies et les télécommunications possédaient des caractéristiques qui en ont fait des domaines souvent prisés par les gestionnaires de style croissance. Ces gestionnaires s'attendent évidemment à ce que les titres sélectionnés dominent le marché de demain et que les détenteurs de parts finissent par être récompensés pour avoir accepté un niveau de risque supplémentaire.

Le retour du style croissance ?

Les héros déchus seraient-ils de retour ? Plusieurs fonds croissance ont enfin affiché des rendements positifs appréciables depuis le début de la montée boursière. Il s'agit d'une récompense bien méritée pour les investisseurs ayant persisté à conserver cette catégorie de fonds pendant toute la débandade boursière : pas facile de garder un objectif de détention à long terme avec des produits qui ont parfois baissé de près de 30 % au cours d'une seule année...

Les fonds d'approche valeur ont carrément volé la vedette au cours des années de déclin. Quand la situation boursière n'est pas favorable, cette catégorie de fonds possède généralement la particularité de pouvoir limiter les dégâts.

Mais lorsque le vent tourne et que le marché boursier prend de la vigueur, on peut s'attendre à ce que les fonds d'approche croissance se fassent valoir et surclassent le rendement des fonds d'approche valeur. On n'a qu'à penser à l'année 1999, alors que plusieurs fonds croissance ont été en mesure de surclasser les rendements déjà exceptionnels de 31 % de l'indice TSE 300. Des fonds tels que Dynamique Power croissance canadienne, AIM excellence canadienne et Altamira croissance ltée ont tous généré des rendements supérieurs à 50 % pour cette seule année.

Selon les données fournies par Morningstar pour la période de hausse boursière de 2003, les rendements des fonds d'approche croissance ont dominé dans deux des trois grandes catégories de fonds d'actions canadiennes. En effet, les fonds d'approche croissance ont obtenu de meilleurs résultats à la fois pour les fonds diversifiés de croissance canadienne ainsi que pour les fonds de petite capitalisation canadienne.

Mais la surperformance n'a pas été au rendez-vous pour les fonds d'actions purement canadiennes, une catégorie nouvellement introduite par Morningstar. On peut se demander si certains gestionnaires n'ont pas fini par adopter une approche davantage défensive en raison de la durée exceptionnellement longue du recul boursier.

Et ce sont les fonds de petite capitalisation, la catégorie qui a pour caractéristique de bien se comporter au moment de la reprise boursière, qui ont affiché le plus de tonus au cours de la reprise.

La sélection de fonds croissance

FIGURE 6.8 : RENDEMENT ET VOLATILITÉ DE 2 FONDS CANADIENS D'APPROCHE CROISSANCE								
	RENDEMENT ANNUALISÉ (%)						ÉCART TYPE	
FONDS	1 AN	2 ANS	3 ANS	5 ANS	10 ANS	15 ANS	3 ANS	5 ANS
AGF actions croissance canadienne	26,2	10,9	-0,2	9,5	6,7	9,7	17,8	20,2
Fidelity grande capitalisation Canada – A	17,6	3,4	-3,2	9,2	5,5	7,3	11,8	14,4

Source : PALTrak, au 31 octobre 2003.

Peu nombreux sont les investisseurs prêts à embarquer de nouveau dans l'aventure des fonds croissance hyper volatils. Aussi, nous avons procédé à la sélection de fonds croissance qui se sont distingués en affichant de bonnes performances relatives au cours des trois dernières années.

Nous avons uniquement sélectionné des fonds qui ont eu des rendements de premier ou de deuxième quartile sur cinq ans et qui ont obtenu des rendements sur trois ans supérieurs d'au moins 25 % à celui atteint par l'indice boursier S&P/TSX. On parle alors d'un rendement annualisé sur 3 ans supérieur à -4 %.

Dans la catégorie des fonds d'actions canadiennes, deux fonds correspondent aux caractéristiques recherchées : AGF actions croissance canadienne (actif de 869 millions) ainsi que Fidelity grande capitalisation canadienne (actif de 177 millions). Chacun d'eux affiche un rendement cumulatif supérieur à -10 % pour les 3 dernières années.

Malgré son approche croissance, le fonds AGF actions croissance canadienne s'est relativement bien comporté pendant le recul des marchés. Ce fonds, géré par Bob Farquharson depuis sa création en 1965, n'a pas affiché de rendements inférieurs à -10 %, à la fois pour les années 2001 et 2002, et ce, malgré des baisses respectives de -12,6 % et -12,4 % pour l'indice composé S&P/TSX. Les secteurs les plus importants du fonds AGF actions croissance canadienne sont ceux des matériaux industriels (25,2 %)

et de l'énergie (26,6 %). Ses trois plus grandes positions sont : Toromont Industries (2,8 %), WestJet Airlines (2,6 %) et Newmont Mining Corporation (2,5 %).

Le fonds Fidelity grande capitalisation est pour sa part géré par Robert J. Haber depuis 1998. M. Haber a accompli un excellent travail depuis son arrivée. Malgré une année plutôt difficile en 2002, le fonds s'est bien tiré d'affaire par rapport aux fonds de même style. Les principaux secteurs d'investissement sont ceux des services financiers (28,4 %) et de l'énergie (23,6 %). Les trois plus grandes positions sont : la Banque Royale du Canada (8,6 %), Sun Life Financial (4,4 %) et BCE (3,6 %).

Une approche toujours valable

C'est connu, la période de gloire de tout style de gestion n'est pas éternelle. Il est donc important de favoriser à la fois la détention de fonds d'approche valeur et croissance. Bien que la corrélation entre ces deux catégories de fonds ne soit pas négative, on constate que lorsque l'un des deux styles de gestion est discrédité, l'autre est en mesure de faire mieux.

Il existe plus d'une centaine de fonds d'actions canadiennes privilégiant l'approche croissance. Et afin d'amoindrir le risque relié à leur détention, il est essentiel de porter une attention particulière à leur degré de volatilité.

Malgré que plusieurs fonds d'approche croissance aient fait mal dormir leurs détenteurs, certains ont démontré qu'ils étaient capables de bien se comporter en période de turbulence boursière. C'est sur ce genre de fonds que devraient actuellement se concentrer les investisseurs en quête de croissance.

LES PETITES CAPITALISATIONS

Les fonds de petites sociétés sont composés d'actions ayant des capitalisations boursières moyennes inférieures à environ 1 milliard. En raison de leur petite taille relative, les titres de petites sociétés sont souvent délaissés par les investisseurs. En effet, si on les compare aux titres de grandes entre-prises, dont les capitalisations moyennes se calculent en dizaine de milliards, les titres de petite capitalisation retiennent moins l'attention et sont, par conséquent, moins recherchés par les investisseurs. De plus, ces titres sont souvent moins liquides, donc moins faciles à transiger. Étant donné certains facteurs négatifs qui rendent moins attrayante cette catégorie d'actif, les ges-tionnaires affirment que le marché des petites capitalisations est moins scruté et que cette situation offre davantage de bonnes occasions d'investissement.

Ce type de fonds comporte un risque plus grand que les fonds de grandes sociétés. Les gestionnaires des fonds de petites sociétés tentent de dénicher des entreprises qui sont en voie de s'affirmer dans leur secteur d'activité. Les titres de ces entreprises de plus petite taille ont tendance à s'apprécier rapidement lorsqu'ils prennent leur essor, mais ils peuvent aussi s'écrouler rapidement. Il faut en profiter lorsque la manne passe.

Le fait que les titres à petite capitalisation soient méconnus et que la sélection des entreprises soit ardue accentue l'importance pour les investis-seurs de posséder ce genre de titres par l'intermédiaire d'un fonds. Cependant, beaucoup de pièges sont à éviter.

En raison de la plus grande volatilité de ce secteur des actions, il faut que l'investisseur prête une attention particulière à la qualité du fonds qu'il désire se procurer. Il faut choisir un fonds dont les gestionnaires possèdent, notam-ment, une bonne feuille de route. Certains indices permettent de mieux apprécier la performance des fonds de petite capitalisation. En effet, l'indice BMO Nesbitt Burns petite capitalisation sert de référence pour les petites capitalisations canadiennes, tandis que le Russell 2000 est l'indice de référence rattaché aux petites capitalisations américaines.

Il y a une controverse en ce qui concerne le contenu de tels fonds. Certains affirment que des gestionnaires maintiennent dans leur portefeuille des titres qui ne sont plus des titres de petites sociétés. Si tel est le cas, votre fonds n'est plus nécessairement un fonds de petites sociétés. Cette situation arrive généralement lorsqu'un fonds atteint un taux de capitalisation trop élevé, ce qui l'empêche de sélectionner uniquement des sociétés de petite capitalisation.

Les petites capitalisations ont la réputation de bien faire lorsque vient le temps de sortir de l'emprise du marché baissier. Pour les six années suivant le marché baissier de 1974-1975, les petites capitalisations canadiennes avaient surperformé en obtenant un rendement annuel moyen de 39,5 %.

Les fonds par rapport aux indices

FIGURE 6.9 : FONDS (%) QUI SURCLASSENT L'INDICE BMO NESBITT BURNS				
1 AN	2 ANS	5 ANS	10 ANS	15 ANS
12 %	28 %	68 %	54 %	80 %

Source : PALTrak, au 31 octobre 2003.

Les fonds de petite capitalisation jouissent d'une réputation enviable parce que nombre d'entre eux surclassent leur indice de référence. Effectivement, les données concernant le long terme semblent démontrer que la valeur ajoutée que constituent les gestionnaires est plus grande dans le secteur des petites capitalisations (voir figure 6.10). Cette démonstration serait encore plus accentuée si l'on considérait les frais de gestion associés à la détention d'un produit indiciel.

Comment peut-on expliquer la mégaperformance de plusieurs fonds par rapport à leur indice ? Cela est dû en partie à la maigre efficience de marché du secteur des petites capitalisations par rapport à celui des grandes capitalisations. En effet, les entreprises à petite capitalisation sont moins étudiées par les analystes, et il y a davantage d'occasions pour les gestionnaires.

Voici trois fonds intéressants et leur indice de référence :

FIGURE 6.10 : 3 FONDS DE PETITES CAPITALISATIONS À CONSIDÉRER						
	RENDEMENT ANNUALISÉ (%)				ÉCART TYPE	
FONDS	1 AN	2 ANS	3 ANS	5 ANS	3 ANS	5 ANS
Clarington petites sociétés canadiennes	31,5	32,2	26,5	16,2	14	14,6
Elliott & Page occasions de croissance	32,8	23,8	16,4	-	15	-
Talvest actions canadiennes à faible capitalisation	22,4	14,2	5,8	9,9	14,1	14,6
INDICE						
BMO Nesbitt Burns petite capitalisation	46,9	23	7,5	9,5	20,5	18,7

Source : PALTrak, au 31 octobre 2003.

1. Clarington petites sociétés canadiennes

Géré par Leigh Pullen, ce fonds a affiché une performance exceptionnelle au cours des deux dernières années. L'année 2002 s'est terminée avec un rendement de 25,7 %, et 2001, 26,7 %.

La sélection des titres est fondée sur l'analyse fondamentale, et le gestionnaire pratique clairement un style de gestion axé sur la valeur. Afin de mieux gérer le risque associé aux petites capitalisations, le gestionnaire applique un certain nombre de stratégies qui font appel à son indice de référence : conserver une valorisation inférieure, une qualité de crédit supérieure et des ratios de gains plus élevés sur les investissements. Il utilise une stratégie de diversification dans le cadre d'une perspective globale. À ce sujet, il tient compte actuellement, dans sa sélection de titres, d'éléments tels que la croissance économique lente, les taux d'intérêt peu élevés, la faiblesse du dollar américain ainsi que l'amélioration de la situation des entreprises.

Le penchant du gestionnaire pour les ressources naturelles n'est pas étranger aux bons rendements obtenus. Il pense que la croissance rapide de l'économie chinoise et la politique monétaire favorable à la croissance mondiale appuieront la demande de ressources naturelles au cours des années à venir. Le gestionnaire montre également un penchant marqué pour les fiducies de revenu, qu'il pondère à 18,3 %, ainsi que pour le secteur aurifère, qui forme près de 10 % du contenu du portefeuille. Il se tient cependant loin des entreprises qui sont directement liées aux dépenses des consommateurs, se disant inquiet par rapport à la capacité future de dépenser de ces derniers.

2. Elliott & Page occasions de croissance

On peut dire mission accomplie pour Ted Whitehead, gestionnaire du fonds Elliott & Page occasions de croissance. Ses performances constantes depuis la création du fonds en 1998 lui ont permis d'obtenir des rendements de premier quartile pour chacune des quatre dernières années.

M. Whitehead utilise à la fois des méthodes quantitatives et fondamentales dans son processus de sélection de titres. Il effectue en premier lieu un classement à partir de cinq mesures quantitatives pour, par la suite, s'attarder davantage à une analyse fondamentale.

Il affirme contenir le risque en maintenant la pondération maximale des secteurs à 3 % près de celui de l'indice de référence. De plus, il souligne que sa répartition de l'actif entre près de 80 titres lui permet d'obtenir un bon contrôle du risque. Le taux de rotation des titres du fonds devrait se situer de 70 % à 100 %.

3. Talvest actions canadiennes à faible capitalisation

Le gestionnaire Sebastian Van Berkom a 26 années d'expérience en gestion d'actions canadiennes. Il affirme privilégier les entreprises qu'il considère sous-évaluées ou qui possèdent un potentiel de croissance supérieur à la moyenne.

Étant donné que le gestionnaire pratique le style croissance, le succès obtenu au cours des deux dernières années (-3,1 % pour 2002 et 3,9 % pour 2001) n'est pas de l'ampleur des deux fonds analysés précédemment. Malgré tout, le fonds a réussi à maintenir, sur cinq ans, un rendement supérieur à celui de l'indice BMO Nesbitt Burns petite capitalisation en plus d'obtenir un rendement de deuxième quartile.

Le gestionnaire demeure optimiste par rapport à l'avenir. À propos des petites capitalisations, il mentionne que « celles-ci sont encore sous-évaluées par rapport aux grandes capitalisations et, si la reprise économique aux États-Unis se poursuit, elles devraient continuer de surpasser le marché général. Par conséquent, nous croyons être encore bien près d'importantes occasions d'achat dans les actions. »

Malgré la présence de plusieurs bons gestionnaires couvrant les petites capitalisations, il est important de rappeler que ce secteur est plus volatil que celui des grandes capitalisations. Une analyse de l'écart type montre que la volatilité y est habituellement de 30 % à 40 % supérieure. Il s'agit donc d'un secteur qui bouge beaucoup, mais qui possède toujours un excellent potentiel à long terme.

LES OUTILS DE MESURE DE PERFORMANCE

L'utilisation du rendement comme unique outil de comparaison de la performance de fonds de même catégorie semble être une méthode commune à plusieurs investisseurs. Pour démontrer les erreurs qu'engendre cette méthode, prenons l'exemple de deux gestionnaires qui gèrent chacun un fonds se situant dans la même catégorie mais procurant des rendements différents.

Le fonds A a connu des rendements inférieurs à ceux du fonds B, et ce, depuis trois ans. La simple analyse des rendements incite donc à penser que A est moins intéressant que B. Cette analyse apparaît toutefois tendancieuse, car elle ne tient pas compte de l'élément fondamental qui devrait être considéré lors de l'acquisition d'un actif financier, c'est-à-dire le niveau de risque. Un outil d'analyse éclairant doit tenir compte du rendement, mais également du niveau de risque.

Grâce à une mesure de rendement pondérée selon le niveau de risque, on peut vérifier si le rendement supérieur du fonds B résulte du fait que celui-ci nourrit davantage le rendement par un niveau de risque plus élevé. Une mesure de rendement qui tient compte du risque permet de vérifier quel fonds procure, à risque égal, un plus haut rendement. Il s'agit donc d'une mesure beaucoup plus objective.

Dans cet esprit, la cote Morningstar, tout comme les mesures de Sharpe, de Treynor et de Jensen, tiennent compte du rendement ainsi que de certains types de risques. Ces diverses mesures de performance permettent, entre autres, de comparer plus objectivement les performances des divers gestionnaires de fonds.

La cote Morningstar

Cette cote constitue l'une des mesures de performance les plus fréquemment utilisées dans l'industrie. Il s'agit d'un calcul qui combine une certaine mesure de rendement avec un niveau de risque spécifique. Cette mesure, calculée sur une période de trois ans, indique quel fonds a le plus récompensé le risque couru pendant la même période.

La principale raison du succès de la cote Morningstar vient de sa facilité d'utilisation. En effet, il est aisé de déduire qu'un fonds possédant cinq étoiles a davantage récompensé le risque qu'un fonds n'en possédant qu'une seule. Vous pouvez avoir accès directement à cette mesure étoilée au www.morningstar.ca.

FIGURE 6.11 : PROPORTION DES FONDS AFFICHANT LA COTE 5 ÉTOILES MORNINGSTAR			
TYPE DE FONDS	3 ANS	5 ANS	10 ANS
Fonds d'actions canadiennes			
Fonds d'approche valeur	61 %	61 %	50 %
Fonds d'approche mixte/neutre	36 %	35 %	50 %
Fonds d'approche croissance	3 %	4 %	0 %

Source : PALTrak, au 31 octobre 2003.

Malgré l'aspect pratique de la cote Morningstar, cette mesure devrait être utilisée avec prudence. En effet, la façon dont elle est établie tend à fausser certaines analyses. L'un des principaux problèmes réside dans le fait que les catégories sur lesquelles est basée cette mesure englobent des fonds variés, qui possèdent des caractéristiques trop différentes pour que des comparaisons valables puissent être établies.

Par exemple, les fonds d'actions canadiennes ne forment qu'un seul groupe selon la mesure de Morningstar, malgré que celui-ci soit plutôt hétérogène. C'est ainsi qu'on retrouve dans la catégorie des fonds d'actions canadiennes des fonds de différentes capitalisations ainsi que certains styles de gestion tout à fait opposés.

En accordant des étoiles à des fonds formant un groupe hétérogène, la mesure Morningstar tend à indiquer quelle est la catégorie qui se porte le mieux plutôt que de signaler les fonds qui se distinguent avantageusement pour chacune des catégories. La figure 6.11 donne un aperçu de cette situation. Parmi les fonds d'actions canadiennes cotés cinq étoiles sur trois ans, on note la présence de 61 % de fonds de catégorie valeur par rapport à seulement 3 % de fonds croissance. La mesure indique donc la catégorie qui a le plus récompensé le risque couru, plutôt que de signaler les fonds qui ont récompensé davantage le risque dans chacune des catégories.

La cote Morningstar constitue donc une mesure incitant les investisseurs à se diriger vers les catégories de fonds qui ont eu un meilleur rendement au cours des dernières années. En ne considérant que ces cotes comme instrument de sélection de fonds d'actions canadiennes, les investisseurs délaisseraient les fonds d'actions croissance et se dirigeraient presque uniquement vers les fonds d'actions de style valeur. En suivant le même raisonnement du côté des fonds d'actions étrangères, ce sont les fonds d'actions américaines qui représenteraient l'attrait majeur.

La mesure de Sharpe

FIGURE 6.12 : LA MESURE DE SHARPE DES FONDS ET DES INDICES			
MOYENNE DE CATÉGORIE ET INDICE CORRESPONDANT	5 ANS	10 ANS	15 ANS
Moyenne des fonds d'actions canadiennes	0,17	0,20	0,14
Indice composé S&P/TSX	0,13	0,22	0,13
Moyenne des fonds d'actions globales	-0,29	0,05	0,08
Citigroup Actions mondiales	-0,37	0,23	
Moyenne des fonds d'actions internationales	-0,45	-0,18	-0,04
Citigroup Actions EPAC	-0,43	-0,01	

Source : PALTrak, au 31 octobre 2003.

Développée par l'économiste William Sharpe[1], la mesure de Sharpe – également appelée ratio de Sharpe – a été présentée pour la première fois en 1966. La mesure de Sharpe est relativement simple à calculer. Il s'agit de diviser le rendement supplémentaire d'un fonds par son écart type. Le rendement excédentaire équivaut à la différence entre le rendement du fonds et le rendement des bons du Trésor, tandis que l'écart type mesure la volatilité des rendements. Ainsi, plus la mesure de Sharpe est élevée, plus chaque unité de risque est récompensée par le rendement du fonds. Une mesure plus élevée constitue donc une indication positive comparativement à un ratio moins élevé.

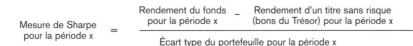

$$\text{Mesure de Sharpe pour la période x} = \frac{\text{Rendement du fonds pour la période x} - \text{Rendement d'un titre sans risque (bons du Trésor) pour la période x}}{\text{Écart type du portefeuille pour la période x}}$$

La mesure de Sharpe constitue une mesure plus difficile à interpréter que la cote Morningstar. Il est donc moins aisé de déterminer à partir de quel niveau un ratio de Sharpe correspond à une bonne performance, surtout comparé à une mesure basée sur des étoiles. Ainsi, comment doit-on interpréter un ratio de Sharpe de 0,50 obtenu par un fonds sur une période de trois ans ? Une telle mesure ne donne à première vue aucun indice précis sur la performance du fonds. On sait cependant qu'un haut niveau de Sharpe représente quelque chose de positif. Pour en améliorer l'efficacité, il faut comparer le ratio avec celui d'un fonds similaire, d'une moyenne de fonds de même catégorie ou bien d'un indice de référence (voir figure 6.12). On peut toutefois dire, de manière générale, qu'un ratio de Sharpe plus haut que 1 reflète une très bonne performance, tandis qu'un ratio supérieur à 2 signifie une excellente performance.

Rappelons que l'écart type, qui sert au calcul du niveau de risque dans la mesure de Sharpe, n'est pas une mesure parfaite du risque. Prenons l'exemple d'un fonds affichant des rendements de 10 % par année et obtenant soudainement une appréciation de 80 % au cours d'une année. Cette augmentation de rendement résulterait en une augmentation de l'écart type. Mais s'agit-il vraiment d'un risque supplémentaire lorsqu'un fonds s'apprécie de cette façon ?

La mesure de Treynor

C'est en 1965 que Treynor[2] a introduit sa mesure de performance. Tout comme la mesure de Sharpe, elle sert à indiquer la prime par unité de risque pris.

$$\text{Mesure de Treynor du fonds pour la période x} = \frac{\text{Rendement du fonds pour la période x} - \text{Rendement d'un titre sans risque (bons du Trésor) pour la période x}}{\text{Bêta du portefeuille pour la période x}}$$

Contrairement à la mesure de Sharpe, c'est le bêta du fonds qui est utilisé afin de calculer le risque pour la mesure de Treynor. Le bêta reflète la sensibilité du fonds par rapport aux fluctuations du marché. Un bêta supérieur à 1 désigne un fonds plus volatil que l'indice (pour les fonds canadiens, on utilise l'indice composé S&P/TSX), tandis qu'un bêta inférieur à 1 signifie que le fonds a été moins volatil que l'indice.

Afin d'utiliser adéquatement cette mesure, il est nécessaire, tout comme pour la mesure de Sharpe, de comparer la mesure de Treynor d'un fonds avec celle d'autres fonds de même catégorie ou avec des indices de référence appropriés.

FIGURE 6.13 : BÊTA ET MESURE DE TREYNOR SUR UNE PÉRIODE DE 3 ANS

FONDS	BÊTA	MESURE DE TREYNOR SUR 3 ANS
Mackenzie Ivy canadien	0,30	7,8
Trimark canadien - A	0,64	8,7
S&P/TSX Indice composé	1,00	3,25
Moyenne des fonds d'actions canadiennes	0,72	5,01

Source : PALTrak, au 31 octobre 2003.

Dans la figure 6.13, on constate que, à partir du bêta, le fonds Trimark canadien montre une volatilité d'environ 50 % supérieure à celle du fonds Mackenzie Ivy canadien et de 11 % inférieure à celle de la moyenne des fonds d'actions canadiennes. Et, en analysant les mesures de Treynor, on constate que le fonds Mackenzie Ivy canadien a moins récompensé le risque que le fonds Trimark canadien, mais a plus récompensé le risque que l'indice composé S&P/TSX et que la moyenne des fonds d'actions canadiennes.

La mesure de Treynor est toutefois loin d'être parfaite. L'une de ses faiblesses provient du fait que les changements dans la composition du S&P/TSX, sur lequel est basé le bêta d'un fonds d'actions canadiennes, font varier cette mesure. Dépendamment des diverses variations du S&P/TSX, la mesure de Treynor de certains fonds peut varier plus que d'autres. De plus, l'indice boursier du S&P/TSX, sur lequel est basé le calcul du bêta du portefeuille, ne représente pas le portefeuille du marché, qui devrait être parfaitement diversifié en théorie.

La mesure de Jensen (alpha)

Présenté initialement en 1968, la mesure de Jensen[3], communément appelée alpha, indique la différence entre le rendement d'un fonds et son rendement anticipé (considérant le niveau de risque mesuré par le bêta). Autrement dit, l'alpha mesure ce qu'une gestion active a permis de gagner au-delà de la récompense obtenue pour faire face au risque du marché. On dit souvent de la mesure alpha qu'elle représente la valeur ajoutée d'un gestionnaire. Une mesure alpha positive indique qu'un fonds a surpassé les prévisions basées sur son bêta, tandis qu'un alpha négatif démontre que les rendements ont été inférieurs à ces mêmes prévisions.

Alpha = Rf − Rb + (Bêta x (Ri − Rb))

Rf = Rendement du fonds

Ri = Rendement du marché (indice de référence)

Rb = Rendement d'un titre sans risque (bons du Trésor) pour la période x

Le R carré

Afin de mieux évaluer l'alpha d'un fonds, on introduit la mesure R carré. Le R carré indique la portion des fluctuations du fonds qui est expliquée par les fluctuations de l'indice de référence. Le R carré d'un fonds peut varier de 0 à 1. Plus le R carré d'un fonds est élevé, plus les mouvements de celui-ci sont expliqués par l'indice. Par exemple, les fonds indiciels canadiens possèdent généralement un R carré de 1. Ce R carré de 1 indique donc que quand l'indice composé S&P/TSX se dirige à la hausse, le fonds indiciel canadien en fait tout autant. Un élément également important à souligner est que plus le R carré s'approche de 1, plus le bêta d'un fonds ainsi que la mesure alpha ont des valeur significatives.

FIGURE 6.14 : BÊTA, ALPHA ET R CARRÉ SUR UNE PÉRIODE DE 3 ANS			
FONDS	BÊTA	ALPHA	R CARRÉ
Synergy catégorie momentum canadien	1,03	0,21	0,94
Moyenne fonds d'actions canadiennes cap. moyenne	0,74	0,09	0,76
Indice composé S&P/TSX	1,00	0,00	1,00

Source : PALTrak, au 31 octobre 2003.

Les données du R carré fournies dans la figure 6.14 indiquent que 94 % des fluctuations du fonds Synergy catégorie momentum canadien s'expliquent par les variations de l'indice de référence. De plus, le R carré relativement élevé du fonds porte à croire que le bêta et l'alpha possèdent des valeurs crédibles.

Notons que le style de gestion *momentum* explique que la volatilité mesurée par le bêta soit supérieure à l'indice composé S&P/TSX. La mesure alpha de 0,21 indique de son côté que le fonds a obtenu un rendement supérieur à celui qui était anticipé en raison du niveau de risque.

La faiblesse prédictive des données passées

La cote Morningstar, les mesures de Sharpe et de Treynor, ainsi que l'alpha et le R carré sont loin de constituer des mesures parfaites. L'un de leurs principaux défauts provient du fait que ces mesures se basent sur des données liées à des rendements passés. De plus en plus d'études démontrent que ces résultats constituent de piètres indicateurs pour l'avenir. Trop de facteurs dont on ne connaît pas la nature peuvent venir perturber les performances d'un fonds. Malgré les avertissements à cet effet, beaucoup d'investisseurs se basent principalement sur les rendements antérieurs afin de sélectionner leurs fonds. Il faut se méfier des publicités de certaines familles de fonds qui misent uniquement sur les rendements passés pour mousser leur réputation.

D'autre part, on constate qu'une mesure traditionnelle, comme celle de Sharpe, est souvent délaissée au profit de mesures plus faciles à comprendre et à utiliser. Les investisseurs tendent à rechercher des étoiles plutôt que des chiffres, lesquels peuvent s'avérer ardus à interpréter. Malheureusement, la simplicité n'est pas synonyme de qualité.

Malgré les faiblesses théoriques et pratiques des mesures de performance tenant compte du niveau de risque, ces outils peuvent s'avérer utiles aux investisseurs qui désirent analyser la performance passée d'un gestionnaire de fonds. Il semble toutefois important de ne pas se limiter à une seule mesure de performance, chacune possédant des forces et des faiblesses prédictives.

NOTES

[1] Sharpe, William F. «Mutual Fund Performance», *Journal of Business,* 39 (1), 1966, p. 119-138.

[2] Treynor, Jack L. «How to Rate Management of Investment Funds», *Harvard Business Review,* 43 (1), 1965, p. 63-75.

[3] Jensen, Michael C. «Problems in Selection of Security Portfolios; The Performance of Mutual Funds in the Period 1945-1964», *Journal of Finance,* 23 (2), 1968, p. 389-419.

Chapitre 7

Le portefeuille très audacieux

Le portefeuille très audacieux vise essentiellement à obtenir le rendement le plus élevé possible et suppose une grande volatilité. Ce portefeuille s'adresse aux investisseurs qui tolèrent le risque à court et à moyen terme.

Le portefeuille très audacieux peut répondre aux attentes de l'investisseur :

- – qui désire obtenir un rendement très élevé en période de croissance boursière ;

- – qui est très peu affecté par les chutes soudaines et prolongées du rendement ;

- – qui possède un horizon de placement à long terme.

Un investisseur ayant détenu ce type de portefeuille au cours des trois dernières années aurait obtenu un rendement annualisé de -0,7 %, comparativement à -5,3 % pour l'indice composé S&P/TSX.

LES CARACTÉRISTIQUES DU PORTEFEUILLE TRÈS AUDACIEUX

➔ Faible probabilité de perte sur une période de cinq ans.

➔ Pronostic le plus pessimiste sur un an : -25 %.

LES FONDS PROPOSÉS

Les gestionnaires à la tête des différents fonds ne possèdent pas, pour la plupart, des styles de gestion très audacieux. Pour le présent portefeuille, c'est plutôt la répartition de l'actif qui est très audacieuse.

Du côté de la partie actions, le portefeuille très audacieux contient une très grande diversification pour ce qui est des régions géographique, des styles de gestion ainsi que des classes d'actif. On retrouve : un fonds de petites capitalisations mondiales, un fonds d'actions chinoises, un fonds de la santé, un fonds d'actions d'approche *momentum,* un fonds de petites capitalisations canadiennes d'approche croissance et un fonds d'actions mondiales d'approche valeur.

On note la présence de deux fonds d'obligations : un fonds d'obligations à coupons détachés et un fonds d'obligations à rendement élevé.

Le fonds de couverture assure une diversité supplémentaire.

FONDS	CATÉGORIE
1. Billets BDC contrats à terme gérés (5 %)	Fonds de couverture (chapitre 5)
2. Clarington petites sociétés mondiales (10 %)	Fonds de petites capitalisations mondiales
3. Talvest Chine plus (5 %)	Fonds d'actions chinoises (chapitre 7)
4. Talvest global sciences de la santé (5 %)	Fonds de la santé (chapitre 7)
5. Trimark obligations Avantage (5 %)	Fonds d'obligations à rendement élevé (chapitre 7)
6. FISQ Zéro coupon – profil Québec (5 %)	Fonds d'obligations à coupons détachés (chapitre 4)
7. Synergy catégorie momentum canadien (20 %)	Fonds d'actions d'approche *momentum*

FONDS	CATÉGORIE
8. Fidelity Potentiel Canada (20 %)	Fonds de petites capitalisations canadiennes d'approche croissance (chapitre 6)
9. AGF valeur internationale (25 %)	Fonds d'actions mondiales d'approche valeur

LES POINTS FORTS DE CHACUN DES FONDS PROPOSÉS

1. Billets BDC contrats à terme gérés (5 %)

L'avantage de ce fonds réside dans la diversification. Il est composé de contrats à terme gérés évoluant de façon plutôt indépendante aux marchés boursiers. Le rendement de la série N-2 de ce produit géré par la firme Tricycle est très intéressant : 8,9 % sur 3 ans. Le fonds est également assorti d'une garantie de rendement minimal à échéance. Il est à noter qu'il est impossible d'investir dans les billets de la série N-2, mais de nouvelles émissions de billets similaires sont faites chaque année par Tricycle.

2. Clarington petites sociétés mondiales (10 %)

Ce fonds a principalement pour but l'investissement dans les titres d'entreprises américaines, mais on y trouve également des titres provenant d'autres pays développés, d'anciens pays communistes d'Europe et de pays asiatiques. Ce fonds obtient un rendement de 6,1 % sur 5 ans.

3. Talvest Chine plus (5 %) − offert aussi en version REER

Le fonds Talvest Chine plus a su profiter avec brio de l'expansion du marché chinois. Le fonds Talvest Chine plus s'intéresse aux titres de la Chine élargie, ce qui inclut Hong-Kong et Taiwan. Sur 5 ans, le fonds obtient un rendement impressionnant annualisé de 20,6 %.

4. Talvest global sciences de la santé (5 %) – offert aussi en version REER

Le fonds Talvest global sciences de la santé est un incontournable dans le secteur de la santé. Ce produit est géré par Edward P. Owens, un gestionnaire très connu du côté américain. La meilleure performance du fonds a été obtenue en 2000 avec un rendement supérieur à 100 %. Le fonds affiche un rendement de 22,3 % sur 5 ans.

5. Trimark obligations Avantage (5 %)

Le Trimark obligations Avantage est l'un des fonds du secteur des obligations à haut rendement qui possède le meilleur historique de rendement. Sur 5 ans, le fonds obtient un rendement annualisé de 6 %.

6. FISQ Zéro coupon – profil Québec (5 %)

Le fonds FISQ Zéro coupon – profil Québec ne trouve son équivalent avec aucun autre produit. Le fonds contient des obligations à coupons détachés provenant du gouvernement du Québec et de sociétés publiques québécoises comme Hydro-Québec. Il s'agit d'un excellent produit pour diversifier la partie obligataire d'un portefeuille. Ce fonds affiche un solide rendement annualisé de 7,6 % sur 3 ans.

7. Synergy catégorie momentum canadien (20 %)

Voici le fonds idéal pour tirer profit d'un marché haussier. David Picton, gestionnaire du fonds depuis décembre 1997, est certainement le meilleur gestionnaire d'approche *momentum* au Canada. Les rendements de son fonds dépassent largement ceux de ses compétiteurs. Le fonds obtient un rendement annualisé de premier quartile de 12,3 % sur 5 ans.

8. Fidelity Potentiel Canada (20 %)

Maxime Lemieux, gestionnaire québécois à la tête du fonds Fidelity Potentiel Canada, a prouvé sa bonne gestion du secteur des petites capitalisations. Sur 3 ans, le jeune fonds affiche un rendement annualisé de premier quartile de 3,7 %. En optant pour ce produit, vous choisissez un fonds bien étoffé.

9. AGF valeur internationale (25 %) – offert aussi en version REER

Le fonds AGF valeur internationale est géré par Edward Loeb et David Herro, de la firme Harris Associates. Il s'agit de véritables gestionnaires d'approche valeur à la recherche d'entreprises qui se transigent aux alentours de 50 % à 70 % de leur valeur réelle. Une façon pour les gestionnaires d'accroître le rendement à long terme.

QUELQUES SOLUTIONS DE RECHANGE ET LEURS POINTS FORTS

Les solutions de rechange consistent en des fonds similaires à nos premières suggestions, mais comportant certaines différences qui peuvent les rendre plus intéressants à vos yeux, que ce soit sur le plan des rendements, des stratégies de placement, de la fiscalité, des frais de gestion, etc.

1. Billets BluMont Man Multistratégie (5 %)

La firme BluMont s'est jointe à la firme Man Investments pour offrir un véritable fonds de couverture diversifié. Le choix des stratégies utilisées constitue l'un des points forts du produit. Les billets font appel à cinq stratégies : les contrats à terme gérés, l'arbitrage, les fonds de fonds de couverture, les titres couverts et les stratégies d'actions acheteur/vendeur. Notons que ce produit offre une diversification exceptionnelle qui peut permettre à la fois un rendement supérieur au marché boursier et une volatilité moindre.

2. AGF croissance active (10 %)

Le fonds recherche une croissance maximale grâce au secteur des petites et moyennes capitalisations américaines dont le cours de l'action est à la hausse et le potentiel de croissance est supérieur grâce à l'accélération des bénéfices, des ventes et des liquidités. Cette approche a permis d'obtenir un rendement de près de 200 % au cours de l'année 1999. Évidemment, le recul de ce fonds a été important pour l'année 2001 et 2002.

3. AGF catégorie direction Chine (5 %) – offert aussi en version REER

Le fonds AGF catégorie direction Chine a pour but l'investissement dans les actions de sociétés établies en Chine ou faisant affaire avec des pays qui profiteront du développement économique de la Chine. Le gestionnaire vise à acquérir des titres de croissance à juste prix. Le fonds est en hausse de plus de 50 % depuis le début de l'année 2000.

4. Trimark découverte (5 %) – offert aussi en version REER

Ce fonds de sciences et technologie a pour but l'investissement dans des entreprises créant des produits et services innovateurs. L'avantage du fonds tient dans le fait que les gestionnaires offrent une gestion conservatrice dans un secteur volatil.

5. GGOF obligations canadiennes à rendement élevé (5 %)

Ce fonds obtient la meilleure performance dans sa catégorie sur une période de 4 ans avec un rendement annualisé de 7,3 %.

6. Fidelity obligations canadiennes (5 %)

Le fonds Fidelity obligations canadiennes est géré de main de maître par Jeff Moore depuis octobre 2000. Sur 3 ans, le fonds obtient un rendement de premier quartile de 7,1 %. L'avantage de ce produit vient du fait qu'une importante proportion du fonds est constituée d'obligations de sociétés privées, ce qui augmente le rendement.

7. AGF titres canadiens (20 %)

Ce fonds d'approche croissance est géré par Martin Hubbes depuis le mois d'août 1996. Celui-ci a été en mesure de battre l'indice composé S&P/TSX à la fois pour les années 1997, 1998, 1999, 2000 et 2001. Sur une période de 5 ans, le fonds obtient un rendement de premier quartile de 10,4 %.

8. Clarington petites sociétés canadiennes (20 %)

Géré par Leigh Pullen, ce fonds a affiché une performance exceptionnelle au cours des deux dernières années. L'année civile 2002 s'est terminée avec un rendement de 25,7 %, et 2001, 26,7 %. Le fonds fait appel à une approche valeur. Et la bonne tenue du fonds semble se perpétuer : le rendement sur un an est de 31,5 %.

9. Brandes actions globales (25 %) – offert aussi en version REER

Bien que la création de ce fonds soit récente, la réputation de Brandes Investment Partners, ancien gestionnaire du fonds AGF valeur internationale, n'est plus à faire. Sur un an, le fonds Brandes actions globales a généré un rendement de premier quartile de 11,6 %. Le succès de Brandes n'est pas sur le point de se démentir !

L'ANALYSE DU PORTEFEUILLE

FIGURE 7.1 : ANALYSE DU RENDEMENT DES FONDS PROPOSÉS

FONDS DU PORTEFEUILLE TRÈS AUDACIEUX	% DE L'ACTIF	ÉCART TYPE 3 ANS	RENDEMENT ANNUEL COMPOSÉ AU 31 OCTOBRE 2003						DATE DE CRÉATION
			3 MOIS	1 AN	3 ANS	5 ANS	10 ANS	DEPUIS LA CRÉATION	
Billets BDC contrats à terme gérés N-2	5	12,1	1,3	0,6	8,9			9,3	Août 2000
Clarington petites sociétés mondiales	10	20,4	6,6	17,5	-8,4	6,1		8	Sept. 96
Talvest Chine plus	5	21,1	8,8	24,1	-1,3	20,6		16	Févr. 98
Talvest global sciences de la santé	5	13,5	-2,3	5,9	1,8	22,3		20,9	Oct. 96
Trimark obligations Avantage	5	4,9	3	14,7	7,3	6		8,7	Déc. 94
FISQ Zéro coupon - profil Québec	5	5,8	0,8	4,7	7,6			8,2	Nov. 99
Synergy catégorie momentum canadien	20	17,4	10,7	30,3	-3,3	12,3		11,4	Déc. 97
Fidelity Potentiel Canada	20	13,7	10	21,6	3,7			3,5	Juil. 2000
AGF valeur internationale	25	17,8	1	8,3	-6,2	4,6	10	10,7	Juin 89
Rendement du portefeuille avant impôts	100	12,61	5,6	16,8	-0,7			-1,2	Août 2000

FIGURE 7.2 : ANALYSE RISQUE/RENDEMENT

	3 ANS PORTEFEUILLE	5 ANS PORTEFEUILLE	10 ANS PORTEFEUILLE
Écart type	12,61	-	-
Mesure de Sharpe	-0,34	-	-
Alpha	2,01	-	-
Bêta	1,40	-	-
R carré	87,55	-	-

MEILLEURE/PIRE PÉRIODE

	3 MOIS	RENDEMENT %	1 AN	RENDEMENT %	3 ANS	RENDEMENT %
Meilleure	10-01/12-01	12,6	11-02/10-03	16,8	11-00/10-03	-0,7
Pire	07-02/09-02	-11,6	04-02/03-03	-21,4	10-00/09-03	-2,4

FIGURE 7.3 : RÉPARTITION DES AVOIRS

Répartition	% de l'actif
▪ Liquidités	4,7
▫ Actions canadiennes	33,9
▪ Actions américaines	24,0
▪ Actions internationales	25,7
▪ Obligations canadiennes	7,6
▪ Obligations étrangères	1,8
▪ Autre	2,3
☐ Non classé	0,0

FIGURE 7.4 : MATRICES DE STYLE

ACTIONS CANADIENNES ET AMÉRICAINES

Avoirs non classés 19 %

5%	22%	4%	Grande
7%	17%	9%	Moyenne
3%	11%	3%	Petite
Valeur	Mixte	Croissance	

Capitalisation

Style

OBLIGATIONS CANADIENNES

Avoirs non classés 70 %

3%	0%	9%	Élevée
3%	2%	4%	Moyenne
4%	5%	0%	Faible
Faible	Moyenne	Élevée	

Qualité du crédit

Sensibilité aux taux d'intérêt

FIGURE 7.5 : RÉPARTITION GÉOGRAPHIQUE

Portefeuille	% de l'actif
Canada	46,9
États-Unis	27,0
Europe	16,7
Japon	2,5
Amérique latine	1,3
Bassin du Pacifique	2,0
Autre	3,6
Non classé	0,0

FIGURE 7.6 : ANALYSE FONDAMENTALE

Maturité du marché	% du portefeuille
Marchés développés	96,0
Marchés émergents	4,0
Non disponible	-

Caractéristiques des actions canadiennes et américaines

Cours-bénéfice	23,3
Cours-valeur comptable	2,4
Cours-ventes	2,9
Cours-marge brute	14,0
Rendement du dividende	0,9
Rendement des capitaux propres	10,9

Capitalisation boursière moyenne (M$) des actions canadiennes et américaines

Portefeuille	19 763,8

Statistiques du fonds

Moyenne des ratios de frais de gestion	2,78

Caractéristiques des obligations canadiennes

Échéance	10,96
Durée	9,06
Qualité moyenne du crédit	A

Qualité du crédit obligations canadiennes

	% des obligations		% des obligations
AAA	5,22	BB	4,82
AA	7,30	B	3,17
A	0,84	Sous B	0,70
BBB	7,62	ND	70,14

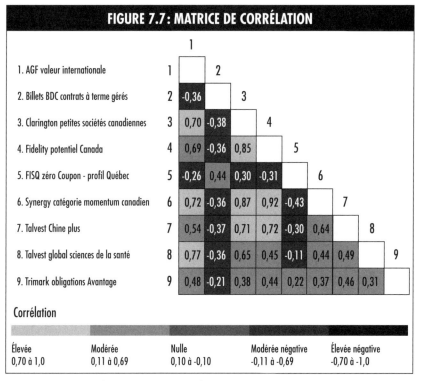

FIGURE 7.7 : MATRICE DE CORRÉLATION

	1	2	3	4	5	6	7	8	9
1. AGF valeur internationale									
2. Billets BDC contrats à terme gérés	-0,36								
3. Clarington petites sociétés canadiennes	0,70	-0,38							
4. Fidelity potentiel Canada	0,69	-0,36	0,85						
5. FISQ zéro Coupon - profil Québec	-0,26	0,44	0,30	-0,31					
6. Synergy catégorie momentum canadien	0,72	-0,36	0,87	0,92	-0,43				
7. Talvest Chine plus	0,54	-0,37	0,71	0,72	-0,30	0,64			
8. Talvest global sciences de la santé	0,77	-0,36	0,65	0,45	-0,11	0,44	0,49		
9. Trimark obligations Avantage	0,48	-0,21	0,38	0,44	0,22	0,37	0,46	0,31	

Corrélation

Élevée	Modérée	Nulle	Modérée négative	Élevée négative
0,70 à 1,0	0,11 à 0,69	0,10 à -0,10	-0,11 à -0,69	-0,70 à -1,0

Source: Morningstar Research Inc. et FMR Corp., au 31 octobre 2003.

LES FONDS D'OBLIGATIONS À RENDEMENT ÉLEVÉ

Les fonds de revenu ont connu une popularité accrue au cours des dernières années. Le vieillissement de la population constitue un facteur non négligeable qui explique cette augmentation de leur présence dans la composition des portefeuilles des Canadiens. Parmi les fonds de revenu populaires, on compte les fonds d'obligations de toutes catégories, les fonds de parts de fiducies ainsi que les fonds de dividendes. Ces produits financiers ont souvent aidé à amortir la baisse des portefeuilles au cours du recul boursier. Le fait que la corrélation entre les fonds de revenu et les autres classes d'actif soit peu élevée, et même parfois négative, a aidé le rendement de façon appréciable au cours de cette période.

On le sait, les taux d'intérêt sont historiquement bas. Pour ceux qui désirent un revenu d'intérêt plus élevé, il existe des possibilités autres que les traditionnels fonds d'obligations gouvernementales. Plusieurs fonds d'obligations alliant à la fois obligations gouvernementales et obligations d'entreprises offrent des rendements intéressants, mais encore là... Pour obtenir un revenu supérieur, les fonds d'obligations d'entreprises à haut rendement peuvent être une solution.

Les fonds d'obligations d'entreprises présentent habituellement un niveau de risque plus élevé que les obligations gouvernementales. Afin de compenser la plus grande incertitude rattachée aux paiements futurs, les obligations d'entreprises offrent des taux d'intérêt nominaux plus élevés. Le défaut de paiement des entreprises est toujours possible. Des cotes de crédit, données par diverses agences de cotation, telles que Moody's et Standard & Poor's, renseignent sur le niveau de risque que représentent les entreprises et les gouvernements. Les obligations d'entreprises ayant une faible cote de crédit sont appelées obligations de pacotille (*junk bonds*). Il est à noter que les entreprises sont habituellement dévaluées en période de récession, période qui s'avère plus difficile pour les entreprises et pendant laquelle les faillites sont plus nombreuses.

La difficulté de se démarquer des autres classes d'actif

Cette classe d'actif n'a cependant pas la même cote de popularité que celle des fonds d'obligations traditionnels. Les investisseurs n'y voient souvent pas d'intérêt, quels que soient les cycles économiques. En effet, pendant les périodes de ralentissement économique, le risque agit souvent comme facteur dissuasif à leur détention. Considérons, par exemple, l'année 1990 aux États-Unis quand le taux de défaut des émetteurs d'obligations de pacotille était de 10,3 %. Le resserrement du crédit perturbait grandement ce segment de marché : les banques restreignaient alors les prêts accordés aux entreprises ainsi qu'aux consommateurs.

La prime de risque plus élevée qu'offrent les obligations d'entreprises reflète justement une situation d'incertitude accrue. Dans un tel contexte d'incertitude, les conseils des gestionnaires prennent toute leur importance, car même si les occasions d'investissement existent, beaucoup de pièges sont à éviter.

En ce qui concerne leur popularité pendant les périodes de croissance, les fonds d'obligations à rendement élevé sont plus souvent qu'autrement éclipsés par d'autres catégories d'actif qui les surclassent en performance. On peut même ajouter que le rôle généralement attribué aux obligations est de diminuer la volatilité d'un portefeuille. Chercher un rendement supérieur en se procurant un actif financier plus risqué n'est pas une caractéristique que les investisseurs associent habituellement aux obligations. Les investisseurs associent les placements audacieux à des fonds d'actions de type croissance plutôt qu'à des fonds de titres à revenu fixe.

Il existe plusieurs facteurs qui militent en faveur des fonds d'obligations à haut rendement. Le raisonnement des détenteurs de ces fonds est souvent le suivant : au fur et à mesure que l'économie reprendra de la vigueur, la prime de risque associée aux obligations d'entreprises diminuera, ce qui fera augmenter le prix des obligations.

L'apport de la diversification

Il n'y a pas que des aspects négatifs aux fonds d'obligations à rendement élevé : l'ajout d'une certaine diversification de la partie obligataire d'un portefeuille constitue l'un de leurs atouts les plus importants. En ce qui touche leurs fluctuations avec le marché, soulignons que le bêta sur trois ans des fonds d'obligations à haut rendement est de 0,42, comparativement à 0,87 pour les fonds d'obligations canadiennes. C'est donc un aspect intéressant pour ceux qui recherchent des classes d'actif qui se comportent différemment des indices boursiers.

De plus, une étude menée par Merrill Lynch, couvrant la période des années 70 aux années 90, souligne que le point optimal de la frontière efficiente d'un portefeuille d'obligations consisterait en 80 % d'obligations de qualité supérieure et de 20 % d'obligations à haut rendement. Il s'agit cependant d'une pondération qui devrait, bien sûr, varier selon le seuil de tolérance au risque et l'horizon de placement de l'investisseur.

À choisir méticuleusement

Une période de reprise économique constitue une bonne occasion pour acquérir ce genre de fonds. D'une part, l'écart entre le taux des obligations d'entreprises et celui des obligations gouvernementales est élevé. De plus, le taux de défaut des obligations de ce type diminue, compte tenu du contexte de croissance économique. Malgré tout, c'est la bonne vieille logique d'une récompense accrue par rapport à un risque plus élevé qui continuera de prévaloir pour les détenteurs de ce genre de fonds.

Pour ceux qui s'inquiètent de l'impact des changements de taux d'intérêt, précisons que leur hausse devrait avoir des conséquences relativement limitées sur l'ensemble des fonds d'obligations à haut rendement. En effet, la constitution des fonds d'obligations à haut rendement en fait des placements plus stables que la catégorie englobant l'ensemble des fonds d'obligations. La durée de la moyenne des fonds d'obligations à haut rendement est de 44 % inférieure à celle de la moyenne des fonds d'obligations canadiennes. Cet aspect est dû en partie aux échéances plus courtes ainsi qu'aux coupons plus élevés que procurent les obligations à haut rendement.

La catégorie des fonds d'obligations à haut rendement est constituée d'un nombre plutôt limité de fonds et seuls près de 10 fonds possèdent une feuille de route d'au moins 5 années. Il faudrait également ajouter que les fonds qui donnent de bons résultats sur le plan risque-rendement peuvent se compter sur les doigts de la main... Dans ce contexte, l'investisseur doit porter une attention toute spéciale à la feuille de route du gestionnaire du fonds qu'il désire acquérir.

SANTÉ ET BIOTECHNOLOGIE : UN NOUVEAU DÉPART ?

Les principaux arguments pour investir dans les fonds du secteur de la santé restent les mêmes au fil des années : le vieillissement de la population, combiné aux innovations et à l'augmentation constante des dépenses en santé, devrait contribuer au succès de ce secteur.

Certaines données ne mentent pas par rapport au rythme d'accroissement des coûts reliés à la santé aux États-Unis. En 2002, l'augmentation des dépenses en santé pour les Américains possédant des assurances privées a été de 9,6 %, une augmentation correspondant à environ quatre fois la croissance économique américaine pour l'année. Les chiffres sont tout aussi impressionnants pour 2001 alors que l'augmentation des dépenses a été de 10 %.

En ce qui concerne l'évolution démographique des pays industrialisés, les données confirment toujours le phénomène de vieillissement de la population. Par exemple, les projections de la Banque mondiale concernant l'année 2030 montrent que la proportion de personnes âgées de 65 ans et plus atteindra 24 % aux États-Unis et 31 % au Canada.

Il est également intéressant de noter que le secteur de la santé est relativement peu représenté sur le marché des actions canadiennes et que l'acquisition d'un fonds de la santé peut ajouter de la diversité à un portefeuille. Actuellement, seulement 2,9 % de l'indice canadien TSX et 3,1 % de la moyenne des fonds d'actions canadiennes sont formés de titres du secteur de la santé, et ce, comparativement à 14,9 % pour l'indice américain S&P 500. Il y a donc de fortes probabilités que votre portefeuille possède une faible pondération en titres reliés au domaine de la santé.

Un fonds qui domine : Talvest global sciences de la santé

Dans la catégorie des fonds du secteur de la santé offerts au Canada, un nom domine tous les autres : Talvest global sciences de la santé. Ce produit est en fait une réplique du célèbre Vanguard Health Care Fund, fonds américain géré par Edward P. Owens qui possède un actif de plus de 15 milliards de dollars américains. Pour mettre les choses en perspective, rappelons que le plus gros fonds au Canada, toutes catégories confondues, possède un actif de près de 7 milliards de dollars canadiens.

Sur 5 ans, le fonds Talvest global sciences de la santé obtient un rendement annualisé de plus de 20 %, ce qui le classe au premier rang parmi tous les fonds sectoriels et au deuxième rang parmi tous les fonds canadiens existant depuis 5 ans. Il faut dire que la performance pour l'année 2000, un gain de 108,4 %, a été particulièrement spectaculaire.

C'est l'approche valeur qui est retenue par Edward P. Owens au cours du processus de sélection des titres. La philosophie *buy and hold* du gestionnaire donne à ce fonds un faible taux de rotation. Un total de 90 titres forment actuellement le fonds. Concernant sa répartition géographique, il contient 68 % de titres américains, 20 % de titres européens, 6 % de titres canadiens et 6 % de titres japonais. Le fonds bénéficie donc d'une plus grande diversité géographique que ce qui est généralement observé dans ce secteur. Ainsi, pas moins de 80 % du contenu de la moyenne des fonds du secteur de la santé est investi aux États-Unis.

Lors d'une entrevue accordée au magazine *Kiplinger,* M. Owens a dit s'attendre à un marché boursier plutôt difficile pour les 10 prochaines années. Il affirme que même si le secteur de la santé affiche une meilleure performance que celle du marché, comme il l'a fait au cours des 40 dernières années, les rendements ne seront pas aussi bons qu'au cours des 10 dernières années.

Un secteur chaud : les biotechnologies

Le secteur qui attire le plus l'attention actuellement est celui des titres biotechnologiques. Depuis le début du mois de mars 2003, l'indice NASDAQ biotechnologie a grimpé d'un solide 55 %. De quoi attirer l'attention de plusieurs investisseurs.

L'industrie des biotechnologies est formée de près de 600 entreprises publiques, dont plus de la moitié sont situées aux États-Unis. Cette industrie connaît une forte croissance : les revenus de cette industrie ont augmenté de plus de 15 % pour chacune des 14 dernières années. Et une entreprise comme Amgen prévoit, pour la période de 2002 à 2005, une croissance annualisée de ses ventes de 30 % à 32 % et une augmentation de ses revenus par action de l'ordre de 25 % à 27 %. Amgen, la plus grande entreprise du secteur des biotechnologies, est spécialisée dans la recherche en biologie cellulaire et moléculaire.

Mais n'oublions pas que les piètres performances de l'année 2002 ont jeté une douche froide sur le secteur des titres de biotechnologie. En 2002, l'indice NASDAQ biotechnologie a reculé de 45,3 %. Il s'agit même d'une performance pire que celle du NASDAQ-100, qui a perdu 31,5 %.

Michael Sjöström, cofondateur de la société Sectoral Asset Management, deuxième firme en importance en matière d'actif en fonds communs de placement dans le secteur des biotechnologies aux États-Unis, explique la piètre performance de 2002 par deux facteurs principaux : le ralentissement du processus d'homologation des médicaments par la Food and Drug Administration (FDA) et la perte de confiance engendrée par la débâcle d'Imclone.

Les longs délais d'homologation de la FDA sont souvent perçus comme la conséquence de la volonté de réduire les risques. En effet, les bureaucrates employés de la FDA ont davantage tendance à rejeter les médicaments, craignant d'être blâmés pour avoir homologué des produits qui se révéleraient par la suite dangereux.

Michael Sjöström souligne toutefois une nette reprise des activités de la FDA depuis décembre 2002. En d'autres termes, la FDA devient de plus en plus accommodante. C'est ainsi que de nombreuses entreprises de ce secteur ont été en mesure de lancer de nouveaux produits tout au cours de l'année 2003.

Quant à la valorisation des titres biotechnologiques, elle est, selon l'avis de certains analystes, redescendue à un niveau davantage attrayant au cours de 2003. Pour cette année, le ratio prix/bénéfice des titres biotechnologiques se situe aux alentours de 35, alors qu'au cours des 12 dernières années, ce ratio s'est généralement situé dans la fourchette de 25 à 50.

Maestral santé et biotechnologie

Géré par Sectoral Asset Management (SAM) depuis décembre 2002, ce fonds est constitué d'environ 43 % de titres biotechnologiques, et la portion destinée à ce secteur ne devrait jamais dépasser 50 % du contenu. En comparaison, le fonds Talvest global sciences de la santé pondère à environ 17 % les titres biotechnologiques et limite à 20 % la pondération dans ce secteur. Le secteur pharmaceutique, soit celui touchant les entreprises produisant des médicaments d'origine et génériques, forme près de 43 % du contenu. Il s'agit d'un fonds relativement concentré contenant 31 titres boursiers.

Le processus de sélection des titres du fonds Maestral Santé et Biotechnologie est fondé sur une recherche approfondie touchant principalement quatre aspects : le plan d'affaires et l'équipe de gestion, les résultats financiers, la science et la technologie et, finalement, la valeur comparative sur le marché.

Le secteur de la santé est actuellement attrayant. L'évolution démographique, les nombreuses découvertes médicales, les fusions et l'accélération des processus d'homologation par la FDA contribuent à la montée des fonds du secteur de la santé.

N'oublions pas que le risque associé à ce genre de fonds demeure toujours présent, surtout pour les fonds qui pondèrent davantage le secteur des biotechnologies. Les entreprises de biotechnologie sont, pour la plupart, petites, et leur titre possède une liquidité généralement faible. Il est donc primordial d'opter pour la meilleure approche : en acquérir avec modération.

LA CHINE : LES ATTRAITS ET LES DANGERS DE LA GRANDE PUISSANCE DE DEMAIN

En raison de ses exploits économiques, la Chine est sans contredit le pays dont on entend le plus souvent parler lorsqu'il s'agit des marchés de l'avenir. Les données sur la croissance économique chinoise sont étonnantes comparativement à celles des pays industrialisés. Au cours des 20 dernières années, le PIB chinois a atteint un taux de croissance annuel de 9,7 %. Et, pour l'année 2003, malgré un certain ralentissement au cours du deuxième trimestre, ralentissement causé par l'épidémie du SRAS, l'économie s'est appréciée aux alentours de 7 %.

Et les investissements étrangers affluent en direction du territoire chinois. Les investissement étrangers directs ont totalisé pas moins de 52 milliards de dollars en 2002, soit 22 milliards de plus qu'aux États-Unis. Le secteur automobile chinois se classe maintenant parmi les quatre premiers du monde.

Et l'accroissement de la demande de véhicules se confirme au pays du dragon rouge. Près de 1 million de voitures ont été vendues en 2002, ce qui représente une augmentation de 75 % par rapport à l'année précédente. Une entreprise telle que Volkswagen prévoit, en l'espace d'un an, doubler sa production de véhicules, la faisant passer de 800 000 à 1,6 million d'unités.

Chose certaine, la Chine est attrayante pour de nombreuses entreprises occidentales en quête de main-d'œuvre à bon marché. Et l'attrait devrait s'accentuer grâce à l'amélioration de l'infrastructure chinoise et à la formation accrue des travailleurs. Cependant, comme dans tout pays émergent, certains problèmes persistent : le manque de clarté des systèmes comptables et de transparence financière, la corruption, le non-respect des brevets, etc. Un exemple : la compagnie General Motors a récemment soulevé l'existence de similitudes entre son modèle Matiz et un véhicule offert par un concurrent chinois, SAIC Chery Automobile Co. Certaines faiblesses de la loi chinoise quant à la protection du design expliquent cette situation. Tim Stratford, vice-président de General Motors China Group, a souligné à ce sujet que l'investissement en Chine, pour des entreprises comme General Motors, était conditionnel au plein respect des droits de la propriété intellectuelle.

L'investissement étranger sous contrôle

Ce ne sont pas tous les types de titres que les investisseurs étrangers peuvent se procurer ; c'est d'ailleurs le même traitement pour les investisseurs locaux. En fait, les actions sont divisées en plusieurs classes. Les classes A, des actions intérieures inscrites à la Bourse de Shanghai et de Shenzhen, sont réservées presque exclusivement aux investisseurs locaux. Les classes B sont des actions intérieures inscrites à la Bourse de Shanghai et de Shenzhen et sont offertes à la fois aux investisseurs locaux et étrangers. Notons que certaines entreprises détiennent à la fois des titres de classe A et B. Les classes H sont, quant à elles, des actions d'entreprises détenues par le gouvernement et inscrites à Hong-Kong. Enfin, les Red Chips sont des actions d'entreprises municipales et provinciales chinoises inscrites à Hong-Kong.

La Chine tend à faciliter l'accès à ses titres intérieurs. Ainsi, la Commission chinoise de régularisation des titres a récemment permis à Goldman Sachs de joindre le groupe sélect des investisseurs institutionnels étrangers « qualifiés ». Il s'agit d'un groupe qui a accès à près de 1 200 entreprises ayant émis des actions de classe A. Notons cependant que seulement près de 50 d'entre elles possèdent une capitalisation supérieure à un milliard et que l'intérêt des investisseurs institutionnels étrangers pour cette classe d'actif demeure limité. De plus, les institutions étrangères « qualifiées » pour se procurer des actions de classe A sont toutes contraintes à investir un montant se situant entre 50 et 800 millions de dollars américains.

Les fonds communs de placement accèdent au marché chinois principalement à partir de la Bourse de Hong-Kong, soit avec le marché des actions de classe H et les Red Chips. En effet, la Bourse de Shangai et celle de Shenzhen ont plusieurs lacunes en matière de transparence des données comptables, de liquidité des titres et de qualité des entreprises qui y sont présentes. Hong-Kong est considérée comme la Wall Street chinoise. Peter Chau, le gestionnaire du fonds Talvest Chine plus, explique qu'il s'agit d'une situation idéale : l'accès à un marché émergent à partir d'un marché mûr.

Pour accéder au marché chinois

FIGURE 7.8 : RENDEMENT ET VOLATILITÉ DE 2 FONDS DU MARCHÉ CHINOIS						
	RENDEMENT ANNUALISÉ (%)				ÉCART TYPE	
FONDS	1 AN	2 ANS	3 ANS	5 ANS	3 ANS	5 ANS
AGF catégorie direction Chine	53,8	16,1	17,7	13,3	25,7	24,8
Talvest Chine plus	24,1	4,9	-1,3	20,6	21,1	35,2

Source : PALTrak, au 31 octobre 2003.

Au Canada, c'est un nombre plutôt limité de fonds qui se spécialisent dans les titres chinois. L'actif de ces fonds y est bas, et il est vrai que les piètres rendements à long terme des titres chinois et d'autres pays de la région Asie-Pacifique ont découragé plusieurs investisseurs.

Le fonds Talvest Chine plus s'intéresse aux titres de la Chine élargie, ce qui inclut Hong-Kong et Taiwan. À propos de la Chine, M. Chau a récemment déclaré : « Nous continuons de favoriser les secteurs du textile et de l'automobile. Le premier devrait tirer profit de l'entrée de la Chine au sein de l'OMC, tandis que le second devrait connaître une forte croissance en raison du faible taux de pénétration des berlines et des dépenses en hausse des consommateurs chinois. » Pour ce qui est de Taiwan, M. Chau affirme : « Étant donné la confiance accrue des consommateurs face aux États-Unis, nous nous attendons à un redressement du secteur de la technologie. En dépit d'une position moins axée sur la prudence, nous n'avons qu'une légère surpondération dans cette région. » Pour ce qui est de Hong-Kong, Peter Chau déclare rester prudent vis-à-vis du secteur local : « Nous continuons de mettre l'accent sur des titres chinois et sur des sociétés positionnées à l'étranger. »

Le rendement annualisé de 20,6 % sur 5 ans du fonds Talvest Chine plus le classe au premier rang parmi l'ensemble des fonds d'actions étrangères. Cependant, c'est le rendement supérieur à 200 % pour l'année 1999 qui est en mesure d'expliquer la présence d'une telle feuille de route. Il ne s'agit donc pas d'un fonds destiné aux cœurs sensibles.

Un chemin plus sûr : les fonds d'actions internationales

Outre les fonds spécialisés dans les actions chinoises, certains fonds d'actions internationales représentent des solutions de rechange intéressantes pour les investisseurs désirant posséder des titres chinois. Le grand avantage de tels fonds internationaux vient du fait que le risque est moindre. Des produits tels que le AGF catégorie titres internationaux et le Mackenzie Cundill valeur sont exposés aux titres de Chine, de Hong-Kong et d'autres pays de la région Asie-Pacifique tout en affichant une bonne diversification géographique.

Nul doute que nous entendrons de plus en plus parler des fonds d'actions chinoises au cours des prochaines années. Même Warren Buffett montre une ouverture vis-à-vis des entreprises chinoises. Il a récemment procédé à l'achat de 13 % des parts de l'entreprise PetroChina, une entreprise détenue par le gouvernement chinois et inscrite au New York Stock Exchange depuis le 7 avril 2000. Un investissement que plusieurs ont qualifié de surprenant étant donné la tendance de Buffett à privilégier les entreprises américaines. Le taux de valorisation intéressant de l'entreprise par rapport aux entreprises pétrolières américaines n'est pas étranger à la décision d'acquisition du gourou.

Mais l'investissement de Buffett dans PetroChina demeure bien minime par rapport à l'ensemble du portefeuille qu'il gère pour le compte de Berkshire. Ainsi, pour le petit investisseur, il est bon pour l'instant de suivre l'exemple de Buffett et de limiter l'exposition au marché chinois. Les preuves restent à faire.

Chapitre 8

La sélection des 100 meilleurs fonds 2004

Le menu cette année ? Pas moins de 4 896 fonds, dont environ 50 % sont offerts à l'investisseur québécois. Un nombre trop élevé ? Pas vraiment, et peut-être même pas suffisamment quand on évolue dans un marché comme le nôtre. Notre sélection semble toujours plus difficile à faire année après année. C'est d'autant plus périlleux que nous devons l'effectuer à un moment précis, alors que les fluctuations économiques et boursières, elles, ne s'arrêtent pas.

L'information retenue pour chaque fonds est essentielle à la prise de décision. Vous retrouverez cette information dans chaque fiche d'évaluation. Cependant, force est d'admettre qu'il y aura toujours un important élément de subjectivité. Les évaluations présentées constituent un point de départ pour l'investisseur ; toutefois, ses objectifs de placement demeurent l'élément primordial. Et les choix devraient toujours se faire après consultation d'un conseiller.

Nous avons sélectionné, comme par les années passées, 100 fonds. Nous aurions pu en choisir davantage. Nous estimons tout de même que l'éventail est assez large pour répondre aux besoins de plusieurs catégories d'investisseurs. Nous avons retenu plusieurs fonds à haut contenu canadien. La raison en est simple : beaucoup d'utilisateurs du guide sont à la recherche d'outils de placement pour leur REER.

La première étape du processus de sélection a été d'éliminer les fonds non disponibles au Québec. Nous nous sommes aussi assurés de la disponibilité des fonds choisis dans de multiples réseaux de distribution, l'accessibilité étant un critère essentiel. Les fonds de certaines institutions financières, distribués exclusivement par leur réseau, n'ont pas leur place dans ce guide.

En second lieu, nous avons repéré des fonds qui offraient un excellent rapport risque-rendement. Puis nous avons ajouté des critères supplémentaires tels que la performance anticipée du fonds, son efficacité fiscale, la constance des rendements dans le temps et, évidemment, la qualité des gestionnaires. Les rendements passés ne sont pas garants de l'avenir, mais ils constituent tout de même l'une des informations importantes dont on dispose. Évidemment, cette année, nous nous attendons à ce que plusieurs investisseurs se réfugient dans des fonds beaucoup plus conservateurs que par le passé. Il s'agit d'une excellente idée, car si le risque est souvent « payant », au-dessus d'un certain seuil, il n'en vaut plus la peine. Ne négligez pas les fonds de croissance pour autant ; en plus de constituer un excellent complément aux fonds valeur, ils pourraient fournir des rendements surprenants à court et à moyen terme.

Parmi les 100 fonds proposés, certains sont de nouvelles « recrues » sur lesquelles nous désirons attirer votre attention. Ne possédant que peu d'information historique à ce jour, nous ne les recommandons pas comme des achats immédiats, mais nous vous suggérons fortement de bien les suivre. Leur potentiel est réel. Près de 70 % des fonds choisis cette année sont des produits dont nous avions souligné le potentiel dans nos éditions précédentes.

Notre source d'information principale demeure la banque de données PALTrak. Nous tenons à remercier Morningstar Canada de nous avoir permis de reproduire ses données. PALTrak demeure une source précieuse de renseignements pour ceux qui doivent analyser les fonds communs de placement et bâtir des portefeuilles de fonds.

Les données sur lesquelles nous fondons notre analyse étaient exactes en date du 31 octobre 2003. Bien entendu, l'historique de certains fonds est court. Le choix d'une date peut donc affecter les résultats. Lorsque vous commencerez votre magasinage, vous aurez probablement accès aux résultats des mois de novembre et de décembre. Si un conseiller financier vous montre des résultats qui datent, demandez-lui des données plus à jour, qui refléteront ce qui sera arrivé au cours des derniers mois. Les choses changent vite dans le monde des fonds communs de placement.

LES EXPLICATIONS PERTINENTES À L'ANALYSE DE CHAQUE FONDS

Chaque tableau contient des renseignements qualitatifs et des renseignements quantitatifs, une note générale et des commentaires. Les données s'étendent généralement sur des périodes de 10 à 15 ans, ce qui est suffisant pour que l'on puisse juger de l'impact des cycles économiques. Pour plusieurs fonds, l'historique est plus court, et c'est normal : cette industrie a vraiment pris son envol durant les années 90.

I. L'en-tête du tableau

Vous trouverez dans l'en-tête du tableau les éléments suivants.

- Le nom du fonds, toujours précédé de la famille responsable de sa distribution : par exemple, Fidelity répartition d'actif canadien.

- Le type de fonds : par exemple, fonds du marché monétaire, fonds d'actions canadiennes, fonds d'actions internationales, etc.

    - Les fonds du marché monétaire investissent dans les titres de créance à court terme, ayant une échéance de moins de 180 jours.

    - Les fonds hypothécaires investissent principalement dans les hypothèques.

    - Les fonds obligataires investissent principalement dans les obligations émises par les entreprises et les divers paliers de gouvernements au Canada.

    - Les fonds obligataires mondiaux investissent principalement dans les obligations émises par les entreprises et les gouvernements étrangers.

    - Les fonds équilibrés et de répartition d'actifs canadiens investissent principalement dans les obligations et les actions canadiennes.

- Les fonds d'actions canadiennes et de dividendes investissent principalement dans les actions d'entreprises canadiennes.

- Les fonds d'actions canadiennes à petite capitalisation investissent principalement dans les actions d'entreprises canadiennes dont la capitalisation est inférieure à environ un milliard de dollars.

- Les fonds équilibrés mondiaux investissent principalement dans les obligations et les actions étrangères.

- Les fonds d'actions internationales investissent principalement dans les actions internationales.

- Les fonds d'actions européennes investissent principalement dans les actions d'entreprises européennes.

- Les fonds de la région Asie-Pacifique investissent principalement dans les actions d'entreprises provenant de la région Asie-Pacifique.

- Les fonds spécialisés investissent dans des actions concentrées dans des secteurs particuliers de l'économie.

• La date de la création du fonds.

• Le nom du ou des gestionnaires.

• L'année ou les années de sélection du fonds : Lorsque le fonds a été sélectionné dans une édition précédente (ou plus), nous indiquons les années de la sélection. Si le fonds apparaît pour la première fois, nous mettons la mention « Nouveau ».

• La cote allouée au fonds : compte tenu de l'information dont nous disposons, nous avons attribué une note allant de 0 à 10 à chaque fonds, 10 étant la note la plus élevée, mais impossible à atteindre. La note d'un fonds doit être comparée aux notes données aux autres fonds de la même catégorie. Si, à l'intérieur d'une même catégorie, les notes sont faibles, c'est que la catégorie nous apparaît moins attrayante. Cette année, c'est encore le cas des fonds de la région du Pacifique, mais aussi des fonds de marchés émergents et d'Amérique latine.

II. Les renseignements généraux

Dans la partie gauche du tableau, nous présentons des renseignements généraux sur le fonds, en date du 31 octobre 2003.

- Investissement minimal : le montant minimal requis pour souscrire au fonds.

- Admissibilité au REER : le contenu d'un fonds canadien est admissible à 100 %, alors qu'un fonds étranger est admissible à 30 %, à de rares exceptions près.

- Fréquence des distributions : la périodicité des versements (mensuelle, trimestrielle, annuelle, semestrielle ou sur demande). Ce renseignement est particulièrement important pour les fonds de revenus. Les fonds d'actions, sauf quelques exceptions, ne font qu'une seule distribution par année, et ce, vers la fin du mois de décembre.

- Valeur de l'actif : la valeur au marché de l'actif du fonds. Le fonds le plus important est Templeton Croissance dont l'actif se chiffre à environ 7,02 milliards de dollars, en baisse de presque 40 % depuis 2 ans.

- Frais de courtage
   - la structure : nous indiquons la structure des frais, soit s'il y a des frais à l'entrée ou à la sortie ou aucuns frais.
   - le ratio : le pourcentage de l'actif utilisé pour couvrir les frais de gestion.
   - Le numéro de code des frais : les codes des fonds sont ceux des versions de base des fonds, en dollars canadiens. Il peut parfois exister des versions REER, des versions de fonds corporatifs, des versions de fonds distincts (compagnie d'assurances) ou des versions en dollars américains.

- Indice de référence : le nom de l'indice de référence utilisé pour établir nos comparaisons entre le rendement du fonds et celui de l'indice.

Voici les différents types de fonds et leur indice de référence :

TYPE DE FONDS	INDICE DE RÉFÉRENCE
Fonds du marché monétaire américain	Moody's Rendement des bons du Trésor US
Fonds du marché monétaire	CIBC Marché monétaire bons du Trésor 91 jours
Fonds hypothécaires	CIBC Marché monétaire hypothécaire résidentiel
Fonds d'obligations	BIGAR Gouvernemental - Marché d'ensemble
Fonds équilibrés ou de répartition d'actifs canadiens	Morningstar Équilibré III
Fonds d'actions canadiennes - dividendes	TSX 35
Fonds de fiducies de revenu	Indice plafonné fiducies de revenu S&P/TSX
Fonds d'actions canadiennes à grande capitalisation	Indice composé S&P/TSX
Fonds d'actions canadiennes à petite capitalisation	BMO Nesbitt Burns petite capitalisation
Fonds équilibrés mondiaux	Morningstar Équilibré III
Fonds d'actions internationales	Citigroup Actions mondiales
Fonds d'actions américaines	S&P 500 $ CAN - BMO
Fonds d'actions européennes	Citigroup Actions européennes
Fonds de la région Asie-Pacifique	Citigroup Actions de l'Asie-Pacifique
Fonds de la santé	Citigroup Mondial Soins de la santé

III. Nos commentaires

Dans la partie inférieure gauche du tableau, nos commentaires vous donneront une évaluation qualitative du fonds.

IV. L'analyse du rendement

Dans la partie supérieure droite du tableau, vous trouverez les éléments d'analyse du rendement.

- Efficacité fiscale sur 3 ans : On utilise de l'information quantitative et qualitative afin d'arriver à des mesures d'efficacité fiscale.

  Plus l'efficacité fiscale est élevée, plus votre rendement après impôt se rapprochera du rendement avant impôt. L'efficacité fiscale est évaluée par rapport à l'ensemble des fonds. Les fonds de revenus ont une efficacité fiscale inférieure aux fonds d'actions. Les fonds monétaires ont l'efficacité fiscale la plus faible. Cette donnée n'est importante que pour vos investissements hors REER puisque les bénéfices des placements REER ne sont pas imposables avant que vous ne retiriez vos REER.

- Risque sur 3 ans (écart type) : Pour mesurer le risque, on analyse la volatilité sur plusieurs périodes. Il s'agit d'une mesure mathématique : plus le chiffre est élevé, plus le fonds est volatil, donc plus le risque est grand.

- Rendement moyen, quartile et indice de référence. Vous trouverez dans cette rubrique les éléments suivants :

    - Le rendement du fonds depuis 3 mois et 6 mois.

    - Le rendement du fonds du 1er janvier 2003 au 31 octobre 2003.

    - Le rendement simple annuel du fonds : rendement du fonds pour chaque année depuis la création, en se limitant à 11 ans.

    - Le quartile : il faut un minimum de 20 fonds pour produire une statistique sur les quartiles. Cette donnée présente, sur le plan du rendement et sans tenir compte du risque, le classement relatif d'un fonds par rapport aux autres membres de sa catégorie. S'il n'y a pas de quartile, c'est que l'échantillon est inférieur à 20 fonds.

    - Le rendement annuel moyen de l'indice de référence : selon l'indice de référence indiqué dans les renseignements généraux.

- Rendement annuel composé, quartile et indice de référence. Vous trouverez dans ce tableau les données chiffrées quant au rendement composé du fonds. Vous trouverez les éléments suivants :
    - Le rendement composé depuis la création du fonds
    - Le rendement annuel composé du fonds : sur les périodes de 1 an, 2 ans, 3 ans, 4 ans, 5 ans, 10 ans et 15 ans.

– Le quartile : tout comme pour les rendements annuels, on peut établir un classement relatif en ce qui a trait aux rendements annuels composés. Il faut un minimum de 20 fonds pour produire une statistique sur les quartiles. S'il n'y a pas de quartile, c'est que l'échantillon est inférieur à ce nombre.

– Le rendement annuel composé de l'indice de référence choisi comme terme de comparaison.

Les 100 meilleurs fonds 2004

CI MARCHÉ MONÉTAIRE AMÉRICAIN
Fonds du marché monétaire

DATE DE LA CRÉATION
Janvier 1995

1999-2001-2203

GESTIONNAIRE
Équipe de gestion C.I. Mutual

Renseignements généraux

au 31 octobre 2003

⊃ Investissement minimal	**1 000 $**
⊃ Admissibilité au REER	**Max. 30 %**
⊃ Fréquence des distributions	**Mensuelle**
⊃ Valeur de l'actif (en millions)	**53,6**
⊃ Frais de courtage	
Structure	**Entrée ou sortie**
Ratio	**1,07**
Numéro ➡ entrée	**CIG 125**
➡ sortie	**CIG 525**
⊃ Indice de référence	**Moody's Rendement des bons du Trésor US**

Commentaires

Le fonds CI marché monétaire américain figure parmi nos choix de fonds-vedettes pour la quatrième fois. Malgré que les deux dernières années ont été plus difficiles pour l'équipe de gestionnaires, ce fonds a toujours, depuis sa création, en janvier 1995, fait au moins aussi bien que la médiane de sa catégorie. Ses frais de gestion, de 1,07 %, sont légèrement en hausse au cours de la dernière année mais demeurent un peu plus faibles que la moyenne de sa catégorie, qui se situe à 1,13 %. Le fonds est investi à 100 % dans des produits dont l'échéance est de moins de 365 jours.

Le gestionnaire pourra aussi, à l'occasion, procéder à l'acquisition de bons du Trésor émis par le gouvernement canadien, mais libellés en dollars américains. Le rendement de ce type de produit, surtout pour ceux qui sont libellés en devise américaine, est très faible, mais il s'aligne sur les taux d'intérêt américains qui sont tout aussi faibles.

Analyse du rendement

Efficacité fiscale sur 3 ans	50,07
Risque sur 3 ans (écart type)	0,6

Rendement moyen, quartile et indice de référence

ANNÉE	RENDEMENT %	QUARTILE	RENDEMENT MOYEN DE L'INDICE DE RÉFÉRENCE %
3 mois	0,1	1	0,2
6 mois	0,1	1	0,5
02-03	0,3	2	1,1
01-02	0,9	3	1,7
00-01	4,1	1	4,2
99-00	5,6	1	5,7
98-99	4,1	2	4,5
97-98	4,8	1	4,9
96-97	4,8	1	5,1
95-96	4,8	-	5,1

Rendement annuel composé, quartile et indice de référence

PÉRIODE	RENDEMENT ANNUEL COMPOSÉ %	QUARTILE	RENDEMENT ANNUEL COMPOSÉ MOYEN DE L'INDICE DE RÉFÉRENCE %
Depuis création	3,9		
1 an	0,3	2	1,1
2 ans	0,6	2	1,4
3 ans	1,8	1	2,3
4 ans	2,7	1	3,2
5 ans	3,0	1	3,4

BANQUE NATIONALE MARCHÉ MONÉTAIRE
Fonds du marché monétaire

DATE DE LA CRÉATION
Décembre 1990

GESTIONNAIRE
Équipe de gestion Natcan

NOUVEAU

ℝenseignements généraux

au 31 octobre 2003

⊃ Investissement minimal **1 000 $**

⊃ Admissibilité au REER **Oui**

⊃ Fréquence des distributions **Mensuelle**

⊃ Valeur de l'actif (en millions) **822**

⊃ Frais de courtage
Structure **Aucuns**
Ratio **1,03**
Numéro ➡ entrée **NBC 415**
➡ sortie **NBC 515**
➡ sans frais **NBC 815**

⊃ Indice de référence **CIBC Marché monétaire bons du Trésor 91 jours**

ℂommentaires

Il s'agit de sa première mention dans notre guide. Ce fonds est géré par l'équipe de gestionnaires de Natcan, filiale de la Banque Nationale. Il s'est retrouvé en tout temps, depuis sa création en décembre 1990, dans le premier ou le deuxième quartile. Les frais de gestion, demeurés en accord avec la politique des promoteurs du fonds, sont plus faibles que ceux de la moyenne des fonds de même catégorie, avec un minimum de 1,03 % par rapport à une moyenne de 1,14 %. Dans le cas de ce fonds, contrairement à celui de la majorité des fonds monétaires, l'équipe de gestion peut investir dans des titres de créance des différents paliers du gouvernement ayant des échéances de 25 mois et moins ainsi que dans des titres de créance d'entreprises dont l'échéance est de 13 mois et moins.

Resté stable au cours des 12 derniers mois, l'actif sous gestion est d'environ 820 millions de dollars. Au moment où ces lignes ont été écrites, 80 % du fonds était investi en liquidités, et 20 %, en obligations. Compte tenu des taux d'intérêt très faibles au Canada, il est difficile de faire mieux.

𝔸nalyse du rendement

Efficacité fiscale sur 3 ans	50
Risque sur 3 ans (écart type)	0,3

Rendement moyen, quartile et indice de référence			
ANNÉE	**RENDEMENT %**	**QUARTILE**	**RENDEMENT MOYEN DE L'INDICE DE RÉFÉRENCE %**
3 mois	0,5	2	0,7
6 mois	1,1	2	1,6
02-03	2,1	2	2,9
01-02	2,2	1	2,3
00-01	4,2	2	5,4
99-00	4,6	2	5,2
98-99	4,1	2	4,7
97-98	3,6	3	4,3
96-97	2,6	2	2,9
95-96	4,5	2	5,6
94-95	**6,0**	3	7,0
93-94	4,1	3	4,8
92-93	4,8	3	6,0

Rendement annuel composé, quartile et indice de référence			
PÉRIODE	**RENDEMENT ANNUEL COMPOSÉ %**	**QUARTILE**	**RENDEMENT ANNUEL COMPOSÉ MOYEN DE L'INDICE DE RÉFÉRENCE %**
Depuis création	4,4		
1 an	2,1	2	2,9
2 ans	2,2	1	2,6
3 ans	2,8	1	3,5
4 ans	3,3	1	3,9
5 ans	3,4	2	4,1
10 ans	3,8	2	4,5

STANDARD LIFE MARCHÉ MONÉTAIRE
Fonds du marché monétaire

DATE DE LA CRÉATION
Octobre 1992

GESTIONNAIRES
Raschkowan, Norman
Renaud, Roger, et Hill, Peter

NOUVEAU

Renseignements généraux

au 31 octobre 2003

- Investissement minimal **1 000 $**
- Admissibilité au REER **Oui**
- Fréquence des distributions **Mensuelle**
- Valeur de l'actif (en millions) **35,6**
- Frais de courtage
  - Structure **Entrée ou sortie**
  - Ratio **0,96**
  - Numéro ➡ entrée **SLM 253**
  - ➡ sortie **SLM 053**
- Indice de référence **CIBC Marché monétaire bons du Trésor 91 jours**

Commentaires

Il s'agit d'un nouveau venu dans nos choix de fonds monétaires cette année. Ce très petit fonds monétaire est géré par Norman Raschkowan, Roger Renaud et Peter Hill, de l'équipe de gestion de Standard Life Investments. L'actif sous gestion n'est que de 36 millions de dollars, mais celui-ci est en hausse de plus de 30 % au cours des 12 derniers mois, selon les données de la firme Morningstar. L'actif ici n'est ni un problème ni un avantage compte tenu de la liquidité importante des produits qui composent le fonds. Par contre, les économies d'échelle sont très faibles et, malgré tout, le promoteur du fonds, la Standard Life, facture des frais de gestion aussi faibles que 0,96 % par rapport à une moyenne de 1,14 % dans cette catégorie.

Ce n'est pas le plus performant des fonds, mais il se retrouve constamment dans le deuxième quartile de son secteur. Bref, c'est un bon produit, avec des frais de gestion très faibles en comparaison de ceux de sa catégorie.

Analyse du rendement

Efficacité fiscale sur 3 ans	51,37
Risque sur 3 ans (écart type)	0,4

ANNÉE	RENDEMENT %	QUARTILE	RENDEMENT MOYEN DE L'INDICE DE RÉFÉRENCE %
3 mois	0,5	2	0,7
6 mois	1,1	2	1,6
02-03	2,1	2	2,9
01-02	1,5	3	2,3
00-01	4,6	1	5,4
99-00	4,8	1	5,2
98-99	4,1	2	4,7
97-98	4,1	1	4,3
96-97	2,6	2	2,9
95-96	5,7	1	5,6
94-95	6,3	2	7,0
93-94	4,2	3	4,8
92-93	4,9	2	6,0

Rendement moyen, quartile et indice de référence

PÉRIODE	RENDEMENT ANNUEL COMPOSÉ %	QUARTILE	RENDEMENT ANNUEL COMPOSÉ MOYEN DE L'INDICE DE RÉFÉRENCE %
Depuis création	4,1		
1 an	2,1	2	2,9
2 ans	1,8	2	2,6
3 ans	2,7	2	3,5
4 ans	3,2	2	3,9
5 ans	3,4	2	4,1
10 ans	4,0	2	4,5

Rendement annuel composé, quartile et indice de référence

Banque Nationale hypothèques

Fonds hypothécaire

Date de la création
Août 1991

Gestionnaire
Équipe de gestion Natcan

NOUVEAU

® enseignements généraux

au 31 octobre 2003

⊃ Investissement minimal	**500 $**
⊃ Admissibilité au REER	**Oui**
⊃ Fréquence des distributions	**Mensuelle**
⊃ Valeur de l'actif (en millions)	**158**
⊃ Frais de courtage	
Structure	**Aucuns**
Ratio	**1,75**
Numéro ➠ entrée	**NBC 416**
➠ sortie	**NBC 516**
➠ sans frais	**NBC 816**
⊃ Indice de référence	**CIBC Marché monétaire hypothécaire résidentiel**

© ommentaires

Ce produit est un nouveau venu parmi les fonds-vedettes de notre sélection annuelle. Il appartient à la grande famille de fonds de la Banque Nationale, lesquels sont nouvellement disponibles pour distribution à l'extérieur du réseau bancaire. Ce fonds s'est retrouvé dans le premier quartile sans aucune interruption depuis sa création, en août 1991. Son actif sous gestion est de seulement 158 millions de dollars, mais il est en hausse de près de 15 % depuis les 12 derniers mois. Ce fonds est géré depuis sa création par Natcan Investment Management, filiale de la Banque Nationale.

Plus de 80 % des actifs du fonds sont investis en titres hypothécaires, et le reste, en obligations canadiennes et en liquidités. Fidèle à ses principes, le promoteur facture des frais de gestion de seulement 1,75 %, par rapport à une moyenne de 2,09 % dans la catégorie. En cas de hausse subite des taux d'intérêt, ce type de fonds pourrait connaître une période de rendement négatif, lequel, par ailleurs, ne serait pas majeur. Mais disons que les probabilités à cet égard sont plutôt faibles pour l'instant.

ⒶNALYSE du rendement

Efficacité fiscale sur 3 ans	57,2
Risque sur 3 ans (écart type)	1,5

Rendement moyen, quartile et indice de référence

Année	Rendement %	Quartile	Rendement moyen de l'indice de référence %
3 mois	0,7	1	0,6
6 mois	2,4	1	4,1
02-03	4,7	1	7,1
01-02	4,7	1	6,2
00-01	**9,6**	1	6,2
99-00	6,7	1	12,9
98-99	1,8	2	8,2
97-98	4,5	2	3,3
96-97	4,5	2	6,2
95-96	9,4	3	6,6
94-95	9,5	3	13,1
93-94	4,8	1	12,8
92-93	8,7	-	5,2

Rendement annuel composé, quartile et indice de référence

Période	Rendement annuel composé %	Quartile	Rendement annuel composé moyen de l'indice de référence %
Depuis création	6,7		
1 an	4,7	1	7,1
2 ans	4,7	1	6,6
3 ans	6,3	1	8,7
4 ans	6,4	1	8,6
5 ans	5,5	1	7,5
10 ans	6,0	1	8,1

CIBC HYPOTHÈQUES

Fonds hypothécaire

DATE DE LA CRÉATION
Décembre 1974

GESTIONNAIRE
Braive, John W.

1999-2000-2001-2002-2003

| 1 | 2 | 3 | 4 | 5 | 6 | 7 | 8 | | |

® enseignements généraux

au 31 octobre 2003

➲ Investissement minimal		**500 $**
➲ Admissibilité au REER		**Oui**
➲ Fréquence des distributions		**Mensuelle**
➲ Valeur de l'actif (en millions)		**804,9**
➲ Frais de courtage		
Structure		**Aucuns**
Ratio		**1,84**
Numéro ➟ sans frais		**CIB 475**
➲ Indice de référence	**CIBC Marché monétaire hypothécaire résidentiel**	

© ommentaires

Le fonds CIBC hypothèques fait partie de nos meilleurs choix de fonds dans ce secteur, et ce pour une sixième année consécutive. Il est géré depuis 1987 par la firme de gestion TAL, depuis peu la propriété à 100 % de la Banque CIBC. Depuis 1999, John W. Braive occupe le poste de gestionnaire principal.

Ce fonds a été créé en décembre 1974, soit il y a 30 ans, et a toujours trouvé sa place parmi les meilleurs de sa catégorie, en offrant à l'investisseur un rendement plus élevé que la moyenne des fonds du même groupe, mais avec une volatilité plus faible que ceux-ci. Comme la grande majorité des produits de ce secteur, CIBC hypothèques est composé de titres hypothécaires, garantis par la Société canadienne d'hypothèques et de logement (SCHL). Le rendement annualisé du fonds est de 7,5 % sur une période de 15 ans.

Ⓐ nalyse du rendement

Efficacité fiscale sur 3 ans	56,75
Risque sur 3 ans (écart type)	1,7

Rendement moyen, quartile et indice de référence			
ANNÉE	RENDEMENT %	QUARTILE	RENDEMENT MOYEN DE L'INDICE DE RÉFÉRENCE %
3 mois	0,5	3	0,6
6 mois	2,3	2	4,1
02-03	4,0	2	7,1
01-02	3,5	1	6,2
00-01	8,5	3	6,2
99-00	6,1	2	12,9
98-99	1,4	3	8,2
97-98	4,9	2	3,3
96-97	3,6	4	6,2
95-96	10,9	2	6,6
94-95	10,0	3	13,1
93-94	3,7	2	12,8
92-93	7,9	-	5,2

Rendement annuel composé, quartile et indice de référence			
PÉRIODE	RENDEMENT ANNUEL COMPOSÉ %	QUARTILE	RENDEMENT ANNUEL COMPOSÉ MOYEN DE L'INDICE DE RÉFÉRENCE %
Depuis création	8,9		
1 an	4,0	2	7,1
2 ans	3,7	2	6,6
3 ans	5,3	2	8,7
4 ans	5,5	2	8,6
5 ans	4,7	2	7,5
10 ans	5,6	2	8,1
15 ans	7,5	-	-

TD HYPOTHÉCAIRE

Fonds hypothécaire

DATE DE LA CRÉATION
Janvier 1975

GESTIONNAIRES
Rai, Satish
McCulla, David

2002-2003

❶ enseignements généraux

au 31 octobre 2003

- ⟳ Investissement minimal **1 000 $**
- ⟳ Admissibilité au REER **Oui**
- ⟳ Fréquence des distributions **Mensuelle**
- ⟳ Valeur de l'actif (en millions) **614,9**
- ⟳ Frais de courtage
  Structure **Aucuns**
  Ratio **1,77**
  Numéro ➡ sans frais **TDB 621**
- ⟳ Indice de référence **CIBC Marché monétaire hypothécaire résidentiel**

❶ ommentaires

Ce fonds-vedette fait partie de nos choix pour une troisième année consécutive. La création du fonds remonte à janvier 1975, et celui-ci est sous la supervision de Satish Rai et de David McCulla, de TD Asset Management, depuis octobre 2000. Son actif sous gestion, de 614,9 millions de dollars, est assez stable depuis quelques années. Ses frais de gestion sont de seulement 1,77 %, comparativement à une moyenne de 2,09 % dans sa catégorie.

Au moment où ces lignes ont été écrites, le fonds était composé à 82 % de titres hypothécaires, et à 18 % de liquidités et d'obligations canadiennes. Sur 15 ans, son rendement annualisé est de 7,3 %, soit l'équivalent de la médiane de sa catégorie. Par contre, sur une échéance de 1 à 10 ans, le fonds a toujours réussi à faire mieux que son indice de référence.

Son ratio risque/rendement est l'un des plus intéressants de sa catégorie.

❶ nalyse du rendement

Efficacité fiscale sur 3 ans	62,81
Risque sur 3 ans (écart type)	2,0

Rendement moyen, quartile et indice de référence			
ANNÉE	RENDEMENT %	QUARTILE	RENDEMENT MOYEN DE L'INDICE DE RÉFÉRENCE %
3 mois	0,4	3	0,6
6 mois	2,2	2	4,1
02-03	5,4	1	7,1
01-02	4,2	1	6,2
00-01	8,6	3	6,2
99-00	6,0	2	12,9
98-99	1,8	2	8,2
97-98	5,1	1	3,3
96-97	4,0	3	6,2
95-96	8,2	3	6,6
94-95	9,5	3	13,1
93-94	4,8	1	12,8
92-93	7,8	-	5,2

Rendement annuel composé, quartile et indice de référence			
PÉRIODE	RENDEMENT ANNUEL COMPOSÉ %	QUARTILE	RENDEMENT ANNUEL COMPOSÉ MOYEN DE L'INDICE DE RÉFÉRENCE %
Depuis création	8,9		
1 an	5,4	1	7,1
2 ans	4,8	1	6,6
3 ans	6,0	1	8,7
4 ans	6,0	1	8,6
5 ans	5,2	1	7,5
10 ans	5,7	2	8,1
15 ans	7,3	-	

AIC OBLIGATIONS UNIVERSELLES
Fonds d'obligations mondiales

DATE DE LA CRÉATION
Juin 1999

GESTIONNAIRE
LeClair, Randy

NOUVEAU

Renseignements généraux

au 31 octobre 2003

➲ Investissement minimal **250 $**

➲ Admissibilité au REER **Oui**

➲ Fréquence des distributions **Trimestrielle**

➲ Valeur de l'actif (en millions) **35,7**

➲ Frais de courtage
Structure **Entrée ou sortie**
Ratio **2,14**
Numéro ➟ entrée **AIC 723**
➟ sortie **AIC 324**

➲ Indice de référence **BIGAR Gouvernemental - Marché d'ensemble**

Commentaires

Ce fonds fait l'objet d'une première mention à notre palmarès. Il acquiert principalement des obligations en devises étrangères qui sont pour la plupart émises par divers paliers gouvernementaux canadiens. Il est sous la supervision du gestionnaire Randy LeClair depuis sa création, en juillet 1999. Son actif sous gestion n'est que de 35,7 millions de dollars, mais celui-ci a enregistré une hausse de plus de 90 % depuis les 12 derniers mois. Les frais de gestion applicables sont de 2,14 %, par rapport à une moyenne de 2,27 % pour cette catégorie d'actif.

Les avantages de ce type de produit sont de protéger l'investisseur contre les fluctuations des devises étrangères par rapport au dollar canadien, de mieux diversifier la partie obligataire de son portefeuille et, dans certains cas, d'améliorer sensiblement les revenus de ce dernier, selon les mouvements des différentes devises. Le rendement annualisé sur trois ans est de 9,0 %, comparativement à une médiane de seulement 5,2 %. Intéressant.

Analyse du rendement

Efficacité fiscale sur 3 ans	85,51
Risque sur 3 ans (écart type)	7,7

Rendement moyen, quartile et indice de référence			
ANNÉE	**RENDEMENT %**	**QUARTILE**	**RENDEMENT MOYEN DE L'INDICE DE RÉFÉRENCE %**
3 mois	-1,3	1	1,4
6 mois	-1,4	1	3,3
02-03	3,2	1	6,4
01-02	8,8	1	4,9
00-01	**15,3**	1	12,6
99-00	-6,0	3	7,5

Rendement annuel composé, quartile et indice de référence			
PÉRIODE	**RENDEMENT ANNUEL COMPOSÉ %**	**QUARTILE**	**RENDEMENT ANNUEL COMPOSÉ MOYEN DE L'INDICE DE RÉFÉRENCE %**
Depuis création	4,8		
1 an	3,2	1	6,4
2 ans	5,9	1	5,6
3 ans	9,0	1	7,9
4 ans	5,0	1	7,8

DATE DE LA CRÉATION
Novembre 1999

2002-2003

GESTIONNAIRE
Liebart, Guy

Renseignements généraux

au 31 octobre 2003

➲ Investissement minimal **1 000 $**

➲ Admissibilité au REER **Oui**

➲ Fréquence des distributions **Mensuelle**

➲ Valeur de l'actif (en millions) **18,5**

➲ Frais de courtage
Structure **Entrée ou sortie**
Ratio **1,54**
Numéro ➡ entrée **FIS 110**
➡ sortie **FIS 510**

➲ Indice de référence **BIGAR Gouvernemental - Marché d'ensemble**

Commentaires

Ce fonds figure parmi nos choix pour une troisième année de suite, malgré que sa création ne remonte qu'à novembre 1999. La raison en est bien simple : la réputation de son gestionnaire, Guy Liebart, de la firme Gestion Sodagep, dont les bureaux sont situés à Montréal. L'actif sous gestion du fonds est encore très faible, à 18,5 millions de dollars seulement, mais il a enregistré une hausse de plus de 160 % au cours des 12 derniers mois. Comme on dit : dans les petits pots, les meilleurs onguents.

La volatilité associée à ce fonds est plus faible que celle de la moyenne de sa catégorie, mais les revenus sont supérieurs à la médiane. C'est un fonds qui se retrouve principalement dans le deuxième quartile de sa catégorie. Dans la mesure du possible, le gestionnaire investit dans des obligations municipales. La dernière année a été un peu difficile, comme en fait foi un rendement de 4,3 % par rapport à une médiane de 5,2 %. Le fonds demeure toutefois très intéressant.

Analyse du rendement

Efficacité fiscale sur 3 ans	71,16
Risque sur 3 ans (écart type)	3,5

Rendement moyen, quartile et indice de référence			
ANNÉE	RENDEMENT %	QUARTILE	RENDEMENT MOYEN DE L'INDICE DE RÉFÉRENCE %
3 mois	0,8	4	1,4
6 mois	2,5	3	3,3
02-03	4,3	4	6,4
01-02	4,7	1	4,9
00-01	10,8	2	12,6

Rendement annuel composé, quartile et indice de référence			
PÉRIODE	RENDEMENT ANNUEL COMPOSÉ %	QUARTILE	RENDEMENT ANNUEL COMPOSÉ MOYEN DE L'INDICE DE RÉFÉRENCE %
Depuis création	6,7		
1 an	4,3	4	6,4
2 ans	4,5	2	5,6
3 ans	6,5	2	7,9

FISQ ZÉRO COUPON - PROFIL QUÉBEC
Fonds d'obligations canadiennes

DATE DE LA CRÉATION
Novembre 1999

GESTIONNAIRE
Liebart, Guy

2002-2003

® enseignements généraux

au 31 octobre 2003

⊃ Investissement minimal **1 000 $**

⊃ Admissibilité au REER **Oui**

⊃ Fréquence des distributions **Annuelle**

⊃ Valeur de l'actif (en millions) **22,7**

⊃ Frais de courtage
  Structure **Entrée ou sortie**
  Ratio **1,65**
  Numéro ➡ entrée **FIS 120**
  ➡ sortie **FIS 520**

⊃ Indice de référence **BIGAR Gouvernemental - Marché d'ensemble**

© ommentaires

Le fonds FISQ Zéro coupon – profil Québec est sous la supervision de Guy Liebart, un des meilleurs gestionnaires de produits obligataires. Évidemment, comme le nom du fonds le suggère, le gestionnaire concentre la majeure partie du capital dans des coupons détachés émis par divers paliers gouvernementaux québécois, et il voit à garder cette position tant et aussi longtemps que ces produits demeurent compétitifs.

Les frais de gestion du fonds ne sont que de 1,65 %, comparativement à une moyenne de 2,08 %. Son actif sous gestion est de plus de 22 millions de dollars, en hausse de 47 % sur un an. Le rendement obtenu pour les 12 derniers mois est de 4,7 %, par rapport à une médiane dans sa catégorie de 5,2 %. Le rendement annualisé sur trois ans est de 7,6 %, alors que la médiane est de seulement 5,9 % pendant la même période. Ces différences sont énormes dans le contexte actuel, où les taux d'intérêt sont historiquement bas. C'est un excellent achat.

ⓐ nalyse du rendement

Efficacité fiscale sur 3 ans	60,65
Risque sur 3 ans (écart type)	5,8

	Rendement moyen, quartile et indice de référence		
ANNÉE	**RENDEMENT %**	**QUARTILE**	**RENDEMENT MOYEN DE L'INDICE DE RÉFÉRENCE %**
3 mois	0,8	4	1,4
6 mois	2,4	3	3,3
02-03	4,7	3	6,4
01-02	4,9	1	4,9
00-01	13,5	1	12,6

	Rendement annuel composé, quartile et indice de référence		
PÉRIODE	**RENDEMENT ANNUEL COMPOSÉ %**	**QUARTILE**	**RENDEMENT ANNUEL COMPOSÉ MOYEN DE L'INDICE DE RÉFÉRENCE %**
Depuis création	8,2		
1 an	4,7	3	6,4
2 ans	4,8	1	5,6
3 ans	7,6	1	7,9

TD OBLIGATIONS À RENDEMENT RÉEL
Fonds d'obligations canadiennes

DATE DE LA CRÉATION
Novembre 1994

GESTIONNAIRES
Rai, Satish
Wilson, Geoff

2003

| 1 | 2 | 3 | 4 | 5 | 6 | 7 | 8 | 9 | |

ℝenseignements généraux

au 31 octobre 2003

➲ Investissement minimal	**1 000 $**
➲ Admissibilité au REER	**Oui**
➲ Fréquence des distributions	**Trimestrielle**
➲ Valeur de l'actif (en millions)	**736,1**
➲ Frais de courtage	
Structure	**Aucuns**
Ratio	**1,66**
Numéro ➥ entrée	**TDA 755**
➥ sortie	**TDA 775**
➥ sans frais	**TDB 646**
➲ Indice de référence	**BIGAR Gouvernemental - Marché d'ensemble**

ℂommentaires

Ce fonds fait partie de nos choix pour une deuxième année consécutive. Sa principale caractéristique est qu'il procure à ses détenteurs des revenus qui sont indexés au taux de l'inflation. Ce résultat est possible grâce à certaines obligations émises par les gouvernements du Québec et du Canada, qui possèdent cette faculté d'indexation. C'est un excellent instrument financier pour l'investisseur qui désire qu'une partie de son pouvoir d'achat soit corrélé au taux d'inflation. Le gestionnaire du fonds, Satish Rai, occupe son poste depuis la création, en novembre 1994, et il est assisté par Geoff Wilson depuis janvier 2003. Tous deux appartiennent à l'équipe de gestionnaires de TD Asset Management.

Les frais de gestion applicables sont de 1,66 %, comparativement à une moyenne dans cette catégorie de 2,08 %. L'actif sous gestion du fonds dépasse les 730 millions de dollars, en hausse de plus de 200 % depuis les 12 derniers mois. C'est un fonds qui s'est maintenu dans le premier quartile depuis cinq ans. Ce n'est pas un produit miracle mais, pour l'investisseur qui désire conserver son pouvoir d'achat face à l'inflation, il est presque idéal.

𝔸nalyse du rendement

Efficacité fiscale sur 3 ans	72,57
Risque sur 3 ans (écart type)	5,2

	Rendement moyen, quartile et indice de référence		
ANNÉE	RENDEMENT %	QUARTILE	RENDEMENT MOYEN DE L'INDICE DE RÉFÉRENCE %
3 mois	3,4	1	1,4
6 mois	2,9	2	3,3
02-03	10,5	1	6,4
01-02	6,4	1	4,9
00-01	4,5	4	12,6
99-00	14,0	1	7,5
98-99	5,6	1	0,6
97-98	2,4	4	7,1
96-97	7,4	4	10,6
95-96	15,1	1	15,4

	Rendement annuel composé, quartile et indice de référence		
PÉRIODE	RENDEMENT ANNUEL COMPOSÉ %	QUARTILE	RENDEMENT ANNUEL COMPOSÉ MOYEN DE L'INDICE DE RÉFÉRENCE %
Depuis création	7,9		
1 an	10,5	1	6,4
2 ans	8,5	1	5,6
3 ans	7,1	1	7,9
4 ans	8,8	1	7,8
5 ans	8,1	1	6,3

TRIMARK OBLIGATIONS AVANTAGE
Fonds d'obligations canadiennes

DATE DE LA CRÉATION
Décembre 1994

NOUVEAU

GESTIONNAIRES
Chong, Rex
Hunt, Vince

Renseignements généraux

au 31 octobre 2003

⊃ Investissement minimal	**500 $**
⊃ Admissibilité au REER	**Oui**
⊃ Fréquence des distributions	**Mensuelle**
⊃ Valeur de l'actif (en millions)	**1323,3**
⊃ Frais de courtage	
Structure	**A ou S**
Ratio	**1,26**
Numéro ➡ entrée	**AIM 1643**
➡ sortie	**AIM 1641**
➡ réduit	**AIM 1645**
⊃ Indice de référence	**BIGAR Gouvernemental - Marché d'ensemble**

Commentaires

Ce type de fonds ne convient pas à tous. En effet, la volatilité des fonds d'obligations à haut rendement représente un risque plus élevé que celui associé à la moyenne des fonds d'obligations. Le gestionnaire de ce type de fonds achète des obligations à haut risque (*junk bonds*). Il s'agit d'obligations émises par des entreprises dont le risque est plus important que celui de la moyenne des titres de dettes émises par certaines sociétés ayant des cotes de crédit plus élevées, ou moins risquées.

Ce fonds, créé en décembre 1994, est géré par Rex Chong depuis juin 1996. Et, malgré qu'il comporte un risque en principe plus élevé que celui de la moyenne des fonds d'obligations, il s'en tire très bien. Sur cinq ans, son rendement annualisé est de 6,0 % alors que la médiane de sa catégorie est de 4,3 %. Il s'agit d'un fonds important, avec ses 1,3 milliard de dollars d'actif sous gestion. Évidemment, avec la baisse des taux d'intérêt depuis deux ans, les investisseurs ont été bien récompensés.

Analyse du rendement

Efficacité fiscale sur 3 ans	53,51
Risque sur 3 ans (écart type)	4,9

Rendement moyen, quartile et indice de référence

ANNÉE	RENDEMENT %	QUARTILE	RENDEMENT MOYEN DE L'INDICE DE RÉFÉRENCE %
3 mois	3,0	1	1,4
6 mois	6,6	1	3,3
02-03	14,7	3	6,4
01-02	3,0	1	4,9
00-01	4,7	3	12,6
99-00	5,1	2	7,5
98-99	3,2	-	0,6
97-98	2,1	-	7,1
96-97	11,8	-	10,6
95-96	16,1	-	15,4

Rendement annuel composé, quartile et indice de référence

PÉRIODE	RENDEMENT ANNUEL COMPOSÉ %	QUARTILE	RENDEMENT ANNUEL COMPOSÉ MOYEN DE L'INDICE DE RÉFÉRENCE %
Depuis création	8,7		
1 an	14,7	3	6,4
2 ans	8,7	2	5,6
3 ans	7,3	1	7,9
4 ans	6,7	1	7,8
5 ans	6,0	-	6,3

ASTRA DIVERSIFIÉ CROISSANCE
Fonds équilibré ou de répartition d'actifs canadiens

DATE DE LA CRÉATION
Novembre 2002

NOUVEAU

GESTIONNAIRE
Équipe de gestion McLean Budden

Renseignements généraux

au 31 octobre 2003

◯ Investissement minimal **400 $**

◯ Admissibilité au REER **Oui**

◯ Fréquence des distributions **Annuelle**

◯ Valeur de l'actif (en millions) **2,5**

◯ Frais de courtage
Structure **Entrée ou sortie**
Ratio **2,62**
Numéro ➡ entrée **SSQ 218**
➡ sortie **SSQ 018**

◯ Indice de référence **Morningstar Équilibré III**

Commentaires

Nous n'avons jamais été de grands défenseurs des fonds distincts. Mais, en certaines occasions, les fonds distincts tels qu'Astra diversifié croissance peuvent répondre aux besoins des investisseurs. Nous parlons ici des investisseurs qui ont une aversion pour le risque ou de ceux dont l'espérance de vie est faible. On peut également noter l'avantage juridique que procure ce type de fonds sur le plan de l'insaisissabilité des sommes accumulées, et ce contre quelque créancier que ce soit. Évidemment, cet avantage occasionne des coûts, mais ceux de la famille Astra nous semblent beaucoup plus raisonnables que ceux des autres fonds.

Bien que l'historique du fonds Astra diversifié croissance soit bref, il témoigne d'une bonne gestion axée sur la diversification. Notre confiance va d'abord à l'équipe de gestion, McLean Budden, dont la réputation n'est plus à faire.

Analyse du rendement

Efficacité fiscale sur 3 ans -
Risque sur 3 ans (écart type) -

Rendement moyen, quartile et indice de référence			
ANNÉE	RENDEMENT %	QUARTILE	RENDEMENT MOYEN DE L'INDICE DE RÉFÉRENCE %
3 mois	2,4	3	4
6 mois	9,2	2	10,8
02-03	10,4	2	14

Rendement annuel composé, quartile et indice de référence			
PÉRIODE	RENDEMENT ANNUEL COMPOSÉ %	QUARTILE	RENDEMENT ANNUEL COMPOSÉ MOYEN DE L'INDICE DE RÉFÉRENCE %
Depuis création	0,9		
1 an	10,4	2	14

CLARINGTON CANADIEN ÉQUILIBRÉ
Fonds équilibré ou de répartition d'actifs canadiens

DATE DE LA CRÉATION
Septembre 1996

GESTIONNAIRE
Marshall, Peter

2001-2002-2003

| 1 | 2 | 3 | 4 | 5 | 6 | 7 | 8 | | | |

Renseignements généraux

au 31 octobre 2003

⊃ Investissement minimal	**500 $**
⊃ Admissibilité au REER	**Oui**
⊃ Fréquence des distributions	**Annuelle**
⊃ Valeur de l'actif (en millions)	**347,4**
⊃ Frais de courtage	
Structure	**Entrée ou sortie**
Ratio	**2,78**
Numéro ➡ entrée	**CCM 400**
➡ sortie	**CCM 401**
➡ réduit	**CCM 955**
⊃ Indice de référence	**Morningstar Équilibré III**

Commentaires

Le choix de ce fonds, pour une quatrième année consécutive, est surtout attribuable à son gestionnaire-vedette, Peter Marshall, de la firme Seamark Asset Management, basée à Halifax. Ce fonds, dont la création remonte à septembre 1996, n'a jamais changé de gestionnaire. Son actif sous gestion, de 347 millions de dollars, est stable. Ses frais de gestion sont de 2,78%, comparativement à une moyenne de 2,63% dans sa catégorie. Son rendement n'établit aucun record, mais son gestionnaire maintient un excellent ratio risque/ rendement : le facteur de risque se situe au-dessous de la moyenne, et le rendement, au-dessus de celle-ci. Au moment où ces lignes ont été écrites, le fonds était réparti à 36% d'obligations canadiennes, à 33% d'actions canadiennes et à 25% d'actions étrangères. Ses deux plus importants titres sont Banque Toronto-Dominion et Banque Royale.

M. Marshall est un gestionnaire de grande expérience, plutôt conservateur, qui sait prendre des risques seulement quand cela en vaut la peine. Voici un fonds dont l'excellente répartition pourrait suffire à votre portefeuille et vous permettre de bien dormir.

Analyse du rendement

Efficacité fiscale sur 3 ans	-
Risque sur 3 ans (écart type)	7,3

	Rendement moyen, quartile et indice de référence		
ANNÉE	**RENDEMENT %**	**QUARTILE**	**RENDEMENT MOYEN DE L'INDICE DE RÉFÉRENCE %**
3 mois	2,8	3	4
6 mois	8,4	3	10,8
02-03	9,2	3	14
01-02	-7,3	4	-3,8
00-01	-1,2	2	-10,8
99-00	17,9	1	16,9
98-99	14,2	1	11,3
97-98	1,0	2	5,3
96-97	16,3	3	18,2

	Rendement annuel composé, quartile et indice de référence		
PÉRIODE	**RENDEMENT ANNUEL COMPOSÉ %**	**QUARTILE**	**RENDEMENT ANNUEL COMPOSÉ MOYEN DE L'INDICE DE RÉFÉRENCE %**
Depuis création	6,9		
1 an	9,2	3	14
2 ans	0,6	4	4,7
3 ans	0,0	2	-0,7
4 ans	4,2	2	3,4
5 ans	6,1	1	4,9

DATE DE LA CRÉATION
Décembre 1996

2002-2003

GESTIONNAIRE
Marshall, Peter

ℝenseignements généraux

au 31 octobre 2003

⊃ Investissement minimal — **500 $**

⊃ Admissibilité au REER — **Oui**

⊃ Fréquence des distributions — **Mensuelle**

⊃ Valeur de l'actif (en millions) — **1261,8**

⊃ Frais de courtage
Structure — **Entrée ou sortie**
Ratio — **2,40**
Numéro ➡ entrée — **CCM 420**
➡ sortie — **CCM 421**
➡ réduit — **CCM 960**

⊃ Indice de référence — **Morningstar Équilibré III**

ℂommentaires

Ce fonds aussi est géré par l'excellent Peter Marshall, de Seamark Asset Management, tout comme l'est son quasi-clone, le Clarington canadien équilibré (voir page précédente). Il fait partie de nos choix depuis trois ans et il conserve une répartition semblable à celle de son frère jumeau. Par contre, son actif sous gestion est beaucoup plus important : 1,2 milliard de dollars. Cet actif est par ailleurs stable depuis 12 mois. Les frais de gestion du fonds sont de 2,40 %, comparativement à 2,62 % en moyenne pour les produits de sa catégorie. La création du fonds remonte à décembre 1996, soit à peine trois mois après celle de son jumeau.

Le risque moyen lié à ce fonds est semblable à celui associé à sa catégorie. Sur cinq ans, le gestionnaire a obtenu un rendement annualisé de 5,8 % par rapport à une médiane de 4,4 %. Ce fonds ne s'adresse pas aux sprinters mais plutôt aux marathoniens, qui sont patients et qui préfèrent le sommeil à l'insomnie.

𝔸nalyse du rendement

Efficacité fiscale sur 3 ans — -

Risque sur 3 ans (écart type) — 6,9

ANNÉE	RENDEMENT %	QUARTILE	RENDEMENT MOYEN DE L'INDICE DE RÉFÉRENCE %
Rendement moyen, quartile et indice de référence			
3 mois	2,9	3	4,0
6 mois	8,6	3	10,8
02-03	10,2	2	14,0
01-02	-7,4	4	-3,8
00-01	1,0	1	-10,8
99-00	15,6	2	16,9
98-99	11,2	1	11,3
97-98	3,5	1	5,3

PÉRIODE	RENDEMENT ANNUEL COMPOSÉ %	QUARTILE	RENDEMENT ANNUEL COMPOSÉ MOYEN DE L'INDICE DE RÉFÉRENCE %
Rendement annuel composé, quartile et indice de référence			
Depuis création	6,3		
1 an	10,2	2	14,0
2 ans	1,0	4	4,7
3 ans	1,0	2	-0,7
4 ans	4,5	2	3,4
5 ans	5,8	1	4,9

FIDELITY RÉPARTITION D'ACTIFS CANADIENS
Fonds équilibré ou de répartition d'actifs canadiens

DATE DE LA CRÉATION
Décembre 1994

1999-2000-2001-2002-2003

NOM DES GESTIONNAIRES
Habermann, Richard
Moore, Jeff, et Radlo, Alan

Renseignements généraux

au 31 octobre 2003

⊃ Investissement minimal **500 $**

⊃ Admissibilité au REER **Oui**

⊃ Fréquence des distributions **Trimestrielle**

⊃ Valeur de l'actif (en millions) **6002,9**

⊃ Frais de courtage
  Structure **Entrée ou sortie**
  Ratio **2,49**
  Numéro ➡ entrée **FID 281**
  ➡ sortie **FID 581**

⊃ Indice de référence **Morningstar Équilibré III**

Commentaires

Ce fonds remporte la palme pour une sixième année de suite. Sa grande force? Son équipe de gestionnaires, composée de Richard Habermann et d'Alan Radlo depuis décembre 1994, ainsi que de Jeff Moore, qui s'est joint à eux en octobre 2000. L'actif de ce fonds, de plus de six milliards de dollars, est stable. Ses frais de gestion sont de 2,49%, comparativement à une moyenne de 2,6% pour sa catégorie. Le risque associé au fonds est légèrement supérieur à la moyenne de son secteur, mais l'investisseur en est bien récompensé. Sur cinq ans, le fonds a livré un rendement annualisé de 5,6% par rapport à une médiane de 3,9%. Il se classe dans le premier quartile sur deux, quatre et cinq ans.

Sa répartition, au moment où ces lignes ont été écrites, était en hausse de 38% en actions canadiennes, stable à 28,4% en obligations canadiennes, et en baisse de 13,6% en liquidités. Il arrive assez souvent que les gestionnaires conservent une moyenne de 15% en actions étrangères, mais la proportion actuelle est très faible. La hausse du dollar canadien pourrait bien expliquer en partie cette situation. Les gestionnaires ont avec ce fonds beaucoup plus de latitude que ceux du fonds équilibré de Fidelity quant aux pondérations en actions et en obligations. L'équipe de gestion est excellente.

Analyse du rendement

Efficacité fiscale sur 3 ans -

Risque sur 3 ans (écart type) 6,8

ANNÉE	Rendement moyen, quartile et indice de référence		
	RENDEMENT %	QUARTILE	RENDEMENT MOYEN DE L'INDICE DE RÉFÉRENCE %
3 mois	4,2	1	4,0
6 mois	9,7	2	10,8
02-03	11,5	2	14,0
01-02	-2,6	1	-3,8
00-01	-5,5	2	-10,8
99-00	18,7	1	16,9
98-99	7,8	2	11,3
97-98	3,8	1	5,3
96-97	29,7	1	18,2
95-96	22,6	1	20,3

PÉRIODE	Rendement annuel composé, quartile et indice de référence		
	RENDEMENT ANNUEL COMPOSÉ %	QUARTILE	RENDEMENT ANNUEL COMPOSÉ MOYEN DE L'INDICE DE RÉFÉRENCE %
Depuis création	11,1		
1 an	11,5	2	14,0
2 ans	4,2	1	4,7
3 ans	0,9	2	-0,7
4 ans	5,0	1	3,4
5 ans	5,6	1	4,9

FIDELITY ÉQUILIBRE CANADA
Fonds équilibré ou de répartition d'actifs canadiens

DATE DE LA CRÉATION
Septembre 1998

GESTIONNAIRES
Haber, Robert J.
Conti, Matthew et Binder, Stephen

2002-2003

ℝenseignements généraux

au 31 octobre 2003

- ⊃ Investissement minimal — **500 $**
- ⊃ Admissibilité au REER — **Oui**
- ⊃ Fréquence des distributions — **Trimestrielle**
- ⊃ Valeur de l'actif (en millions) — **873**
- ⊃ Frais de courtage
  - Structure — **Entrée ou sortie**
  - Ratio — **2,40**
  - Numéro ➡ entrée — **FID 282**
  -      ➡ sortie — **FID 582**
- ⊃ Indice de référence — **Morningstar Équilibré III**

ℂommentaires

Ce fonds fait partie de notre sélection pour une troisième année consécutive. Sa création ne remonte qu'à septembre 1998, mais son actif sous gestion est déjà de plus de 870 millions de dollars, en hausse de 65 % depuis les 12 derniers mois. Son équipe de gestionnaires est à l'image du fonds : assez exceptionnelle. Elle est composée de Robert J. Haber et de Stephen Binder depuis 1998 ; Matthew Conti s'est joint à eux en juin 2000. Le fonds comporte des frais de gestion de 2,40 %, par rapport à une moyenne de 2,61 % pour sa catégorie. Sur une période de cinq ans, sa volatilité est un peu plus faible que celle de la moyenne des fonds du secteur, mais son rendement annualisé est de 9,3 %, alors que la médiane est de seulement 4,4 %. Il figure dans le premier quartile depuis sa création.

La répartition de son actif est de 45 % en actions canadiennes et de 39 % en obligations canadiennes. Habituellement, les gestionnaires vont garder une moyenne d'environ 18 % en actions étrangères mais, à l'automne 2003, cette proportion était de seulement 2,7 %. La hausse du dollar canadien pourrait expliquer en bonne partie cette décision, qui s'avère excellente dans un tel contexte. Ce fonds est parmi les meilleurs.

𝔸nalyse du rendement

Efficacité fiscale sur 3 ans	77,31
Risque sur 3 ans (écart type)	6,3

Rendement moyen, quartile et indice de référence			
ANNÉE	**RENDEMENT %**	**QUARTILE**	**RENDEMENT MOYEN DE L'INDICE DE RÉFÉRENCE %**
3 mois	3,6	2	4,0
6 mois	8,3	3	10,8
02-03	12,0	1	14,0
01-02	0,2	1	-3,8
00-01	-1,9	2	-10,8
99-00	27,0	1	16,9
98-99	11,4	1	11,3

Rendement annuel composé, quartile et indice de référence			
PÉRIODE	**RENDEMENT ANNUEL COMPOSÉ %**	**QUARTILE**	**RENDEMENT ANNUEL COMPOSÉ MOYEN DE L'INDICE DE RÉFÉRENCE %**
Depuis création	9,7		
1 an	12,0	1	14,0
2 ans	5,9	1	4,7
3 ans	3,3	1	-0,7
4 ans	8,7	1	3,4
5 ans	9,3	1	4,9

MACKENZIE CUNDILL ÉQUILIBRÉ CANADIEN
Fonds équilibré ou de répartition d'actifs canadiens

DATE DE LA CRÉATION
Septembre 1998

NOUVEAU

NOM DES GESTIONNAIRES
Burton, Wade
Massie, Tony, et Cundill, Peter

ⓡenseignements généraux

au 31 octobre 2003

⊃ Investissement minimal	**500 $**
⊃ Admissibilité au REER	**Oui**
⊃ Fréquence des distributions	**Trimestrielle**
⊃ Valeur de l'actif (en millions)	**465,4**
⊃ Frais de courtage	
Structure	**Entrée ou sortie**
Ratio	**2,61**
Numéro ➧ entrée	**MFC 740**
➧ sortie	**MFC 840**
⊃ Indice de référence	**Morningstar Équilibré III**

ⓒommentaires

Même s'il est distribué par la famille Mackenzie, ce fonds est un pur produit de la firme de gestion Cundill Investment Research et de son célèbre gestionnaire, Peter Cundill, et ce depuis sa création, en septembre 1998. Ce dernier est aidé dans sa tâche par Tony Massie et Wade Burton. Il s'agit d'un fonds Cundill typique : volatilité légèrement au-dessus de la moyenne de sa catégorie, rendement par contre nettement au-dessus de la médiane, jamais de rendements négatifs sur 12 mois et frais de gestion de 2,61 %, lesquels sont inférieurs à la moyenne de 2,63 %. Et il demeure dans le premier quartile en tout temps depuis cinq ans. Que pourrait-on ajouter de plus ?

La répartition de l'actif est presque toujours d'environ 30 % en actions et en obligations canadiennes ; par contre, le fonds fait varier un peu plus les sommes disponibles en encaisse ainsi que sa pondération étrangère. Son rendement annualisé sur trois ans est de 8,2 %, par rapport à une médiane de -0,2 %. Surprenant ! Son seul point négatif est qu'il se classe souvent parmi les fonds ennuyeux.

ⓐnalyse du rendement

Efficacité fiscale sur 3 ans	87,24
Risque sur 3 ans (écart type)	7,0

Rendement moyen, quartile et indice de référence

ANNÉE	RENDEMENT %	QUARTILE	RENDEMENT MOYEN DE L'INDICE DE RÉFÉRENCE %
3 mois	4,7	1	4,0
6 mois	11,2	1	10,8
02-03	12,9	1	14,0
01-02	7,3	1	-3,8
00-01	4,6	1	-10,8
99-00	**13,1**	3	16,9
98-99	11,5	1	11,3

Rendement annuel composé, quartile et indice de référence

PÉRIODE	RENDEMENT ANNUEL COMPOSÉ %	QUARTILE	RENDEMENT ANNUEL COMPOSÉ MOYEN DE L'INDICE DE RÉFÉRENCE %
Depuis création	9,7		
1 an	12,9	1	14,0
2 ans	10,1	1	4,7
3 ans	8,2	1	-0,7
4 ans	9,4	1	3,4
5 ans	9,8	1	4,9

MACKENZIE IVY CROISSANCE ET REVENU
Fonds équilibré ou de répartition d'actifs canadiens

DATE DE LA CRÉATION
Octobre 1992

GESTIONNAIRE
Javasky, Jerry

ⓡ enseignements généraux

au 31 octobre 2003

⊃ Investissement minimal — **500 $**

⊃ Admissibilité au REER — **Oui**

⊃ Fréquence des distributions — **Annuelle**

⊃ Valeur de l'actif (en millions) — **3819,7**

⊃ Frais de courtage
Structure — **Entrée ou sortie**
Ratio — **2,25**
Numéro ➠ entrée — **MFC 082**
  ➠ sortie — **MFC 612**

⊃ Indice de référence — **Morningstar Équilibré III**

ⓒ ommentaires

Ce fonds, classique et incontournable, en est à sa sixième mention dans notre guide annuel. Son gestionnaire, Jerry Javasky, est une autre grande figure de l'industrie de la gestion de fonds au Canada. Il est à la tête du fonds depuis mai 1993, alors que ce dernier a été créé en octobre 1992. Jamais à ce jour ce fonds n'a connu une période de 12 mois affichant un rendement négatif, et ce malgré un contexte économique très difficile au début de cette décennie. Son gestionnaire est plutôt conservateur : il maintient une volatilité plus faible que celle des fonds du secteur et préconise une approche axée sur la valeur.

Le fonds a un actif stable de plus de 3,8 milliards de dollars, et ses frais de gestion sont de 2,25 %, donc beaucoup plus faibles que ceux des fonds de sa catégorie. Sur 2, 3, 4, 5 et 10 ans, il a toujours maintenu sa cote dans le premier quartile. Son rendement annualisé sur 10 ans est de 9,2 %, par rapport à une médiane de 6,5 %. Il est un modèle de constance, et permet à l'investisseur de bien dormir.

ⓐ nalyse du rendement

Efficacité fiscale sur 3 ans	77,97
Risque sur 3 ans (écart type)	6,6

Rendement moyen, quartile et indice de référence			
ANNÉE	RENDEMENT %	QUARTILE	RENDEMENT MOYEN DE L'INDICE DE RÉFÉRENCE %
3 mois	4,0	1	4,0
6 mois	9,3	2	10,8
02-03	7,0	4	14,0
01-02	2,2	1	-3,8
00-01	1,5	1	-10,8
99-00	18,8	1	16,9
98-99	1,7	4	11,3
97-98	4,6	1	5,3
96-97	21,6	1	18,2
95-96	22,7	1	20,3
94-95	14,6	1	11,4
93-94	0,3	2	2,7
92-93	6,0	4	23,7

Rendement annuel composé, quartile et indice de référence			
PÉRIODE	RENDEMENT ANNUEL COMPOSÉ %	QUARTILE	RENDEMENT ANNUEL COMPOSÉ MOYEN DE L'INDICE DE RÉFÉRENCE %
Depuis création	8,9		
1 an	7,0	4	14,0
2 ans	4,6	1	4,7
3 ans	3,6	1	-0,7
4 ans	7,2	1	3,4
5 ans	6,1	1	4,9
10 ans	9,2	1	8,1

MACKENZIE ÉQUILIBRÉ

Fonds équilibré ou de répartition d'actifs canadiens

DATE DE LA CRÉATION
Janvier 1991

GESTIONNAIRES
Gleeson, Tim
Faircloth, Mark, et Soukas, John

2003

| 1 | 2 | 3 | 4 | 5 | 6 | 7 | | | |

ⓡenseignements généraux

au 31 octobre 2003

⊃ Investissement minimal	**500 $**
⊃ Admissibilité au REER	**Oui**
⊃ Fréquence des distributions	**Mensuelle**
⊃ Valeur de l'actif (en millions)	**215,6**
⊃ Frais de courtage	
Structure	**Entrée ou sortie**
Ratio	**2,52**
Numéro ➡ entrée	**MFC 436**
➡ sortie	**MFC 306**
⊃ Indice de référence	**Morningstar Équilibré III**

ⓒommentaires

Ce fonds figure dans notre guide annuel pour une deuxième année de suite et demeure sous la responsabilité de Tim Gleeson depuis sa création, en 1991. Ce dernier est assisté dans son travail par Mark Faircloth et John Soukas. Tous trois sont gestionnaires pour FairLane Asset Management. L'actif sous gestion du fonds est stable à 216 millions de dollars. Les frais de gestion sont de 2,52 %, alors que la moyenne de la catégorie se situe à 2,62 %. La répartition de l'actif est habituellement d'environ 30 % en actions et en obligations canadiennes. Cependant, l'automne dernier, les gestionnaires ont conservé plus de 34 % de l'actif en encaisse (en hausse) et seulement 13,3 % en obligations canadiennes.

En règle générale, ce fonds a un facteur de risque qui se situe légèrement au-dessus de celui des fonds de sa catégorie, mais son rendement aussi est supérieur à la moyenne de son groupe. Sur 2, 3, 4 et 5 ans, ce fonds se classe toujours dans le premier quartile, avec un rendement annualisé de 7,3 % sur 10 ans. Plutôt exceptionnel.

ⓐnalyse du rendement

Efficacité fiscale sur 3 ans	84,25
Risque sur 3 ans (écart type)	8,6

ANNÉE	RENDEMENT %	QUARTILE	RENDEMENT MOYEN DE L'INDICE DE RÉFÉRENCE %
	Rendement moyen, quartile et indice de référence		
3 mois	1,8	4	4,0
6 mois	5,7	4	10,8
02-03	8,5	3	14,0
01-02	0,9	1	-3,8
00-01	3,8	1	-10,8
99-00	15,8	2	16,9
98-99	8,2	2	11,3
97-98	-5,4	4	5,3
96-97	18,6	2	18,2
95-96	18,7	2	20,3
94-95	7,2	4	11,4
93-94	-0,4	3	2,7
92-93	23,7	1	23,7

PÉRIODE	RENDEMENT ANNUEL COMPOSÉ %	QUARTILE	RENDEMENT ANNUEL COMPOSÉ MOYEN DE L'INDICE DE RÉFÉRENCE %
	Rendement annuel composé, quartile et indice de référence		
Depuis création	8,3		
1 an	8,5	3	14,0
2 ans	4,6	1	4,7
3 ans	4,4	1	-0,7
4 ans	7,1	1	3,4
5 ans	7,3	1	4,9
10 ans	7,3	2	8,1

DATE DE LA CRÉATION
Décembre 1984

1999-2000-2001-2002-2003

GESTIONNAIRE
Racioppo, Len

ℝenseignements généraux

au 31 octobre 2003

⊃ Investissement minimal	**500 $**
⊃ Admissibilité au REER	**Oui**
⊃ Fréquence des distributions	**Trimestrielle**
⊃ Valeur de l'actif (en millions)	**581,8**
⊃ Frais de courtage	
Structure	**Entrée ou sortie**
Ratio	**2,18**
Numéro ➡ entrée	**ATL 906**
➡ sortie	**ATL 836**
➡ réduit	**ATL 836**
⊃ Indice de référence	**Morningstar Équilibré III**

ℂommentaires

Ce fonds fait partie pour une sixième année de suite de notre classement de fonds-vedettes. Son gestionnaire, Len Racioppo, travaille pour la firme Jarislowsky Fraser, située à Montréal. Il est responsable du fonds depuis août 1989, alors que la création de ce dernier remonte à décembre 1984. Le fonds a un actif sous gestion stable de 581 millions de dollars, et ses frais de gestion sont de 2,18 %, pour une moyenne dans sa catégorie de 2,62 %. Son rendement est plus faible que celui de la moyenne des fonds du secteur, mais son risque est également plus bas.

Sur 15 ans, son rendement annualisé est de 7,5 %, pour une médiane de 7,6 %. Par contre, sur 10 ans, le gestionnaire dépasse la médiane de 1,6 % avec un rendement annualisé de 8,1 %. Actuellement, la proportion de l'actif en obligations est anormalement élevée, à 45 %, alors qu'habituellement elle est d'environ 32 %.

𝔸nalyse du rendement

Efficacité fiscale sur 3 ans	45,93
Risque sur 3 ans (écart type)	4,9

Rendement moyen, quartile et indice de référence			
ANNÉE	**RENDEMENT %**	**QUARTILE**	**RENDEMENT MOYEN DE L'INDICE DE RÉFÉRENCE %**
3 mois	1,6	4	4,0
6 mois	5,2	4	10,8
02-03	4,6	4	14,0
01-02	-1,5	1	-3,8
00-01	1,5	1	-10,8
99-00	15,6	2	16,9
98-99	4,7	3	11,3
97-98	7,2	1	5,3
96-97	20,6	1	18,2
95-96	17,4	3	20,3
94-95	13,4	1	11,4
93-94	0,1	2	2,7
92-93	13,1	4	23,7

Rendement annuel composé, quartile et indice de référence			
PÉRIODE	**RENDEMENT ANNUEL COMPOSÉ %**	**QUARTILE**	**RENDEMENT ANNUEL COMPOSÉ MOYEN DE L'INDICE DE RÉFÉRENCE %**
Depuis création	7,2		
1 an	4,6	4	14,0
2 ans	1,5	3	4,7
3 ans	1,5	2	-0,7
4 ans	4,9	2	3,4
5 ans	4,8	2	4,9
10 ans	8,1	1	8,1
15 ans	7,5	3	XX

RENAISSANCE VALEUR ÉQUILIBRÉ CANADIEN
Fonds équilibré ou de répartition d'actifs canadiens

DATE DE LA CRÉATION
Mars 1999

GESTIONNAIRE
Morphet, Gaelen

2002-2003

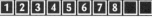

Renseignements généraux

au 31 octobre 2003

- Investissement minimal — **500 $**
- Admissibilité au REER — **Oui**
- Fréquence des distributions — **Trimestrielle**
- Valeur de l'actif (en millions) — **212,8**
- Frais de courtage
  Structure — **Entrée ou sortie**
  Ratio — **2,27**
  Numéro → entrée — **ATL 508**
  → sortie — **ATL 507**
  → réduit — **ATL 517**
- Indice de référence — **Morningstar Équilibré III**

Commentaires

Ce produit, qui figure pour la troisième fois parmi nos fonds-vedettes, est toujours sous la responsabilité de Gaelen Morphet, de TAL Global Asset Management, dont le siège social est situé à Montréal. Le gestionnaire est en poste depuis mars 1999, soit depuis la création du fonds. Celui-ci a un actif sous gestion de 212 millions de dollars, en hausse de plus de 25 % depuis un an. Ses frais de gestion sont de 2,27 %, par rapport à une moyenne dans sa catégorie de 2,62 %. Sa pondération en actions canadiennes est actuellement très élevée, à 50 % du portefeuille, pour une moyenne habituelle d'environ 32,5 %. Sa liquidité est présentement faible, comme l'est sa pondération en actions étrangères.

Depuis quatre ans, le gestionnaire maintient continuellement son produit dans le premier quartile. Ce fonds bat la médiane sur trois ans de 6,8 %, avec un rendement annualisé de 6,6 %. En ce qui concerne la dernière année, il a produit un rendement de 11,5 %, pour une médiane de 9,6 %. Jamais depuis son lancement il n'a connu une année de rendement négatif. Sa volatilité est plus faible que celle de la moyenne des fonds de sa catégorie, mais son rendement est de loin supérieur. Il est très intéressant.

Analyse du rendement

Efficacité fiscale sur 3 ans	86,89
Risque sur 3 ans (écart type)	6,4

	Rendement moyen, quartile et indice de référence		
ANNÉE	RENDEMENT %	QUARTILE	RENDEMENT MOYEN DE L'INDICE DE RÉFÉRENCE %
3 mois	3,8	2	4,0
6 mois	10,8	1	10,8
02-03	11,5	1	14,0
01-02	3,2	1	-3,8
00-01	5,4	1	-10,8
99-00	15,1	2	16,9

	Rendement annuel composé, quartile et indice de référence		
PÉRIODE	RENDEMENT ANNUEL COMPOSÉ %	QUARTILE	RENDEMENT ANNUEL COMPOSÉ MOYEN DE L'INDICE DE RÉFÉRENCE %
Depuis création	7,7		
1 an	11,5	1	14,0
2 ans	7,3	1	4,7
3 ans	6,6	1	-0,7
4 ans	8,7	1	3,4

DATE DE LA CRÉATION
Février 1992

2003

GESTIONNAIRES
Taylor, David
Équipe de gestion CDP Fix Income

℞enseignements généraux

au 31 octobre 2003

⊃ Investissement minimal · · · · · · · **500 $**

⊃ Admissibilité au REER · · · · · · · · **Oui**

⊃ Fréquence des distributions · · · · **Mensuelle**

⊃ Valeur de l'actif (en millions) · · · **149,7**

⊃ Frais de courtage
　Structure · · · · · · · · · · · · · · · **Entrée ou sortie**
　Ratio · · · · · · · · · · · · · · · · · · **2,68**
　Numéro ➡ entrée · · · · · · · · · · · **DYN 9194**
　　　　➡ sortie · · · · · · · · · · · · · **DYN 9494**

⊃ Indice de référence · · · · · · · · · **Morningstar Équilibré III**

℃ommentaires

Ce fonds fait partie de nos choix pour une deuxième année de suite. Il est géré conjointement par Goodman, une firme associée à la famille de fonds Dynamique, et par une filiale de la Caisse de dépôt et placement du Québec. En janvier 2003, Ned Goodman a cédé sa place de gestionnaire à David Taylor, membre de la même firme. L'actif sous gestion du fonds s'élève maintenant à 149 millions de dollars, et les frais de gestion se situent légèrement au-dessus de la moyenne, à 2,68 %. Le risque associé à ce fonds est beaucoup plus faible que celui qui prévaut dans sa catégorie, et le rendement est vraiment supérieur. Le fonds comporte un excellent ratio risque/rendement.

Il a connu 3 années de rendement négatif (1994, 1998 et 2001) en un peu plus de 11 ans d'existence. Il se retrouve en tout temps dans le premier quartile. Sur 10 ans, son rendement annualisé est de 7,9 %, par rapport à une médiane de 6,5 %. Généralement, les gestionnaires conservent à peu près 30 % de l'actif en actions et en obligations canadiennes et environ 18 % en actions étrangères. Une excellente répartition. Avec ce fonds, vous pourrez dormir sur vos deux oreilles.

🅐nalyse du rendement

Efficacité fiscale sur 3 ans	67,71
Risque sur 3 ans (écart type)	7,0

Rendement moyen, quartile et indice de référence			
ANNÉE	**RENDEMENT %**	**QUARTILE**	**RENDEMENT MOYEN DE L'INDICE DE RÉFÉRENCE %**
3 mois	5,1	1	4,0
6 mois	11,0	1	10,8
02-03	13,3	1	14,0
01-02	1,4	1	-3,8
00-01	-1,7	2	-10,8
99-00	20,8	1	16,9
98-99	10,2	1	11,3
97-98	-3,5	3	5,3
96-97	9,6	4	18,2
95-96	23,2	1	20,3
94-95	10,1	2	11,4
93-94	-0,6	3	2,7
92-93	12,9	4	23,7

Rendement annuel composé, quartile et indice de référence			
PÉRIODE	**RENDEMENT ANNUEL COMPOSÉ %**	**QUARTILE**	**RENDEMENT ANNUEL COMPOSÉ MOYEN DE L'INDICE DE RÉFÉRENCE %**
Depuis création	8,5		
1 an	13,3	1	14,0
2 ans	7,2	1	4,7
3 ans	4,2	1	-0,7
4 ans	8,1	1	3,4
5 ans	8,5	1	4,9
10 ans	7,9	1	8,1

TD REVENU MENSUEL

Fonds équilibré ou de répartition d'actifs canadiens

DATE DE LA CRÉATION
Juin 1998

NOUVEAU

GESTIONNAIRES
Warwick, Doug
Kocik, Gregory

Renseignements généraux

au 31 octobre 2003

⊃ Investissement minimal	**1 000 $**
⊃ Admissibilité au REER	**Oui**
⊃ Fréquence des distributions	**Mensuelle**
⊃ Valeur de l'actif (en millions)	**428,2**
⊃ Frais de courtage	
Structure	**Aucuns**
Ratio	**1,28**
Numéro ➡ entrée	**TDA 821**
➡ sortie	**TDA 831**
➡ sans frais	**TDA 831**
⊃ Indice de référence	**Morningstar Équilibré III**

Commentaires

TD offre ici un fonds intéressant. Mais c'est surtout les trois dernières années qui ont fait la différence. Pourtant, il n'y a eu aucun changement de gestionnaires depuis la création du fonds, en juin 1998, quand Doug Warwick et Gregory Kocik ont pris la barre. L'actif sous gestion du fonds est de 428 millions de dollars, en hausse de plus de 490 % depuis les 12 derniers mois. C'est le phénomène des investisseurs qui « courent » après les rendements qui explique cette situation. Les frais de gestion sont très bas, se situant à 1,28 %.

Le risque associé à ce fonds est l'un des plus faibles dans sa catégorie alors que son rendement est nettement au-dessus de la moyenne. Sur cinq ans, son rendement annualisé est de 9,1 %, par rapport à une médiane de 4,4 %. Ce produit se retrouve dans le premier quartile depuis 5 ans. Qu'est-ce qui explique ces résultats ? Le fonds compte plus de 24 % de son actif en parts de fiducies de revenu, et ce secteur a enregistré un rendement étonnamment élevé depuis quelques années après les creux historiques qu'il a traversés à la fin des années 90. C'est d'ailleurs cette position qui invite à la prudence. Ce fonds est un achat intéressant, mais l'investisseur doit garder à l'esprit que les fiducies de revenu pourraient avoir connu leurs meilleures années.

Analyse du rendement

Efficacité fiscale sur 3 ans	80,89
Risque sur 3 ans (écart type)	4,2

ANNÉE	RENDEMENT %	QUARTILE	RENDEMENT MOYEN DE L'INDICE DE RÉFÉRENCE %
	Rendement moyen, quartile et indice de référence		
3 mois	4,2	1	4,0
6 mois	10,3	1	10,8
02-03	20,4	1	14,0
01-02	7,1	1	-3,8
00-01	10,1	1	-10,8
99-00	6,0	4	16,9
98-99	2,4	4	11,3

PÉRIODE	RENDEMENT ANNUEL COMPOSÉ %	QUARTILE	RENDEMENT ANNUEL COMPOSÉ MOYEN DE L'INDICE DE RÉFÉRENCE %
	Rendement annuel composé, quartile et indice de référence		
Depuis création	8,9		
1 an	20,4	1	14,0
2 ans	13,6	1	4,7
3 ans	12,4	1	-0,7
4 ans	10,8	1	3,4
5 ans	9,1	1	4,9
10 ans	-	2	8,1

TRIMARK CROISSANCE DU REVENU
Fonds équilibré ou de répartition d'actifs canadiens

DATE DE LA CRÉATION
Septembre 1987

2002-2003

GESTIONNAIRES
Chong, Rex
Imbesi, Anthony, et Hunt, Vince

ⓡenseignements généraux
au 31 octobre 2003

⊃ Investissement minimal	**1 000 $**
⊃ Admissibilité au REER	**Oui**
⊃ Fréquence des distributions	**Trimestrielle**
⊃ Valeur de l'actif (en millions)	**1230,7**
⊃ Frais de courtage	
Structure	**FA**
Ratio	**1,64**
Numéro ➡ entrée	**AIM 1543**
⊃ Indice de référence	**Morningstar Équilibré III**

ⓒommentaires

Fonds-vedette en 2002, 2003 et 2004, Trimark croissance du revenu est sous la responsabilité de Rex Chong. La famille de fonds Trimark avait connu, à la fin des années 90, une période extrêmement difficile. Les gestionnaires avaient tout simplement préféré la sagesse à la folie qui a marqué le secteur de la haute technologie (pensons au cas de Nortel). Mais les années suivantes ont vite montré que la philosophie d'investissement de M. Krembil, ancien gestionnaire du fonds, était encore d'actualité. Ce fonds a un actif sous gestion de plus de 1,2 milliard de dollars et ses frais de gestion sont de seulement 1,64 %.

Il se maintient dans le premier quartile en tout temps sur 2, 3, 4, 5, 10 et 15 ans. Même si le nom du fonds fait référence à la croissance, le gestionnaire est résolument de style valeur. Le rendement annualisé du fonds sur 10 ans est de 8,8 %, par rapport à une médiane dans sa catégorie de 6,5 %. Le risque qui y est associé est très faible, pour un rendement nettement au-dessus de la moyenne. Ce fonds est excellent, voilà tout !

ⓐnalyse du rendement

Efficacité fiscale sur 3 ans	84,80
Risque sur 3 ans (écart type)	6,2

Rendement moyen, quartile et indice de référence

ANNÉE	RENDEMENT %	QUARTILE	RENDEMENT MOYEN DE L'INDICE DE RÉFÉRENCE %
3 mois	3,1	2	4,0
6 mois	9,0	2	10,8
02-03	11,1	2	14,0
01-02	6,3	1	-3,8
00-01	10,6	1	-10,8
99-00	13,8	3	16,9
98-99	9,6	1	11,3

Rendement annuel composé, quartile et indice de référence

PÉRIODE	RENDEMENT ANNUEL COMPOSÉ %	QUARTILE	RENDEMENT ANNUEL COMPOSÉ MOYEN DE L'INDICE DE RÉFÉRENCE %
Depuis création	9,9		
1 an	11,1	2	14
2 ans	8,7	1	4,7
3 ans	9,3	1	-0,7
4 ans	10,4	1	3,4
5 ans	10,3	1	4,9
10 ans	8,8	1	8,1
15 ans	9,8	1	XX

TRIMARK ÉQUILIBRÉ SÉLECT

Fonds équilibré ou de répartition d'actifs canadiens

DATE DE LA CRÉATION
Décembre 1989

2002

GESTIONNAIRES
Hunt, Vince
Hardacre, Ian, et Chong, Rex

| 1 | 2 | 3 | 4 | 5 | 6 | 7 | 8 | | |

ⓡenseignements généraux

au 31 octobre 2003

- Investissement minimal — **500 $**
- Admissibilité au REER — **Oui**
- Fréquence des distributions — **Trimestrielle**
- Valeur de l'actif (en millions) — **2498,9**
- Frais de courtage
  - Structure — **Entrée ou sortie**
  - Ratio — **2,35**
  - Numéro ➡ entrée — **AIM 1573**
  - ➡ sortie — **AIM 1571**
  - ➡ réduit — **AIM 1575**
- Indice de référence — **Morningstar Équilibré III**

ⓒommentaires

Ce fonds, acheté par AIM il y a quelques années déjà, est géré par des anciens de l'équipe de Trimark, Vince Hunt et Rex Chong, depuis 1996 et 1997 respectivement. Sa création remonte à décembre 1989. Ses frais de gestion sont de 2,35 %, et son actif est stable à près de 2,5 milliards de dollars. Ce fonds est un peu plus volatil que le Trimark croissance du revenu (voir page précédente), mais il est plus performant que ce dernier en période de croissance. Sa volatilité est plus élevée que celle qu'on constate dans la moyenne de sa catégorie, mais l'investisseur en est récompensé, puisque le rendement est aussi plus élevé.

Ce fonds se classe dans le premier quartile depuis trois ans. Il est très intéressant et devrait connaître une excellente période au cours des prochains mois, qui seront assurément marqués par la croissance.

ⓐnalyse du rendement

Efficacité fiscale sur 3 ans	68,71
Risque sur 3 ans (écart type)	9,7

Rendement moyen, quartile et indice de référence			
ANNÉE	RENDEMENT %	QUARTILE	RENDEMENT MOYEN DE L'INDICE DE RÉFÉRENCE %
3 mois	3,0	2	4,0
6 mois	9,9	2	10,8
02-03	13,3	1	14,0
01-02	-2,2	2	-3,8
00-01	-0,8	2	-10,8
99-00	11,7	3	16,9
98-99	6,3	2	11,3
97-98	-3,0	3	5,3
96-97	16,2	3	18,2
95-96	18,5	2	20,3
94-95	7,6	3	11,4
93-94	5,9	1	2,7
92-93	25,6	1	23,7

Rendement annuel composé, quartile et indice de référence			
PÉRIODE	RENDEMENT ANNUEL COMPOSÉ %	QUARTILE	RENDEMENT ANNUEL COMPOSÉ MOYEN DE L'INDICE DE RÉFÉRENCE %
Depuis création	8,5		
1 an	13,3	1	14,0
2 ans	5,3	1	4,7
3 ans	3,2	1	-0,7
4 ans	5,3	2	3,4
5 ans	5,5	2	4,9
10 ans	7,1	2	8,1

BANQUE NATIONALE DIVIDENDES
Fonds d'actions canadiennes - dividendes

DATE DE LA CRÉATION
Août 1992

NOUVEAU

GESTIONNAIRE
Équipe de gestion Natcan

ℝenseignements généraux

au 31 octobre 2003

⊃ Investissement minimal	**500 $**
⊃ Admissibilité au REER	**Oui**
⊃ Fréquence des distributions	**Trimestrielle**
⊃ Valeur de l'actif (en millions)	**252**
⊃ Frais de courtage	
Structure	**Aucuns**
Ratio	**1,77**
Numéro ➡ entrée	**NBC 426**
➡ sortie	**NBC 526**
➡ sans frais	**NBC 326**
⊃ Indice de référence	**TSX 35**

ℂommentaires

Ce produit est un nouveau venu parmi nos fonds-vedettes. Il aurait dû faire partie de notre sélection depuis plusieurs années mais n'y figurait pas étant donné que les fonds de la Banque Nationale ne respectaient pas nos critères de distribution. Ce n'est plus le cas, car ces fonds sont maintenant distribués par tous les courtiers du Québec. Ce fonds-ci est géré par Natcan, une filiale de la Banque Nationale, depuis sa création, en août 1992. Ses frais de gestion sont de seulement 1,77 %, pour une moyenne dans sa catégorie de 2,5 %. Sa volatilité est l'une des plus faibles de son secteur, et son rendement est des plus acceptables, surtout si l'on considère son ratio risque/rendement. Ce n'est pas le type de fonds qui va réussir mieux que l'indice S&P/TSX pendant les marchés haussiers, mais il vous permettra de bien dormir, peu importe le contexte économique, et de profiter des occasions de croissance du marché boursier.

La distribution annuelle est d'environ 4 % et, comme près de 50 % des titres qui composent le fonds sont des actions privilégiées, celui-ci est avantageux sur le plan fiscal pour l'investisseur qui a besoin de revenus réguliers. Petit train va loin !

𝔸nalyse du rendement

Efficacité fiscale sur 3 ans	69,08
Risque sur 3 ans (écart type)	5,0

Rendement moyen, quartile et indice de référence

ANNÉE	RENDEMENT %	QUARTILE	RENDEMENT MOYEN DE L'INDICE DE RÉFÉRENCE %
3 mois	3,5	3	6,2
6 mois	9,0	4	17,3
02-03	13,2	3	22,9
01-02	1,9	1	-9,5
00-01	7,9	1	-19,2
99-00	15,9	3	39,3
98-99	4,7	2	25,9
97-98	2,8	2	-1,4
96-97	11,7	4	22,5
95-96	14,8	4	29,3
94-95	11,0	2	7,6
93-94	0,9	2	7,7
92-93	10,9	4	21,9

Rendement annuel composé, quartile et indice de référence

PÉRIODE	RENDEMENT ANNUEL COMPOSÉ %	QUARTILE	RENDEMENT ANNUEL COMPOSÉ MOYEN DE L'INDICE DE RÉFÉRENCE %
Depuis création	8,4		
1 an	13,2	3	22,9
2 ans	7,4	3	5,5
3 ans	7,6	1	-3,5
4 ans	9,6	2	5,8
5 ans	8,6	2	9,5
10 ans	8,3	4	11,1

BISSETT REVENU DE DIVIDENDES
Fonds d'actions canadiennes - dividendes

DATE DE LA CRÉATION
Mai 1988

GESTIONNAIRE
Juliette, John

NOUVEAU

ℝenseignements généraux

au 31 octobre 2003

- ⊃ Investissement minimal — **500 $**
- ⊃ Admissibilité au REER — **Oui**
- ⊃ Fréquence des distributions — **Trimestrielle**
- ⊃ Valeur de l'actif (en millions) — **59**
- ⊃ Frais de courtage
  - Structure — **Aucuns**
  - Ratio — **1,48**
  - Numéro ➡ entrée — **TML 203**
  - ➡ sortie — **TML 303**
  - ➡ réduit — **TML 519**
  - ➡ sans frais — **TML 233**
- ⊃ Indice de référence — **TSX 35**

ℂommentaires

Ce fonds, géré par John Juliette, a été lancé en mai 1988. Il représente un risque moyen à faible pour sa catégorie, et son rendement est de 10,5% sur 1 an, de 10,5% sur 10 ans et de 9,3% sur 15 ans. La valeur de son actif, de 59 millions de dollars, est faible pour un fonds de cette qualité. Mais la distribution des produits Bissett fait malheureusement défaut au Québec. À la décharge de cette firme, il faut admettre que les fonds de dividendes ne sont jamais très populaires : on ne les trouve pas excitants, et trop d'investisseurs leur préfèrent des billets de loterie. Les frais de gestion sont exceptionnellement bas, à 1,48% pour une moyenne de 2,5% dans cette catégorie. Le fonds a le défaut de ne pas contenir assez d'actions privilégiées dans son portefeuille ; elles n'en constituent qu'environ 15%.

Même si la dernière année a été un peu «décevante» si on compare ce produit aux fonds de même catégorie, ce n'est pas une raison pour ignorer les excellentes qualités du gestionnaire. Évidemment, en période de croissance, ce type de fonds n'est pas très populaire, mais l'investissement doit être fait en prévision du long terme. Ce fonds est difficilement accessible au Québec ; par contre, une version clone est offerte chez Templeton.

𝔸nalyse du rendement

Efficacité fiscale sur 3 ans	76,72
Risque sur 3 ans (écart type)	5,8

Rendement moyen, quartile et indice de référence

ANNÉE	RENDEMENT %	QUARTILE	RENDEMENT MOYEN DE L'INDICE DE RÉFÉRENCE %
3 mois	2,3	4	6,2
6 mois	8,0	4	17,3
02-03	10,5	4	22,9
01-02	1,7	1	-9,5
00-01	7,0	1	-19,2
99-00	14,2	3	39,3
98-99	1,3	4	25,9
97-98	1,6	2	-1,4
96-97	25,0	2	22,5
95-96	29,2	1	29,3
94-95	16,5	1	7,6
93-94	1,9	2	7,7
92-93	17,4	2	21,9

Rendement annuel composé, quartile et indice de référence

PÉRIODE	RENDEMENT ANNUEL COMPOSÉ %	QUARTILE	RENDEMENT ANNUEL COMPOSÉ MOYEN DE L'INDICE DE RÉFÉRENCE %
Depuis création	9,3		
1 an	10,5	4	22,9
2 ans	6,0	3	5,5
3 ans	6,3	2	-3,5
4 ans	8,3	3	5,8
5 ans	6,8	3	9,5
10 ans	10,5	2	11,1
15 ans	9,3	XX	XX

CI SIGNATURE DIVIDENDES
Fonds d'actions canadiennes - dividendes

DATE DE LA CRÉATION
Novembre 1996

1999-2002-2003

GESTIONNAIRES
Bushell, Eric B.
Cheng, Benedict G.

Renseignements généraux

au 31 octobre 2003

⊃ Investissement minimal	**500 $**
⊃ Admissibilité au REER	**Oui**
⊃ Fréquence des distributions	**Mensuelle**
⊃ Valeur de l'actif (en millions)	**1453,8**
⊃ Frais de courtage	
Structure	**Entrée ou sortie**
Ratio	**1,94**
Numéro ➡ entrée	**CIG 610**
➡ sortie	**CIG 810**
⊃ Indice de référence	**TSX 35**

Commentaires

Ce fonds, créé en novembre 1996, est géré par l'excellent portefeuilliste Eric B. Bushell, de la famille CI, depuis octobre 1999. La nomination de ce gestionnaire n'est passée inaperçue ni chez CI ni auprès des investisseurs. Au moment où ces lignes ont été écrites, l'actif du fonds comprenait plus de 48% d'actions privilégiées. C'est l'un des fonds qui en contiennent le plus dans cette catégorie. Ce produit est très semblable au CI Signature revenus de dividendes, qui est sous la responsabilité du même gestionnaire. Il constitue une excellente solution de rechange, compte tenu du fait que le CI Signature revenus de dividendes n'accepte plus de nouvelles contributions. Son ratio de frais de gestion est très faible, à 1,94%, pour une moyenne de 2,50% dans cette catégorie.

Les 12 derniers mois ont été plutôt modestes, mais la situation a été conforme aux attentes que crée un tel fonds, étant donné la période de croissance que nous avons connue. Le fonds verse une distribution moyenne de 4,3% annuellement, en grande partie en dividendes. Il est donc très intéressant sur le plan fiscal pour l'investisseur qui a besoin de revenus réguliers, et constitue un choix judicieux pour ceux qui préfèrent ne pas s'en faire à propos de leurs placements.

Analyse du rendement

Efficacité fiscale sur 3 ans	56,83
Risque sur 3 ans (écart type)	4,8

	Rendement moyen, quartile et indice de référence		
ANNÉE	**RENDEMENT %**	**QUARTILE**	**RENDEMENT MOYEN DE L'INDICE DE RÉFÉRENCE %**
3 mois	3,2	4	6,2
6 mois	7,4	4	17,3
02-03	9,6	4	22,9
01-02	-1,2	3	-9,5
00-01	7,3	1	-19,2
99-00	18,4	3	39,3
98-99	5,2	1	25,9
97-98	-2,8	4	-1,4
96-97	16,6	3	22,5

	Rendement annuel composé, quartile et indice de référence		
PÉRIODE	**RENDEMENT ANNUEL COMPOSÉ %**	**QUARTILE**	**RENDEMENT ANNUEL COMPOSÉ MOYEN DE L'INDICE DE RÉFÉRENCE %**
Depuis création	7,3		
1 an	9,6	4	22,9
2 ans	4,0	4	5,5
3 ans	5,1	3	-3,5
4 ans	8,3	3	5,8
5 ans	7,7	3	9,5

DYNAMIQUE DIVIDENDES
Fonds d'actions canadiennes - dividendes

DATE DE LA CRÉATION
Août 1985

GESTIONNAIRE
Belaiche, Oscar

1998-2001-2002-2003

ℝenseignements généraux

au 31 octobre 2003

⊃ Investissement minimal	**1 000 $**
⊃ Admissibilité au REER	**Oui**
⊃ Fréquence des distributions	**Mensuelle**
⊃ Valeur de l'actif (en millions)	**231,5**
⊃ Frais de courtage	
Structure	**Entrée ou sortie**
Ratio	**1,79**
Numéro ➠ entrée	**DYN 048**
➠ sortie	**DYN 748**
➠ réduit	**DYN 648**
⊃ Indice de référence	**TSX 35**

ℂommentaires

Depuis septembre 2000, ce fonds est géré par Oscar Belaiche, de l'excellente firme Goodman & Company, Investment Counsel. La nomination de ce gestionnaire n'est d'ailleurs pas passée inaperçue. Le contenu du portefeuille est constitué à plus de 30 % d'actions privilégiées. L'investisseur reçoit une distribution annuelle d'environ 3,3 %, légèrement en hausse depuis janvier 2003. Comme l'investisseur doit s'y attendre avec un tel produit, l'écart type du fonds est très faible par rapport non seulement à sa catégorie, mais aussi à l'ensemble des produits financiers offerts sur le marché : cela procure une certaine tranquillité d'esprit. Sur trois ans, le gestionnaire a obtenu un rendement annualisé de 8,1 %, alors que la médiane de ce secteur affichait un rendement de 5,6 %, et a maintenu une volatilité plus faible que la moyenne.

Au moment où ces lignes ont été écrites, ce n'est pas une banque qui dominait le portefeuille, contrairement à ce qui est le cas de certains fonds de dividendes, mais bien les titres de Quebecor World et de Brookfield Properts. L'actif du fonds est de seulement 231 millions de dollars. C'est d'ailleurs là trop souvent la destinée d'excellents fonds communs de placement. Dommage !

𝔸nalyse du rendement

Efficacité fiscale sur 3 ans	84,42
Risque sur 3 ans (écart type)	5,6

Rendement moyen, quartile et indice de référence

ANNÉE	RENDEMENT %	QUARTILE	RENDEMENT MOYEN DE L'INDICE DE RÉFÉRENCE %
3 mois	3,9	3	6,2
6 mois	10,2	3	17,3
02-03	12,0	4	22,9
01-02	2,6	1	-9,5
00-01	9,8	1	-19,2
99-00	7,2	4	39,3
98-99	1,0	4	25,9
97-98	2,5	2	-1,4
96-97	15,0	4	22,5
95-96	17,8	4	29,3
94-95	11,5	2	7,6
93-94	-0,3	4	7,7
92-93	15,2	2	21,9

Rendement annuel composé, quartile et indice de référence

PÉRIODE	RENDEMENT ANNUEL COMPOSÉ %	QUARTILE	RENDEMENT ANNUEL COMPOSÉ MOYEN DE L'INDICE DE RÉFÉRENCE %
Depuis création	8,4		
1 an	12,0	4	22,9
2 ans	7,2	3	5,5
3 ans	8,1	1	-3,5
4 ans	7,8	3	5,8
5 ans	6,4	3	9,5
10 ans	7,7	4	11,1
15 ans	8,2	-	9,9

GGOF DIVIDENDES MENSUELS
Fonds d'actions canadiennes - dividendes

DATE DE LA CRÉATION
Octobre 1985

GESTIONNAIRE
Priestman, John

2003

® enseignements généraux

au 31 octobre 2003

⊃ Investissement minimal	**500 $**
⊃ Admissibilité au REER	**Oui**
⊃ Fréquence des distributions	**Mensuelle**
⊃ Valeur de l'actif (en millions)	**47,3**
⊃ Frais de courtage	
Structure	**Entrée**
Ratio	**1,64**
Numéro ➡ entrée	**GGF 411**
⊃ Indice de référence	**TSX 35**

© ommentaires

Mentionné pour la deuxième fois dans notre guide annuel, ce fonds est sous la supervision de John Priestman depuis 1990, et sa création date d'octobre 1985. Ses frais de gestion sont parmi les plus faibles de sa catégorie, à 1,64 %, et son actif s'élève à seulement un peu plus de 47 millions de dollars. Il est difficile d'expliquer pourquoi ce fonds est si peu populaire auprès des investisseurs, alors qu'il procure une si grande tranquillité d'esprit. Depuis trois ans, il a fait presque plus du double de son indice de référence, avec un rendement annualisé de 11,2 %, alors que l'indice composé TSX 35 n'a rien offert de mieux que -3,5 %. Comment expliquer ce phénomène ?

Ce fonds a offert une distribution de 4,8 % l'an dernier, surtout en revenus de dividendes ; de fait, son portefeuille contient actuellement plus de 50 % d'actions privilégiées. Ses plus importantes positions sont Brascan, Banque Toronto-Dominion, Great-West Lifeco et BCE. Le risque associé à ce fonds sur cinq ans est le plus faible parmi nos choix dans la catégorie cette année. Ce fonds offre un bon rendement, un risque très faible, une excellente distribution, en grande partie sous forme de dividendes, et des frais de gestion exceptionnellement bas. Un petit chausson, avec ça ? Évidemment, ce n'est pas aussi excitant que la loterie.

❹ nalyse du rendement

Efficacité fiscale sur 3 ans	75,82
Risque sur 3 ans (écart type)	3,3

Rendement moyen, quartile et indice de référence

ANNÉE	RENDEMENT %	QUARTILE	RENDEMENT MOYEN DE L'INDICE DE RÉFÉRENCE %
3 mois	3,6	3	6,2
6 mois	7,7	4	17,3
02-03	12,4	4	22,9
01-02	8,6	1	-9,5
00-01	12,5	1	-19,2
99-00	5,1	4	39,3
98-99	1,1	4	25,9
97-98	-2,8	4	-1,4
96-97	6,6	4	22,5
95-96	**15,8**	4	29,3
94-95	11,1	2	7,6
93-94	-3,3	4	7,7
92-93	13,9	3	21,9

Rendement annuel composé, quartile et indice de référence

PÉRIODE	RENDEMENT ANNUEL COMPOSÉ %	QUARTILE	RENDEMENT ANNUEL COMPOSÉ MOYEN DE L'INDICE DE RÉFÉRENCE %
Depuis création	7,1		
1 an	12,4	4	22,9
2 ans	10,5	1	5,5
3 ans	11,2	1	-3,5
4 ans	9,6	2	5,8
5 ans	7,9	2	9,5
10 ans	6,5	4	11,1
15 ans	7,1	4	9,9

MACKENZIE MAXXUM DIVIDENDES
Fonds d'actions canadiennes - dividendes

DATE DE LA CRÉATION
Octobre 1986

2001-2002-2003

GESTIONNAIRE
Procter, Bill

Renseignements généraux
au 31 octobre 2003

- Investissement minimal **500 $**
- Admissibilité au REER **Oui**
- Fréquence des distributions **Trimestrielle**
- Valeur de l'actif (en millions) **393,3**
- Frais de courtage
  Structure **Entrée ou sortie**
  Ratio **2,46**
  Numéro ➡ entrée **MFC 1531**
  ➡ sortie **MFC 1631**
- Indice de référence **TSX 35**

Commentaires

Figurant pour la quatrième fois dans notre guide, ce fonds a une volatilité plus élevée que la moyenne dans sa catégorie, et son rendement est générale- ment supérieur à son indice de référence. Ses frais de gestion, de 2,46 %, sont légèrement plus faibles que ceux de la moyenne des fonds de sa catégorie. Ce produit est géré par Bill Procter depuis octobre 2001 seulement, mais les résultats obtenus démon- trent son talent pour ce type de fonds. Les plus impor- tantes positions sont Banque Toronto-Dominion, Banque Scotia, BCE et la fiducie RioCan. Au moment où ces lignes ont été écrites, la proportion d'actions privilégiées était pratiquement nulle mais était com- pensée par des unités de fiducies de revenu. Ce fonds ne devrait pas être acheté pour ses distributions, qui sont faibles. De plus, puisqu'il détient peu d'actions privilégiées, il n'est pas très intéressant du point de vue fiscal. Idéalement, il devrait être détenu dans un régime enregistré d'épargne.

Son actif sous gestion, considérable, s'élève à près de 395 millions de dollars, ce qui s'explique par la bonne mise en marché de la famille de fonds Mackenzie. Ce produit doit être considéré à notre avis comme un fonds mi-dividendes, mi-grande capitalisation canadienne. Il n'a rien des fonds som- nifères qu'on retrouve dans sa catégorie, mais il n'est pas à négliger pour autant.

Analyse du rendement

Efficacité fiscale sur 3 ans	82,73
Risque sur 3 ans (écart type)	9,0

	Rendement moyen, quartile et indice de référence		
ANNÉE	**RENDEMENT %**	**QUARTILE**	**RENDEMENT MOYEN DE L'INDICE DE RÉFÉRENCE %**
3 mois	4,1	3	6,2
6 mois	11,1	3	17,3
02-03	17,1	2	22,9
01-02	0,0	2	-9,5
00-01	2,9	2	-19,2
99-00	29,1	1	39,3
98-99	5,3	1	25,9
97-98	2,4	2	-1,4
96-97	26,0	2	22,5
95-96	27,8	2	29,3
94-95	11,0	2	7,6
93-94	3,8	1	7,7
92-93	36,5	1	21,9

	Rendement annuel composé, quartile et indice de référence		
PÉRIODE	**RENDEMENT ANNUEL COMPOSÉ %**	**QUARTILE**	**RENDEMENT ANNUEL COMPOSÉ MOYEN DE L'INDICE DE RÉFÉRENCE %**
Depuis création	10,8		
1 an	17,1	2	22,9
2 ans	8,2	2	5,5
3 ans	6,4	2	-3,5
4 ans	11,7	1	5,8
5 ans	10,4	1	9,5
10 ans	12,0	1	11,1
15 ans	11,0	-	9,9

MAVRIX DIVIDENDES ET REVENU
Fonds d'actions canadiennes - dividendes

DATE DE LA CRÉATION
Septembre 1985

NOUVEAU

GESTIONNAIRE
Shaw, William

Renseignements généraux
au 31 octobre 2003

⊃ Investissement minimal **500 $**

⊃ Admissibilité au REER **Oui**

⊃ Fréquence des distributions **Mensuelle**

⊃ Valeur de l'actif (en millions) **95,9**

⊃ Frais de courtage
  Structure **Entrée ou sortie**
  Ratio **2,41**
  Numéro ➡ entrée **NAV 103**
    ➡ sortie **NAV 203**
    ➡ réduit **NAV 503**

⊃ Indice de référence **TSX 35**

Commentaires

Ce nouveau venu dans notre sélection fait partie de la famille de fonds Mavrix. Celle-ci a été récemment acquise par Sagit, ce qui a permis une meilleure distribution des produits au Québec. Ce fonds est géré par William Shaw. Depuis trois ans, il a connu des rendements exceptionnels grâce à sa très grande pondération dans les fiducies de revenu, soit un peu plus de 45 %. Malheureusement, les titres d'actions privilégiées y sont presque totalement absents. Mais les résultats sont éloquents : un rendement de 22,4 % sur 12 mois, un rendement annualisé de 15,8 % sur 3 ans et de 14,9 % sur 5 ans. Les investisseurs ne doivent pas s'attendre à de pareils résultats pour l'avenir, surtout si le secteur des fiducies de revenu venait à subir une «débâcle», comme nous nous y attendons. Les frais de gestion sont de 2,41 %, légèrement sous la moyenne de cette catégorie.

Pour ce qui est de la distribution, par contre, c'est assez intéressant : environ 8,2 % par année. C'est beaucoup, mais il ne faut pas confondre revenu en intérêts et revenu de dividendes qui, sur le plan fiscal, sont traités très différemment. La plupart des titres bancaires canadiens se retrouvent dans le portefeuille de ce fonds. Celui-ci est intéressant, mais surveillez bien le secteur des fiducies de revenu, qui pourrait connaître une mauvaise période, ce qui affecterait durement le fonds. Ne l'achetez qu'avec modération.

Analyse du rendement

Efficacité fiscale sur 3 ans		72,82
Risque sur 3 ans (écart type)		9,6

Rendement moyen, quartile et indice de référence

ANNÉE	RENDEMENT %	QUARTILE	RENDEMENT MOYEN DE L'INDICE DE RÉFÉRENCE %
3 mois	3,8	3	6,2
6 mois	14,6	1	17,3
02-03	22,4	1	22,9
01-02	13,9	1	-9,5
00-01	11,4	1	-19,2
99-00	25,1	1	39,3
98-99	3,1	3	25,9
97-98	-15,6	4	-1,4
96-97	5,1	4	22,5
95-96	14,3	4	29,3
94-95	14,5	1	7,6
93-94	-4,0	4	7,7
92-93	11,3	4	21,9

Rendement annuel composé, quartile et indice de référence

PÉRIODE	RENDEMENT ANNUEL COMPOSÉ %	QUARTILE	RENDEMENT ANNUEL COMPOSÉ MOYEN DE L'INDICE DE RÉFÉRENCE %
Depuis création	8,6		
1 an	22,4	1	22,9
2 ans	18,1	1	5,5
3 ans	15,8	1	-3,5
4 ans	18,0	1	5,8
5 ans	14,9	1	9,5
10 ans	8,4	3	11,1
15 ans	9,0	-	9,9

STANDARD LIFE DIVIDENDES CANADIENS DE CROISSANCE
Fonds d'actions canadiennes - dividendes

DATE DE LA CRÉATION
Novembre 1994

GESTIONNAIRE
Matheson, Neil

2001-2002-2003

Renseignements généraux

au 31 octobre 2003

- Investissement minimal **1 000 $**
- Admissibilité au REER **Oui**
- Fréquence des distributions **Trimestrielle**
- Valeur de l'actif (en millions) **554,7**
- Frais de courtage
  Structure **Entrée ou sortie**
  Ratio **1,93**
  Numéro ➡ entrée **SLM 255**
  ➡ sortie **SLM 055**
- Indice de référence **TSX 35**

Commentaires

Il est l'un des fonds les plus rentables de sa catégorie, mais est-il bien classé? En effet, ce produit, bien qu'il soit excellent, est plutôt un fonds de grande capitalisation canadienne que de dividendes. Il ne devrait pas être négligé pour autant. Sur une période de cinq ans, son rendement est de plus de 60%, un taux supérieur à la médiane de sa catégorie, alors que son écart type est d'environ 20% plus élevé. Comparé à l'indice composé S&P/TSX, l'indice principal du marché des actions canadiennes, son rendement est presque deux fois plus élevé et son risque, de 50% inférieur. Voilà un excellent ratio risque/rendement. Les frais de gestion de ce fonds sont de 1,93%, comparativement à 2,5% pour la moyenne de sa catégorie, et sont donc inférieurs de 25% à ce dernier taux.

Près de 45% du fonds est investi dans le secteur des services financiers, et l'investissement dans celui des fiducies de revenu était faible au moment où ces lignes ont été écrites. Le rendement annualisé du fonds sur cinq ans, de 12,5%, a été de 19,7% au cours de la dernière année, soit une hausse équivalant presque à celle du marché canadien dans son ensemble. Ce produit est le plus dynamique de nos fonds-vedettes dans la catégorie dividendes, mais sa stabilité demeure très rassurante pour l'investisseur.

Analyse du rendement

Efficacité fiscale sur 3 ans	87,52
Risque sur 3 ans (écart type)	10,3

Rendement moyen, quartile et indice de référence			
ANNÉE	RENDEMENT %	QUARTILE	RENDEMENT MOYEN DE L'INDICE DE RÉFÉRENCE %
3 mois	6,1	1	6,2
6 mois	14,1	2	17,3
02-03	19,7	2	22,9
01-02	1,0	2	-9,5
00-01	-0,3	3	-19,2
99-00	35,5	1	39,3
98-99	10,3	1	25,9
97-98	4,6	1	-1,4
96-97	37,7	1	22,5
95-96	33,3	1	29,3

Rendement annuel composé, quartile et indice de référence			
PÉRIODE	RENDEMENT ANNUEL COMPOSÉ %	QUARTILE	RENDEMENT ANNUEL COMPOSÉ MOYEN DE L'INDICE DE RÉFÉRENCE %
Depuis création	16,3		
1 an	19,7	2	22,9
2 ans	9,9	1	5,5
3 ans	6,4	2	-3,5
4 ans	13,0	1	5,8
5 ans	12,5	1	9,5

TD CROISSANCE DE DIVIDENDES
Fonds d'actions canadiennes - dividendes

DATE DE LA CRÉATION
Août 1987

2002-2003

GESTIONNAIRES
Warwick, Doug
Lough, Michael

ⓡenseignements généraux

au 31 octobre 2003

⊃ Investissement minimal **1 000 $**

⊃ Admissibilité au REER **Oui**

⊃ Fréquence des distributions **Mensuelle**

⊃ Valeur de l'actif (en millions) **675,8**

⊃ Frais de courtage
  Structure **Aucuns**
  Ratio **2,17**
  Numéro ➠ entrée **TDA 756**
  ➠ sortie **TDA 776**
  ➠ réduit **TDA 796**
  ➠ sans réduit **TDA 792**

⊃ Indice de référence **TSX 35**

ⓒommentaires

Ce fonds fait partie de nos choix pour une troisième année d'affilée. Depuis sa création, en août 1987, il a toujours fait partie du premier ou du deuxième quartile dans sa catégorie. Au moment où ces lignes ont été écrites, il ne contenait que très peu d'actions privilégiées, mais près de 20 % de titres de fiducies de revenu. Ses quatre plus grandes positions sont constituées de titres bancaires. D'ailleurs, le secteur des services financiers représente, depuis quelques années, environ 50 % du portefeuille. La volatilité associée à ce fonds est plus élevée que celle de la moyenne des produits de sa catégorie, mais l'investisseur en est récompensé par un rendement supérieur au rendement de ceux-ci. C'est un fonds qui se retrouve presque en tout temps dans le premier ou le deuxième quartile. Son ratio de frais de gestion demeure légèrement au-dessous de la moyenne de son secteur.

Doug Warwick et Michael Lough sont à la barre du fonds depuis octobre 1993. L'actif sous gestion est de 675 millions de dollars, en hausse de près de 20 % depuis les 12 derniers mois. Au cours de la dernière année, ce fonds a obtenu un rendement de 25,8 %, et a affiché un rendement annualisé de 10,8 % sur 15 ans. C'est un placement très honnête.

ⓐnalyse du rendement

Efficacité fiscale sur 3 ans	96,28
Risque sur 3 ans (écart type)	10,3

Rendement moyen, quartile et indice de référence

ANNÉE	RENDEMENT %	QUARTILE	RENDEMENT MOYEN DE L'INDICE DE RÉFÉRENCE %
3 mois	6,0	1	6,2
6 mois	15,8	1	17,3
02-03	25,8	1	22,9
01-02	-2,5	3	-9,5
00-01	0,5	3	-19,2
99-00	32,9	1	39,3
98-99	1,5	3	25,9
97-98	-1,2	3	-1,4
96-97	31,9	1	22,5
95-96	27,0	2	29,3
94-95	-1,9	4	7,6
93-94	3,3	1	7,7
92-93	14,1	3	21,9

Rendement annuel composé, quartile et indice de référence

PÉRIODE	RENDEMENT ANNUEL COMPOSÉ %	QUARTILE	RENDEMENT ANNUEL COMPOSÉ MOYEN DE L'INDICE DE RÉFÉRENCE %
Depuis création	10,5		
1 an	25,8	1	22,9
2 ans	10,8	1	5,5
3 ans	7,2	2	-3,5
4 ans	13,1	1	5,8
5 ans	10,7	1	9,5
10 ans	10,8	2	11,1
15 ans	10,8	-	9,9

BISSETT REVENU

Fonds de fiducies de revenu

DATE DE LA CRÉATION
Juillet 1996

GESTIONNAIRE
Lundquist, Leslie A.

2003

1 2 3 4 5 6 7 8 9 ■

℞enseignements généraux

au 31 octobre 2003

- Investissement minimal **500 $**
- Admissibilité au REER **Oui**
- Fréquence des distributions **Mensuelle**
- Valeur de l'actif (en millions) **51,4**
- Frais de courtage
  Structure **Aucuns**
  Ratio **1,34**
  Numéro ➡ entrée **TML 205**
  ➡ sortie **TML 305**
  ➡ réduit **TML 522**
  ➡ sans réduit **TML 235**
- Indice de référence **S&P/TSX indice plafonné fiducies de revenu**

Commentaires

C'est la deuxième fois que ce fonds se retrouve parmi nos fonds-vedettes. Il faut par contre expliquer que la popularité de ce type de produit est assez récente. Son actif sous gestion, de 51 millions de dollars, est stable. Il a été créé en juillet 1996, ce qui en fait le plus vieux fonds de sa catégorie au Canada. Ses frais de gestion sont de 1,34%, par rapport à des frais de 2,35% en moyenne pour des produits concurrentiels. Ce fonds, dont l'actif est composé de plus de 90% de produits de fiducie, se classe dans le premier quartile sur deux, trois et quatre ans. Son rendement annualisé sur cinq ans est de 15,9%, par rapport à une médiane de 14,8%. Il n'a connu qu'une année de rendement négatif en sept ans, en 1998, comme cela a été le cas pour tous les produits de ce secteur. Cette catégorie a connu une énorme croissance depuis quelques années : on parle souvent de «bulle». Est-ce le prochain secteur qui connaîtra un effondrement comparable à celui de la haute technologie? Disons que nous préférons faire preuve de prudence. Donc, on doit investir dans ce fonds avec parcimonie et sur un horizon à très long terme. Mais c'est assurément l'un des meilleurs de cette catégorie.

Ⓐnalyse du rendement

Efficacité fiscale sur 3 ans	79,35
Risque sur 3 ans (écart type)	8,2

	Rendement moyen, quartile et indice de référence		
ANNÉE	**RENDEMENT %**	**QUARTILE**	**RENDEMENT MOYEN DE L'INDICE DE RÉFÉRENCE %**
3 mois	5,1	2	6,9
6 mois	13,4	1	19,3
02-03	17,1	2	25,7
01-02	17,4	1	-
00-01	23,2	1	-
99-00	16,3	2	-
98-99	6,2	-	-
97-98	-17,8	-	-
96-97	19,1	-	-

	Rendement annuel composé, quartile et indice de référence		
PÉRIODE	**RENDEMENT ANNUEL COMPOSÉ %**	**QUARTILE**	**RENDEMENT ANNUEL COMPOSÉ MOYEN DE L'INDICE DE RÉFÉRENCE %**
Depuis création	14,0		
1 an	17,1	2	25,7
2 ans	17,3	1	-
3 ans	19,2	1	-
4 ans	18,5	1	-
5 ans	15,9	-	-

ELLIOTT & PAGE REVENU MENSUEL ÉLEVÉ
Fonds de fiducies de revenu

DATE DE LA CRÉATION
Septembre 1997

2003

GESTIONNAIRE
Wicks, Alan

ℝenseignements généraux

au 31 octobre 2003

⊃ Investissement minimal	**500 $**
⊃ Admissibilité au REER	**Oui**
⊃ Fréquence des distributions	**Mensuelle**
⊃ Valeur de l'actif (en millions)	**996,9**
⊃ Frais de courtage	
Structure	**Entrée ou sortie**
Ratio	**2,35**
Numéro ➡ entrée	**EPL 583**
➡ sortie	**EPL 483**
➡ réduit	**EPL 783**
⊃ Indice de référence	**S&P/TSX indice plafonné fiducies de revenu**

ℂommentaires

Mentionné pour la deuxième fois dans notre guide annuel, ce fonds est géré depuis juin 2000 par Alan Wicks, qui semble continuer le bon travail amorcé il y a quelques années. Sa création remonte à septembre 1997, et son actif sous gestion, de près de un milliard de dollars, est en forte hausse. Mais est-ce le temps d'acheter ? Les frais de gestion applicables sont égaux à ceux des fonds de la catégorie, et le risque associé est moyen pour un rendement plus élevé que la médiane : le ratio risque/rendement est donc positif. Voilà qui est intéressant !

Toutefois, ce qui distingue ce fonds et le rend particulièrement attirant pour les investisseurs, c'est sa pondération actuelle de seulement 40 % en produits de fiducies de revenu, alors qu'on frôle souvent les 90 % dans ce groupe. C'est dire que le gestionnaire garde une attitude très prudente face à ce dernier secteur et qu'il accroît sa pondération en actions et en obligations canadiennes ainsi qu'en liquidités. C'est là une excellente approche, qui nous fait croire que ce fonds est le meilleur produit offert en ce moment dans cette catégorie. La prudence est néanmoins de mise.

Ⓐnalyse du rendement

Efficacité fiscale sur 3 ans	85,34
Risque sur 3 ans (écart type)	6,1

Rendement moyen, quartile et indice de référence

ANNÉE	RENDEMENT %	QUARTILE	RENDEMENT MOYEN DE L'INDICE DE RÉFÉRENCE %
3 mois	3,3	4	6,9
6 mois	10,3	3	19,3
02-03	14,2	3	25,7
01-02	16,0	1	-
00-01	20,0	2	-
99-00	19,6	1	-
98-99	5,0	-	-
97-98	-7,7	-	-

Rendement annuel composé, quartile et indice de référence

PÉRIODE	RENDEMENT ANNUEL COMPOSÉ %	QUARTILE	RENDEMENT ANNUEL COMPOSÉ MOYEN DE L'INDICE DE RÉFÉRENCE %
Depuis création	9,9		
1 an	14,2	3	25,7
2 ans	15,1	2	-
3 ans	16,7	2	-
4 ans	17,4	2	-
5 ans	14,8	-	-

GGOF REVENU MENSUEL ÉLEVÉ
Fonds de fiducies de revenu

DATE DE LA CRÉATION
Octobre 1996

GESTIONNAIRE
Priestman, John

NOUVEAU

Renseignements généraux

au 31 octobre 2003

➲ Investissement minimal **500 $**

➲ Admissibilité au REER **Oui**

➲ Fréquence des distributions **Mensuelle**

➲ Valeur de l'actif (en millions) **129,4**

➲ Frais de courtage
Structure **Entrée**
Ratio **1,92**
Numéro ➡ entrée **GGF 442**

➲ Indice de référence **S&P/TSX indice plafonné fiducies de revenu**

Commentaires

Ce fonds fait l'objet d'une première mention dans notre guide annuel. Son gestionnaire est John Priestman, de la firme Guardian Capital, en poste depuis le lancement du produit, en octobre 1996. L'actif sous gestion est de 130 millions de dollars, et les frais de gestion sont de 1,92 %, comparativement à une moyenne de 2,35 % pour les produits de même type. Ce fonds se classe dans le premier quartile sur un, deux, trois et quatre ans. Son rendement annualisé sur cinq ans est de 16,0 %, par rapport à une médiane de 14,8 %. Ce fonds a été particulièrement rentable ces 12 derniers mois. Son risque associé est plus élevé que celui de la moyenne des fonds, mais son rendement est également plus élevé.

Ce qui est surprenant avec ce produit, c'est que son gestionnaire a porté sa pondération en fiducies de revenu à plus de 91 %, alors que la moyenne dans cette catégorie avoisine les 65 %. Cette pondération augmente le risque pour l'instant, mais le gestionnaire peut aussi prendre un risque fort bien calculé...

Analyse du rendement

Efficacité fiscale sur 3 ans	77,21
Risque sur 3 ans (écart type)	8,5

Rendement moyen, quartile et indice de référence			
ANNÉE	**RENDEMENT %**	**QUARTILE**	**RENDEMENT MOYEN DE L'INDICE DE RÉFÉRENCE %**
3 mois	5,8	1	6,9
6 mois	16,0	1	19,3
02-03	20,8	1	25,7
01-02	15,1	2	-
00-01	21,1	1	-
99-00	14,8	3	-
98-99	8,5	-	-
97-98	-17,2	-	-
96-97	13,1	-	-

Rendement annuel composé, quartile et indice de référence			
PÉRIODE	**RENDEMENT ANNUEL COMPOSÉ %**	**QUARTILE**	**RENDEMENT ANNUEL COMPOSÉ MOYEN DE L'INDICE DE RÉFÉRENCE %**
Depuis création	10,2		
1 an	20,8	1	25,7
2 ans	17,9	1	-
3 ans	19,0	1	-
4 ans	17,9	1	-
5 ans	16,0	-	-

DATE DE LA CRÉATION
Février 1997

2003

GESTIONNAIRE
Morrison, Barry A.

ℝenseignements généraux

au 31 octobre 2003

⊃ Investissement minimal **500 $**

⊃ Admissibilité au REER **Oui**

⊃ Fréquence des distributions **Mensuelle**

⊃ Valeur de l'actif (en millions) **621,8**

⊃ Frais de courtage
Structure **Entrée ou sortie**
Ratio **2,68**
Numéro ➡ entrée **TAL 879**
➡ sortie **TAL 880**

⊃ Indice de référence **S&P/TSX
indice plafonné
fiducies de revenu**

Ⓐnalyse du rendement

Efficacité fiscale sur 3 ans	75,44
Risque sur 3 ans (écart type)	6,6

Rendement moyen, quartile et indice de référence			
ANNÉE	RENDEMENT %	QUARTILE	RENDEMENT MOYEN DE L'INDICE DE RÉFÉRENCE %
3 mois	3,5	4	6,9
6 mois	9,4	3	19,3
02-03	12,8	4	25,7
01-02	18,4	1	-
00-01	18,1	2	-
99-00	19,7	1	-
98-99	7,8	-	-
97-98	-17,3	-	-

Rendement annuel composé, quartile et indice de référence			
PÉRIODE	RENDEMENT ANNUEL COMPOSÉ %	QUARTILE	RENDEMENT ANNUEL COMPOSÉ MOYEN DE L'INDICE DE RÉFÉRENCE %
Depuis création	10,2		
1 an	12,8	4	25,7
2 ans	15,6	2	-
3 ans	16,4	2	-
4 ans	17,2	2	-
5 ans	15,3	-	-

Ⓒommentaires

Depuis sa création, en février 1997, ce fonds est sous la responsabilité de Barry A. Morrison, de la firme Morrison Williams Investment Management. C'est la deuxième fois qu'il fait partie de notre sélection annuelle. Son actif sous gestion dépasse les 620 millions de dollars; sa hausse de plus de 158% depuis un an témoigne de la popularité excessive de ce secteur. Les frais de gestion, de 2,68%, sont plus élevés que ceux de la moyenne de la catégorie. Le risque associé au fonds est similaire à la moyenne des fonds de sa catégorie.

L'encaisse est anormalement élevée actuellement, se situant à près de 30%, alors que la moyenne est normalement de 8%. Il faut quand même prendre conscience qu'avec un tel nombre de nouveaux investisseurs il est très difficile pour le gestionnaire de tout investir dans les titres qui lui plaisent. Le rendement annualisé du fonds sur cinq ans est de 15,3%, ce qui place ce dernier en position intéressante, bien qu'il faille quand même se méfier du secteur.

ABC VALEUR ESSENTIELLE

Fonds d'actions canadiennes à grande capitalisation

DATE DE LA CRÉATION
Mars 1989

GESTIONNAIRE
Michael, Irwin A.

NOUVEAU

| 1 | 2 | 3 | 4 | 5 | 6 | 7 | 8 | 9 | ■ |

ⓡenseignements généraux

au 31 octobre 2003

➲ Investissement minimal **150 000 $**

➲ Admissibilité au REER **Oui**

➲ Fréquence des distributions **Annuelle**

➲ Valeur de l'actif (en millions) **270,1**

➲ Frais de courtage
Structure **Aucuns**
Ratio **2,00**
Numéro ➡ sans frais **ADC 002**

➲ Indice de référence **Indice composé S&P/TSX**

ⓒommentaires

Ce produit, dont la distribution est qualifiée de mauvaise, demeure l'un des meilleurs fonds d'actions canadiennes à grande capitalisation au Canada. Il est géré depuis sa création, en mars 1989, par Irwin A. Michael, de la firme I.A. Michael Investment, de Toronto. Son actif sous gestion est de 270 millions de dollars, en hausse de 17 % depuis un an, et ses frais de gestion sont de seulement 2,00 %, comparativement à 2,76 % pour la moyenne de sa catégorie. Il se maintient dans le premier quartile sur 2, 3, 5, 4 et 10 ans. Son rendement annualisé sur 10 ans est de 12,3 %, alors que la médiane du secteur est de seulement 7,4 %.

La répartition de son actif est de 73 % en actions canadiennes, 15 % en actions étrangères et 7 % en liquidités. Dans son portefeuille, qui regroupe les 11 secteurs économiques composant notre indice de référence, on trouve des titres comme Northbridge Financial, Shermag et Kingsway Financial. Depuis son lancement, le fonds n'a connu qu'une année de rendement négatif, soit 1998. L'année 2001 a même été excellente, avec un rendement de 26,1 % du 1er janvier au 31 décembre. Le gestionnaire est de style valeur. Le seul hic concernant ce fonds est que l'investissement minimal dans celui-ci doit être de 150 000 $.

ⓐnalyse du rendement

Efficacité fiscale sur 3 ans	98,71
Risque sur 3 ans (écart type)	14,2

Rendement moyen, quartile et indice de référence

ANNÉE	RENDEMENT %	QUARTILE	RENDEMENT MOYEN DE L'INDICE DE RÉFÉRENCE %
3 mois	9,7	1	7,6
6 mois	21,0	1	19,1
02-03	19,4	2	26,8
01-02	17,1	1	-7,7
00-01	11,7	1	-27,5
99-00	10,5	4	34,4
98-99	15,7	2	18,7
97-98	-19,1	4	-7,8
96-97	28,7	2	24,4
95-96	27,7	2	28,3
94-95	2,9	3	6,4
93-94	16,4	1	3,2
92-93	113,1	1	31,3

Rendement annuel composé, quartile et indice de référence

PÉRIODE	RENDEMENT ANNUEL COMPOSÉ %	QUARTILE	RENDEMENT ANNUEL COMPOSÉ MOYEN DE L'INDICE DE RÉFÉRENCE %
Depuis création	16,9		
1 an	19,4	2	26,8
2 ans	18,2	1	8,2
3 ans	16,0	1	-5,3
4 ans	14,6	1	3,4
5 ans	14,8	1	6,3
10 ans	12,3	1	8,2

DATE DE LA CRÉATION
Juin 1989

2002-2003

GESTIONNAIRE
Hubbes, Martin

℞enseignements généraux

au 31 octobre 2003

↪ Investissement minimal	**1 000 $**
↪ Admissibilité au REER	**Oui**
↪ Fréquence des distributions	**Annuelle**
↪ Valeur de l'actif (en millions)	**1943,5**
↪ Frais de courtage	
Structure	**Entrée ou sortie**
Ratio	**2,45**
Numéro ➡ entrée	**AGF 781**
➡ sortie	**AGF 681**
↪ Indice de référence	**Indice composé S&P/TSX**

©ommentaires

Fonds-vedette pour une troisième année consécutive, AGF titres canadiens, créé en juin 1989, est le type même du style croissance. Ainsi, il devrait connaître une bonne performance au cours des prochains mois. Son actif sous gestion est de 1,94 milliard de dollars, en hausse de 19% depuis un an. Son rendement à long terme lui confère le titre de fonds de premier quartile grâce à un rendement annualisé de 8,5% sur 10 ans, par rapport à 7,4% pour la médiane. Sur cinq ans, le rendement annualisé est de 10,4%, comparativement à une moyenne de 6,8%.

Le rendement sur trois ans est décevant, mais ce type de produit va profiter de la croissance économique à venir. Trois des quatre plus grosses positions du portefeuille de ce fonds se trouvent dans le secteur des services financiers: Banque Royale, Banque Scotia et Banque Toronto-Dominion. La proportion de titres de Petro-Canada est également importante. La répartition moyenne du fonds est de 81% en titres canadiens et de 18% en actions étrangères. Un achat intéressant en période de croissance.

Ⓐnalyse du rendement

Efficacité fiscale sur 3 ans	-
Risque sur 3 ans (écart type)	12,4

Rendement moyen, quartile et indice de référence			
ANNÉE	**RENDEMENT %**	**QUARTILE**	**RENDEMENT MOYEN DE L'INDICE DE RÉFÉRENCE %**
3 mois	4,3	3	7,6
6 mois	15,8	2	19,1
02-03	18,5	2	26,8
01-02	-9,4	3	-7,7
00-01	-14,3	2	-27,5
99-00	49,6	1	34,4
98-99	19,3	1	18,7
97-98	-14,2	3	-7,8
96-97	29,5	2	24,4
95-96	12,9	4	28,3
94-95	6,1	2	6,4
93-94	3,6	2	3,2
92-93	24,6	3	31,3

Rendement annuel composé, quartile et indice de référence			
PÉRIODE	**RENDEMENT ANNUEL COMPOSÉ %**	**QUARTILE**	**RENDEMENT ANNUEL COMPOSÉ MOYEN DE L'INDICE DE RÉFÉRENCE %**
Depuis création	8,3		
1 an	18,5	2	26,8
2 ans	3,6	3	8,2
3 ans	-2,7	3	-5,3
4 ans	8,3	1	3,4
5 ans	10,4	1	6,3
10 ans	8,5	2	8,2

AIC CANADA DIVERSIFIÉ
Fonds d'actions canadiennes à grande capitalisation

DATE DE LA CRÉATION
Décembre 1994

GESTIONNAIRE
Wellum, Jonathan

1998-1999-2000-2001-2002-2003

Ⓡenseignements généraux

au 31 octobre 2003

⊃ Investissement minimal	**250 $**
⊃ Admissibilité au REER	**Oui**
⊃ Fréquence des distributions	**Annuelle**
⊃ Valeur de l'actif (en millions)	**3342,6**
⊃ Frais de courtage	
Structure	**Entrée ou sortie**
Ratio	**2,40**
Numéro ⇒ entrée	**AIC 705**
⇒ sortie	**AIC 302**
⊃ Indice de référence	**Indice composé S&P/TSX**

Ⓒommentaires

AIC Canada diversifié figure pour la septième fois dans notre guide annuel. Les produits de la famille AIC n'ont plus le succès qu'ils ont connu dans les dernières années de la décennie 1990. Par contre, cette famille de fonds est encore excellente : sa philosophie est intéressante et son équipe de gestionnaires, sans pareille. Il s'agit simplement de demeurer patient. AIC diversifié a toujours été notre fonds préféré au sein de cette famille, puisque sa concentration en titres financiers, actuellement d'environ 40 %, a de tout temps été un peu moins élevée que celle du célèbre fonds AIC 1 ou de son fonds jumeau, AIC 2. AIC Canada diversifié existe depuis décembre 1994, et Jonathan Wellum en est le gestionnaire depuis son lancement. Avec 3,3 milliards de dollars d'actif sous gestion, c'est un fonds important.

Les principaux titres qui composent son portefeuille sont Loblaws, Banque Toronto-Dominion, Power Financial et Banque Royale. Le gestionnaire est un disciple du légendaire Warren Buffett. D'ailleurs, ce portefeuille compte 5,8 % de titres de Berkshire Hathaway. À acheter et à conserver.

Ⓐnalyse du rendement

Efficacité fiscale sur 3 ans	100
Risque sur 3 ans (écart type)	14,8

Rendement moyen, quartile et indice de référence

ANNÉE	RENDEMENT %	QUARTILE	RENDEMENT MOYEN DE L'INDICE DE RÉFÉRENCE %
3 mois	3,1	4	7,6
6 mois	10,8	4	19,1
02-03	11,2	4	26,8
01-02	-5,1	2	-7,7
00-01	-16,2	3	-27,5
99-00	37,3	1	34,4
98-99	-4,3	4	18,7
97-98	9,1	1	-7,8
96-97	43,8	1	24,4
95-96	61,7	1	28,3

Rendement annuel composé, quartile et indice de référence

PÉRIODE	RENDEMENT ANNUEL COMPOSÉ %	QUARTILE	RENDEMENT ANNUEL COMPOSÉ MOYEN DE L'INDICE DE RÉFÉRENCE %
Depuis création	14,9		
1 an	11,2	4	26,8
2 ans	2,7	3	8,2
3 ans	-4,1	3	-5,3
4 ans	4,9	3	3,4
5 ans	3,0	4	6,3

AIM CATÉGORIE DISTINCTION CANADIENNE
Fonds d'actions canadiennes à grande capitalisation

DATE DE LA CRÉATION
Septembre 1997

GESTIONNAIRES
Mortimer, Roger
Hilton, Glen

2002-2003

℞ enseignements généraux
au 31 octobre 2003

⊃ Investissement minimal	**500 $**
⊃ Admissibilité au REER	**Oui**
⊃ Fréquence des distributions	**Annuelle**
⊃ Valeur de l'actif (en millions)	**694,8**
⊃ Frais de courtage	
Structure	**Entrée ou sortie**
Ratio	**2,51**
Numéro ➡ entrée	**AIM 323**
➡ sortie	**AIM 321**
➡ réduit	**AIM 325**
⊃ Indice de référence	**Indice composé S&P/TSX**

© ommentaires

Ce fonds est géré par Roger Mortimer depuis sa création, en septembre 1997, et Glen Hilton le seconde dans son travail. Son actif sous gestion est de 694 millions de dollars, en hausse de plus de 17% au cours de la dernière année. Ses frais de gestion sont de 2,51%, par rapport à une moyenne de 2,76% dans sa catégorie. Généralement, l'équipe de gestionnaires conserve un peu plus de 70% de l'actif en titres canadiens et 15% en actions étrangères. En octobre 2003, le portefeuille était composé de près de 40% de titres du secteur des services financiers. Les plus importantes positions étaient Banque Royale, BCE, Banque Scotia et Banque Toronto-Dominion.

C'est un fonds de premier quartile sur cinq ans, avec un rendement annualisé de 14,4%, alors que la médiane de sa catégorie est de seulement 6,2%. Sauf pour ce qui est des 12 derniers mois, ce fonds a toujours affiché un rendement supérieur à ses indices de référence et à la médiane de son secteur. Il est un fonds de croissance, mais il s'en tire bien lors des contrecoups du marché.

ⒶAnalyse du rendement

Efficacité fiscale sur 3 ans	67,61
Risque sur 3 ans (écart type)	11,0

Rendement moyen, quartile et indice de référence			
ANNÉE	**RENDEMENT %**	**QUARTILE**	**RENDEMENT MOYEN DE L'INDICE DE RÉFÉRENCE %**
3 mois	8,3	1	7,6
6 mois	15,9	2	19,1
02-03	19,5	2	26,8
01-02	-4,5	2	-7,7
00-01	-6,6	2	-27,5
99-00	44,4	1	34,4
98-99	27,5	1	18,7
97-98	-10,6	3	-7,8

Rendement annuel composé, quartile et indice de référence			
PÉRIODE	**RENDEMENT ANNUEL COMPOSÉ %**	**QUARTILE**	**RENDEMENT ANNUEL COMPOSÉ MOYEN DE L'INDICE DE RÉFÉRENCE %**
Depuis création	10,1		
1 an	19,5	2	26,8
2 ans	6,8	1	8,2
3 ans	2,2	1	-5,3
4 ans	11,4	1	3,4
5 ans	14,4	1	6,3

BLUMONT HIRSCH PERFORMANCE
Fonds d'actions canadiennes à grande capitalisation

DATE DE LA CRÉATION
Septembre 1997

GESTIONNAIRE
Hirsch, Veronika

NOUVEAU

Renseignements généraux

au 31 octobre 2003

➲ Investissement minimal	**150 000 $**
➲ Admissibilité au REER	**Oui**
➲ Fréquence des distributions	**Annuelle**
➲ Valeur de l'actif (en millions)	**7,2**
➲ Frais de courtage	
Structure	**Entrée**
Ratio	**0,60**
Numéro ➧ entrée	**BCC 500**
➲ Indice de référence	**Indice composé S&P/TSX**

Commentaires

Tout d'abord, BluMont Capital est le nouveau nom de la firme de gestion auparavant connue sous la dénomination iPerform. Nous en avions parlé dans notre guide de l'an dernier, dans notre section «Nouveaux fonds à surveiller». Ce fonds est princi-palement sous la responsabilité de Veronika Hirsch, bien connue pour avoir travaillé dans le passé chez AGF, puis chez Fidelity. Quelles que soient les raisons pour lesquelles elle a quitté Fidelity, il faut se réjouir de sa nomination comme gestionnaire de ce fonds.

Ce dernier est assez récent : il a été créé en septem-bre 1997. Il est actuellement classé dans le premier quartile sur deux ans, et affiche un rendement annualisé de 23,7 %, par rapport à une médiane de seulement 3,7 %. L'investissement minimal est de 150 000 $, et l'actif sous gestion est de seulement 7,2 millions de dollars. La gestionnaire investit généralement dans des entreprises canadiennes et utilise des produits de couverture comme mesure défensive. Ce fonds n'est pas à la portée de toutes les bourses, mais il est très intéressant.

Analyse du rendement

Efficacité fiscale sur 3 ans	74,5
Risque sur 3 ans (écart type)	14,0

Rendement moyen, quartile et indice de référence

ANNÉE	RENDEMENT %	QUARTILE	RENDEMENT MOYEN DE L'INDICE DE RÉFÉRENCE %
3 mois	19,5	1	7,6
6 mois	30,6	1	19,1
02-03	35,6	1	26,8
01-02	12,8	1	-7,7
00-01	11,1	1	-27,5
99-00	46,8	1	34,4
98-99	22,4	1	18,7
97-98	-12,8	3	-7,8

Rendement annuel composé, quartile et indice de référence

PÉRIODE	RENDEMENT ANNUEL COMPOSÉ %	QUARTILE	RENDEMENT ANNUEL COMPOSÉ MOYEN DE L'INDICE DE RÉFÉRENCE %
Depuis création	17,9		
1 an	35,6	1	26,8
2 ans	23,7	1	8,2
3 ans	19,3	1	-5,3
4 ans	25,7	1	3,4
5 ans	25,0	1	6,3

CI HARBOUR
Fonds d'actions canadiennes à grande capitalisation

DATE DE LA CRÉATION
Juin 1997

GESTIONNAIRE
Coleman, Gerald

2000-2003

Renseignements généraux

au 31 octobre 2003

↪ Investissement minimal **500 $**

↪ Admissibilité au REER **Oui**

↪ Fréquence des distributions **Annuelle**

↪ Valeur de l'actif (en millions) **2088,3**

↪ Frais de courtage
Structure **Entrée ou sortie**
Ratio **2,47**
Numéro ➟ entrée **CIG 690**
➟ sortie **CIG 890**

↪ Indice de référence **Indice composé S&P/TSX**

Commentaires

CI Harbour en est à sa quatrième mention dans notre guide annuel. Sa création remonte à juin 1997. Son gestionnaire-vedette, Gerald Coleman, qui n'a plus besoin de présentations, est très prudent, ce qui nous incite à recommander le fonds. Celui-ci est le moins volatil de sa catégorie. Même les années 2000, 2001 et 2002 n'ont pas réussi à lui donner un rendement négatif. Quitte à nous répéter, le gestionnaire fait de la prudence son premier souci. Ses commentaires – consultez à cet égard le site Internet de la firme CI – sont toujours fort pertinents et intéressants. Actuellement, M. Coleman conserve plus de 30 % du fonds en encaisse ou en liquidités, par rapport à une moyenne de 7 % pour les produits de même type.

En octobre 2003, l'actif sous gestion du fonds dépassait les deux milliards de dollars, en hausse de plus de 16 % depuis les 12 derniers mois. Les frais de gestion sont de 2,47 %, comparativement à une moyenne de 2,76 % pour la catégorie. Sur cinq ans, son rendement annualisé est de 8,9 %, par rapport à une médiane de 6,2 %. Il ne gagne jamais de courses sur de courtes périodes mais arrive toujours parmi les premiers au fil d'arrivée si on regarde à plus long terme. Un classique !

Analyse du rendement

Efficacité fiscale sur 3 ans	85,97
Risque sur 3 ans (écart type)	9,3

ANNÉE	RENDEMENT %	QUARTILE	RENDEMENT MOYEN DE L'INDICE DE RÉFÉRENCE %
	Rendement moyen, quartile et indice de référence		
3 mois	3,6	4	7,6
6 mois	8,4	4	19,1
02-03	6,0	4	26,8
01-02	3,2	1	-7,7
00-01	5,6	1	-27,5
99-00	21,0	3	34,4
98-99	9,6	3	18,7
97-98	-3,0	1	-7,8

PÉRIODE	RENDEMENT ANNUEL COMPOSÉ %	QUARTILE	RENDEMENT ANNUEL COMPOSÉ MOYEN DE L'INDICE DE RÉFÉRENCE %
	Rendement annuel composé, quartile et indice de référence		
Depuis création	6,3		
1 an	6,0	4	26,8
2 ans	4,6	2	8,2
3 ans	4,9	1	-5,3
4 ans	8,7	1	3,4
5 ans	8,9	1	6,3

CI SIGNATURE SÉLECT CANADIEN
Fonds d'actions canadiennes à grande capitalisation

DATE DE LA CRÉATION
Mai 1998

GESTIONNAIRE
Bushell, Eric B.

Renseignements généraux

au 31 octobre 2003

⊃ Investissement minimal	**500 $**
⊃ Admissibilité au REER	**Oui**
⊃ Fréquence des distributions	**Trimestrielle**
⊃ Valeur de l'actif (en millions)	**1473,9**
⊃ Frais de courtage	
Structure	**Entrée ou sortie**
Ratio	**2,47**
Numéro ➡ entrée	**CIG 677**
➡ sortie	**CIG 777**
⊃ Indice de référence	**Indice composé S&P/TSX**

Commentaires

Pour une troisième année de suite, ce fonds figure à notre palmarès. Il est très rare que son gestionnaire, Eric B. Bushell, ne se démarque pas. Ce dernier est d'ailleurs à ce poste depuis le lancement du fonds, en mai 1998. Pourquoi changer un cheval gagnant? Prudent, M. Bushell réussit très bien, peu importe les conditions du marché. Le ratio risque/rendement est excellent: le risque associé à ce fonds est moindre que celui des produits de même catégorie et le rendement est nettement plus élevé.

Son actif sous gestion, de 1,4 milliard de dollars, est en hausse vertigineuse de 250% depuis les 12 derniers mois. Ses frais de gestion sont de 2,47%, comparativement à une moyenne de 2,76%. Son rendement annualisé sur cinq ans est de 15,2%, alors que la médiane n'est que de 6,8%. Depuis sa création, le fonds n'a jamais connu une année de rendement négatif sur de longues périodes. Le gestionnaire est de la même école que Gerald Coleman, aux commandes de CI Harbour (voir page précédente).

Analyse du rendement

Efficacité fiscale sur 3 ans	76,18
Risque sur 3 ans (écart type)	12,2

Rendement moyen, quartile et indice de référence			
ANNÉE	**RENDEMENT %**	**QUARTILE**	**RENDEMENT MOYEN DE L'INDICE DE RÉFÉRENCE %**
3 mois	6,2	2	7,6
6 mois	14,0	3	19,1
02-03	15,2	3	26,8
01-02	-2,1	1	-7,7
00-01	7,1	1	-27,5
99-00	37,0	1	34,4
98-99	22,3	1	18,7

Rendement annuel composé, quartile et indice de référence			
PÉRIODE	**RENDEMENT ANNUEL COMPOSÉ %**	**QUARTILE**	**RENDEMENT ANNUEL COMPOSÉ MOYEN DE L'INDICE DE RÉFÉRENCE %**
Depuis création	12,1		
1 an	15,2	3	26,8
2 ans	6,2	2	8,2
3 ans	6,5	1	-5,3
4 ans	13,4	1	3,4
5 ans	15,2	1	6,3

CI PLACEMENTS CANADIENS
Fonds d'actions canadiennes à grande capitalisation

DATE DE LA CRÉATION
Novembre 1932

GESTIONNAIRE
Shannon, Kim

1998-1999-2000-2001-2002

| 1 | 2 | 3 | 4 | 5 | 6 | 7 | 8 | | |

Renseignements généraux

au 31 octobre 2003

- Investissement minimal **500 $**
- Admissibilité au REER **Oui**
- Fréquence des distributions **Trimestrielle**
- Valeur de l'actif (en millions) **883,3**
- Frais de courtage
  Structure **Entrée ou sortie**
  Ratio **2,55**
  Numéro ➡ entrée **CIG 7420**
  ➡ sortie **CIG 7425**
- Indice de référence **Indice composé S&P/TSX**

Commentaires

Voici le plus ancien fonds commun de placement au Canada. En effet, il a été créé en novembre 1932, et il se trouve depuis 1999 sous la responsabilité de Kim Shannon, gestionnaire-vedette de la famille de fonds CI. Ce produit, qui appartenait à la famille Spectrum United, a été acquis il y a quelques années par CI. Il est de style valeur et, bien qu'il ne soit pas spectaculaire, il a toujours gardé sa place parmi les meilleurs sur les périodes de 5, 10 ou 15 ans. Son actif sous gestion, de 883 millions de dollars, a connu une hausse de 30 % sur 12 mois. Ses frais de gestion sont de 2,55 %, par rapport à une moyenne de 2,76 % dans sa catégorie.

Son rendement annualisé sur 15 ans est de 8,9 %, alors que la médiane se situe à 7,9 %. Sur 10 ans, il affiche un rendement annualisé de 10,9 %, par rapport à une médiane de 7,4 %. C'est aussi l'un des fonds dont l'écart type est le plus faible parmi ceux que nous avons choisis cette année dans la catégorie des grandes capitalisations canadiennes. Comme c'est le cas pour plusieurs fonds dits de type valeur, le secteur des services financiers domine son portefeuille, avec une pondération de plus de 35 %. Voilà un fonds qui permet de profiter de la croissance des marchés financiers, sans pour autant nous faire faire de l'insomnie.

Analyse du rendement

Efficacité fiscale sur 3 ans	89,2
Risque sur 3 ans (écart type)	9,5

	Rendement moyen, quartile et indice de référence		
ANNÉE	**RENDEMENT %**	**QUARTILE**	**RENDEMENT MOYEN DE L'INDICE DE RÉFÉRENCE %**
3 mois	5,5	3	7,6
6 mois	15,2	2	19,1
02-03	15,1	3	26,8
01-02	5,2	1	-7,7
00-01	3,6	1	-27,5
99-00	19,9	3	34,4
98-99	4,2	4	18,7
97-98	1,4	1	-7,8
96-97	28,3	2	24,4
95-96	27,8	2	28,3
94-95	7,2	2	6,4
93-94	1,1	3	3,2
92-93	16,3	4	31,3

	Rendement annuel composé, quartile et indice de référence		
PÉRIODE	**RENDEMENT ANNUEL COMPOSÉ %**	**QUARTILE**	**RENDEMENT ANNUEL COMPOSÉ MOYEN DE L'INDICE DE RÉFÉRENCE %**
Depuis création	6,2		
1 an	15,1	3	26,8
2 ans	10,0	1	8,2
3 ans	7,9	1	-5,3
4 ans	10,8	1	3,4
5 ans	9,4	1	6,3
10 ans	10,9	1	8,2
15 ans	8,9	2	XX

FIDELITY DISCIPLINE ACTIONS CANADA
Fonds d'actions canadiennes à grande capitalisation

DATE DE LA CRÉATION
Septembre 1998

2001-2002-2003

GESTIONNAIRE
Haber, Robert J.

Renseignements généraux

au 31 octobre 2003

⊃ Investissement minimal **500 $**

⊃ Admissibilité au REER **Oui**

⊃ Fréquence des distributions **Annuelle**

⊃ Valeur de l'actif (en millions) **1194,5**

⊃ Frais de courtage
Structure **Entrée ou sortie**
Ratio **2,55**
Numéro ➡ entrée **FID 224**
➡ sortie **FID 524**

⊃ Indice de référence **Indice composé S&P/TSX**

Commentaires

Malgré que sa création ne remonte qu'à septembre 1998, ce fonds en est à sa quatrième mention dans notre guide annuel. Son gestionnaire, Robert J. Haber, est d'ailleurs en poste depuis son lancement. C'est un gestionnaire d'expérience, dont la réputation n'est plus à faire. Fidelity Discipline actions Canada est un excellent fonds complémentaire au sein de sa famille, puisqu'il complète la gamme de fonds de Fidelity, qui sont investis principalement dans les 300 plus grandes entreprises canadiennes. Ce fonds, dit de grande capitalisation, est du type qui forme le noyau d'un portefeuille.

Son facteur de risque est à peine plus élevé que celui des autres produits de sa catégorie, et son rendement est plus élevé aussi, tandis que son ratio risque/rendement est neutre. Son actif sous gestion est de 1,2 milliard de dollars, en hausse de 14 % depuis un an. Ses frais de gestion sont de 2,55 %, comparativement à une moyenne de 2,76 % pour des fonds similaires. Son rendement annualisé sur cinq ans est de 13,3 %, par rapport à une médiane de 6,8 %. Il est un fonds de premier quartile, sauf sur trois ans. Ses quatre principales positions sont Banque Royale, EnCana, Banque Scotia et Petro-Canada. Il figure parmi les meilleurs fonds de sa catégorie.

Analyse du rendement

Efficacité fiscale sur 3 ans   -

Risque sur 3 ans (écart type)   14,2

ANNÉE	RENDEMENT %	QUARTILE	RENDEMENT MOYEN DE L'INDICE DE RÉFÉRENCE %
Rendement moyen, quartile et indice de référence			
3 mois	8,3	1	7,6
6 mois	18,4	1	19,1
02-03	24,7	1	26,8
01-02	-2,8	2	-7,7
00-01	-18,0	3	-27,5
99-00	42,7	1	34,4
98-99	31,5	1	18,7

PÉRIODE	RENDEMENT ANNUEL COMPOSÉ %	QUARTILE	RENDEMENT ANNUEL COMPOSÉ MOYEN DE L'INDICE DE RÉFÉRENCE %
Rendement annuel composé, quartile et indice de référence			
Depuis création	14,9		
1 an	24,7	1	26,8
2 ans	10,1	1	8,2
3 ans	-0,2	2	-5,3
4 ans	9,1	1	3,4
5 ans	13,3	1	6,3

FIDELITY FRONTIÈRE NORD
Fonds d'actions canadiennes à grande capitalisation

DATE DE LA CRÉATION
Septembre 1996

GESTIONNAIRE
Binder, Stephen

1998-1999-2000-2001-2002-2003

ℝenseignements généraux

au 31 octobre 2003

➲ Investissement minimal	**500 $**
➲ Admissibilité au REER	**Oui**
➲ Fréquence des distributions	**Trimestrielle**
➲ Valeur de l'actif (en millions)	**2734,7**
➲ Frais de courtage	
Structure	**Entrée ou sortie**
Ratio	**2,56**
Numéro ➡ entrée	**FID 225**
➡ sortie	**FID 525**
➲ Indice de référence	**Indice composé S&P/TSX**

ℂommentaires

C'est la septième année consécutive que ce fonds fait partie de nos choix. Ces sélections étaient surtout attribuables à l'ancien gestionnaire, Alan Radlo, qui a été remplacé en novembre 2002 par Stephen Binder. Ce dernier s'est bien acquitté des fonctions de son prédécesseur, qui était à la barre du fonds depuis sa création, en septembre 1996. Ce fonds peut être constitué aussi bien de petites, de moyennes ou de grandes entreprises canadiennes. Son actif sous gestion est de 2,7 milliards de dollars, en hausse de seulement 3,3 % depuis un an mais, compte tenu du contexte économique et du changement récent de gestionnaire, ce résultat est bon.

Ses frais de gestion sont de 2,56 %, par rapport à une moyenne de 2,76 %. Son rendement annualisé sur cinq ans est de 8,8 %, pour une médiane de seulement 6,8 % : la différence est notable, surtout sur une si longue période. Ses quatre principales positions sont EnCana, BCE, Banque Royale et Banque Scotia. C'est un excellent fonds dont la diversification dans les titres canadiens est intéressante, et qui ne représente aucun risque inutile.

𝔸nalyse du rendement

Efficacité fiscale sur 3 ans	-
Risque sur 3 ans (écart type)	11,9

Rendement moyen, quartile et indice de référence

ANNÉE	RENDEMENT %	QUARTILE	RENDEMENT MOYEN DE L'INDICE DE RÉFÉRENCE %
3 mois	6,2	2	7,6
6 mois	14,8	3	19,1
02-03	15,9	3	26,8
01-02	-6,6	2	-7,7
00-01	-12,4	2	-27,5
99-00	39,6	1	34,4
98-99	15,1	2	18,7
97-98	-5,8	2	-7,8
96-97	33,8	1	24,4

Rendement annuel composé, quartile et indice de référence

PÉRIODE	RENDEMENT ANNUEL COMPOSÉ %	QUARTILE	RENDEMENT ANNUEL COMPOSÉ MOYEN DE L'INDICE DE RÉFÉRENCE %
Depuis création	10,0		
1 an	15,9	3	26,8
2 ans	4,0	2	8,2
3 ans	-1,8	2	-5,3
4 ans	7,3	2	3,4
5 ans	8,8	1	6,3

MACKENZIE CROISSANCE
Fonds d'actions canadiennes à grande capitalisation

DATE DE LA CRÉATION
Octobre 1967

GESTIONNAIRE
Sturm, Fred

NOUVEAU

Renseignements généraux

au 31 octobre 2003

- Investissement minimal **500 $**
- Admissibilité au REER **Oui**
- Fréquence des distributions **Annuelle**
- Valeur de l'actif (en millions) **249,9**
- Frais de courtage
  Structure **Entrée ou sortie**
  Ratio **2,60**
  Numéro ➡ entrée **MFC 292**
  ➡ sortie **MFC 282**
- Indice de référence **Indice composé S&P/TSX**

Commentaires

Le Mackenzie croissance fait l'objet d'une première mention officielle dans notre guide. En effet, même si ce fonds date d'octobre 1967, il n'a jamais valu la peine d'être cité auparavant. Par contre, les choses ont changé depuis que Fred Sturm en a pris la direction. Le fonds se retrouve dans le premier quartile sur un, deux et trois ans, rien de moins. Il affiche un rendement de 25,6% sur un an, alors que la médiane du secteur est de 12,9%; un rendement annualisé de 17,9% sur deux ans, par rapport à une médiane de 2,0%, et un rendement annualisé de 20,0% sur trois ans, comparativement à une moyenne de -4,9%. Le gestionnaire a prouvé, dans le contexte économique très difficile des dernières années, qu'il pouvait accomplir un excellent travail.

Ce fonds a un actif sous gestion de 249 millions de dollars, en hausse de 20% depuis 12 mois. Ses frais de gestion sont de 2,60%, par rapport à une moyenne dans sa catégorie de 2,76%. La répartition de son actif au 31 octobre 2003 était de 65% en actions canadiennes et de 29% en actions étrangères. Sa volatilité est plus élevée que celle de la moyenne des fonds de son secteur, mais l'investisseur en est bien récompensé.

Analyse du rendement

Efficacité fiscale sur 3 ans	100
Risque sur 3 ans (écart type)	15,4

Rendement moyen, quartile et indice de référence

ANNÉE	RENDEMENT %	QUARTILE	RENDEMENT MOYEN DE L'INDICE DE RÉFÉRENCE %
3 mois	7,4	1	7,6
6 mois	21,8	1	19,1
02-03	25,6	1	26,8
01-02	10,6	1	-7,7
00-01	24,5	1	-27,5
99-00	-23,3	4	34,4
98-99	3,6	4	18,7
97-98	-18,7	4	-7,8
96-97	12,8	4	24,4
95-96	22,1	3	28,3
94-95	-6,1	4	6,4
93-94	7,0	1	3,2
92-93	43,5	1	31,3

Rendement annuel composé, quartile et indice de référence

PÉRIODE	RENDEMENT ANNUEL COMPOSÉ %	QUARTILE	RENDEMENT ANNUEL COMPOSÉ MOYEN DE L'INDICE DE RÉFÉRENCE %
Depuis création	11,9		
1 an	25,6	1	26,8
2 ans	17,9	1	8,2
3 ans	20,0	1	-5,3
4 ans	7,3	2	3,4
5 ans	6,6	2	6,3
10 ans	4,4	4	8,2
15 ans	5,1	4	8,2

MACKENZIE CUNDILL CANADIEN SÉCURITÉ
Fonds d'actions canadiennes à grande capitalisation

DATE DE LA CRÉATION
Décembre 1980

1999-2002-2003

GESTIONNAIRES
Burton, Wade
Massie, Tony, et Cundill, Peter

Renseignements généraux

au 31 octobre 2003

- Investissement minimal **50 000 $**
- Admissibilité au REER **Oui**
- Fréquence des distributions **Annuelle**
- Valeur de l'actif (en millions) **23,8**
- Frais de courtage
  Structure **Entrée ou sortie**
  Ratio **2,17**
  Numéro ➟ entrée **MFC 596**
- Indice de référence **Indice composé S&P/TSX**

Commentaires

Sous la responsabilité du célèbre Peter Cundill, qui est assisté dans son travail par Tony Massie et Wade Burton, ce fonds n'a jamais changé de gestionnaire depuis qu'il a vu le jour, en décembre 1980. M. Cundill a un style de gestion de type valeur, dans ce qu'il y a de plus pur. Il a une philosophie simple : il cherche des entreprises dont le prix est à 60 % de leur valeur, des titres qui offrent un dividende de 6 %. Ce fonds est souvent boudé par les investisseurs, parce qu'il est très ennuyeux. Les investisseurs ont tendance à le vendre en période de croissance, alors que ce type de fonds ne fait rien qui vaille.

Le fonds a un ratio risque/rendement maximal et il demeure dans le premier quartile sur 2, 3, 4, 5, 10 et 15 ans. Son rendement annualisé est de 12,9 % sur 10 ans, comparativement à une médiane de 7,4 %, et de 11,7 % sur 2 ans, par rapport à une médiane de 3,7 %. Son portefeuille est surtout composé de très grandes entreprises, profitables en tout temps. Il ne privilégie aucun secteur de l'indice en particulier et conserve actuellement près de 15 % de son actif au Japon. Il n'a rien à voir avec la loterie...

Analyse du rendement

Efficacité fiscale sur 3 ans	95,07
Risque sur 3 ans (écart type)	8,4

	Rendement moyen, quartile et indice de référence		
ANNÉE	**RENDEMENT %**	**QUARTILE**	**RENDEMENT MOYEN DE L'INDICE DE RÉFÉRENCE %**
3 mois	5,3	3	7,6
6 mois	13,2	3	19,1
02-03	17,1	2	26,8
01-02	6,5	1	-7,7
00-01	2,6	1	-27,5
99-00	12,9	4	34,4
98-99	20,9	1	18,7
97-98	5,0	1	-7,8
96-97	24,2	3	24,4
95-96	15,8	4	28,3
94-95	14,3	1	6,4
93-94	11,3	1	3,2
92-93	40,2	1	31,3

	Rendement annuel composé, quartile et indice de référence		
PÉRIODE	**RENDEMENT ANNUEL COMPOSÉ %**	**QUARTILE**	**RENDEMENT ANNUEL COMPOSÉ MOYEN DE L'INDICE DE RÉFÉRENCE %**
Depuis création	10,2		
1 an	17,1	2	26,8
2 ans	11,7	1	8,2
3 ans	8,6	1	-5,3
4 ans	9,6	1	3,4
5 ans	11,8	1	6,3
10 ans	12,9	1	8,2
15 ans	9,8	1	XX

MACKENZIE IVY CANADIEN
Fonds d'actions canadiennes à grande capitalisation

DATE DE LA CRÉATION
Octobre 1992

GESTIONNAIRE
Javasky, Jerry

1998-1999-2000-2001-2002-2003

ℝenseignements généraux
au 31 octobre 2003

- ⊃ Investissement minimal — **500 $**
- ⊃ Admissibilité au REER — **Oui**
- ⊃ Fréquence des distributions — **Annuelle**
- ⊃ Valeur de l'actif (en millions) — **5300,7**
- ⊃ Frais de courtage
  - Structure — **Entrée ou sortie**
  - Ratio — **2,51**
  - Numéro ➡ entrée — **MFC 083**
  - ➡ sortie — **MFC 613**
- ⊃ Indice de référence — **Indice composé S&P/TSX**

𝐂ommentaires

C'est le deuxième plus gros fonds canadien en matière d'actif, et il a toujours été choisi dans notre guide annuel. Son actif sous gestion est de plus de 5,3 milliards de dollars, ce qui est énorme. La tâche du gestionnaire qui en est responsable n'est sûrement pas toujours facile, malgré l'aide de la technologie et des nombreux analystes qui doivent composer son équipe. De grosses sommes sont en jeu lorsque le gestionnaire veut apporter des changements au portefeuille, ce qu'il réussit néanmoins très bien. Il a un style valeur et conserve seulement environ 50 positions dans le portefeuille.

Les frais de gestion du fonds, de 2,51 %, sont plus faibles que ceux de la moyenne des produits de sa catégorie, et sa répartition à la fin d'octobre 2003 était de 52 % en actions canadiennes, 25 % en actions étrangères et plus de 21 % en liquidités. C'est un fonds de premier quartile sur 10 ans avec un rendement annualisé de 9,5 %, comparativement à une médiane de 7,4 % pour le secteur. Sur de plus courtes périodes, il n'est pas toujours bon premier dans la course au rendement, mais il figure sans cesse parmi les premiers à la fin des marathons. Le gestionnaire est extrêmement prudent, et la volatilité du fonds demeure très faible. Ce produit se destine à ceux qui aiment la stabilité ou à ceux qui, comme dans la fable de La Fontaine, préfèrent les tortues aux lièvres.

𝐀nalyse du rendement

Efficacité fiscale sur 3 ans	100
Risque sur 3 ans (écart type)	8,3

Rendement moyen, quartile et indice de référence

ANNÉE	RENDEMENT %	QUARTILE	RENDEMENT MOYEN DE L'INDICE DE RÉFÉRENCE %
3 mois	4,1	4	7,6
6 mois	9,4	4	19,1
02-03	6,8	4	26,8
01-02	1,5	1	-7,7
00-01	-3,3	1	-27,5
99-00	23,1	3	34,4
98-99	3,3	4	18,7
97-98	3,9	1	-7,8
96-97	21,1	3	24,4
95-96	23,4	3	28,3
94-95	11,5	1	6,4
93-94	7,0	1	3,2
92-93	10,5	4	31,3

Rendement annuel composé, quartile et indice de référence

PÉRIODE	RENDEMENT ANNUEL COMPOSÉ %	QUARTILE	RENDEMENT ANNUEL COMPOSÉ MOYEN DE L'INDICE DE RÉFÉRENCE %
Depuis création	9,5		
1 an	6,8	4	26,8
2 ans	4,1	2	8,2
3 ans	1,6	1	-5,3
4 ans	6,6	2	3,4
5 ans	5,9	3	6,3
10 ans	9,5	1	8,2

MACKENZIE UNIVERSAL CANADIEN DE CROISSANCE
Fonds d'actions canadiennes à grande capitalisation

DATE DE LA CRÉATION
Août 1995

2003

GESTIONNAIRES
DeGeer, Dina
Taller, Philip, et Starritt, Dennis

| 1 | 2 | 3 | 4 | 5 | 6 | 7 | | | |

Renseignements généraux

au 31 octobre 2003

⊃ Investissement minimal		**500 $**
⊃ Admissibilité au REER		**Oui**
⊃ Fréquence des distributions		**Annuelle**
⊃ Valeur de l'actif (en millions)		**1375,5**
⊃ Frais de courtage		
Structure		**Entrée ou sortie**
Ratio		**2,52**
Numéro ➡ entrée		**MFC 560**
➡ sortie		**MFC 640**
⊃ Indice de référence		**Indice composé S&P/TSX**

Commentaires

C'est la deuxième fois que ce fonds figure dans notre guide annuel. Il ne fait jamais partie des meilleurs produits, mais jamais des pires non plus. C'est un fonds de style croissance, dont la volatilité est assez faible et qui ne suit jamais les indices boursiers quand ceux-ci baissent de façon brutale. Sa gestionnaire, Dina DeGeer, n'a plus besoin de présentations : elle a une excellente réputation et assure la gestion du fonds depuis la création de celui-ci. Elle est secondée par Dennis Starritt depuis août 1995 et par Philip Taller depuis décembre 1998.

L'actif du fonds est stable et important : il se chiffre à 1,3 milliard de dollars. Il n'est composé de façon générale que de 20 à 25 entreprises canadiennes et de 5 à 7 titres étrangers. En octobre 2003, la répartition de ce même actif était de 58 % en actions canadiennes, de 32 % en actions étrangères et de 10 % en liquidités. Le rendement du fonds est légèrement plus élevé que la moyenne, mais la volatilité qui y est associée est plus faible que celle de sa catégorie.

Analyse du rendement

Efficacité fiscale sur 3 ans	2,98
Risque sur 3 ans (écart type)	12,9

Rendement moyen, quartile et indice de référence

ANNÉE	RENDEMENT %	QUARTILE	RENDEMENT MOYEN DE L'INDICE DE RÉFÉRENCE %
3 mois	5,7	2	7,6
6 mois	15,4	2	19,1
02-03	17,0	2	26,8
01-02	-3,7	2	-7,7
00-01	-7,1	2	-27,5
99-00	22,9	3	34,4
98-99	0,8	4	18,7
97-98	-3,8	1	-7,8
96-97	35,5	1	24,4
95-96	20,4	4	28,3
94-95	-12,1	4	6,4

Rendement annuel composé, quartile et indice de référence

PÉRIODE	RENDEMENT ANNUEL COMPOSÉ %	QUARTILE	RENDEMENT ANNUEL COMPOSÉ MOYEN DE L'INDICE DE RÉFÉRENCE %
Depuis création	6,4		
1 an	17,0	2	26,8
2 ans	6,1	2	8,2
3 ans	1,5	2	-5,3
4 ans	6,5	2	3,4
5 ans	5,3	3	6,3

NORD-OUEST SPÉCIALITÉ ACTIONS
Fonds d'actions canadiennes à grande capitalisation

DATE DE LA CRÉATION
Mars 1986

GESTIONNAIRE
Deans, Wayne

NOUVEAU

Renseignements généraux

au 31 octobre 2003

⊃ Investissement minimal · · · · · · · · · · **1 000 $**

⊃ Admissibilité au REER · · · · · · · · · · · · · **Oui**

⊃ Fréquence des distributions · · · · · **Annuelle**

⊃ Valeur de l'actif (en millions) · · · · · **107,7**

⊃ Frais de courtage
   Structure · · · · · · · · · · · **Entrée ou sortie**
   Ratio · **2,67**
   Numéro ➡ entrée · · · · · · · · · · · **NWT 118**
          ➡ sortie · · · · · · · · · · · · **NWT 219**

⊃ Indice de référence · · · · · · · **Indice composé S&P/TSX**

Commentaires

Voici un nouveau venu parmi nos fonds-vedettes. Par contre, le gestionnaire de ce fonds, Wayne Deans, de la firme de gestion Deans Knight Capital Management, n'est pas un «petit nouveau». Le fonds existe depuis mars 1986, et Deans en a la responsabilité depuis octobre 1994. L'actif sous gestion est de seulement 107 millions de dollars, mais il affiche une hausse de 54% depuis un an. Ce n'est probablement qu'un début, puisque le Mouvement Desjardins a fait l'acquisition de ce fonds à l'automne 2003. La distribution de ce dernier devrait y gagner en qualité. C'est là une excellente nouvelle pour les investisseurs québécois. Les frais de gestion sont de 2,67%, comparativement à une moyenne de 2,76%. La répartition de l'actif est de 74,4% en actions canadiennes et de 12,1% en fiducies de revenu, et ce en date d'octobre 2003.

Ce fonds a un rendement exceptionnel: il s'est retrouvé dans le premier quartile sans interruption sur 1 à 15 ans. Son rendement annualisé sur 15 ans est de 16,9%, par rapport à une médiane de 7,9%, et sur 2 ans il est de 42,4%, comparativement à une médiane de 3,7%. Que dire de plus? Sa volatilité est certes plus élevée que la moyenne... mais qu'importe?

Analyse du rendement

Efficacité fiscale sur 3 ans · · · · · · · · · · · · · · · 100
Risque sur 3 ans (écart type) · · · · · · · · · · · · · 17,1

Rendement moyen, quartile et indice de référence

ANNÉE	RENDEMENT %	QUARTILE	RENDEMENT MOYEN DE L'INDICE DE RÉFÉRENCE %
3 mois	16,0	1	7,6
6 mois	32,8	1	19,1
02-03	47,8	1	26,8
01-02	37,2	1	-7,7
00-01	12,3	1	-27,5
99-00	-7,1	4	34,4
98-99	16,0	2	18,7
97-98	-44,0	4	-7,8
96-97	11,4	4	24,4
95-96	52,3	1	28,3
94-95	41,7	1	6,4
93-94	-0,9	3	3,2
92-93	110,8	1	31,3

Rendement annuel composé, quartile et indice de référence

PÉRIODE	RENDEMENT ANNUEL COMPOSÉ %	QUARTILE	RENDEMENT ANNUEL COMPOSÉ MOYEN DE L'INDICE DE RÉFÉRENCE %
Depuis création	12,8		
1 an	47,8	1	26,8
2 ans	42,4	1	8,2
3 ans	31,5	1	-5,3
4 ans	20,6	1	3,4
5 ans	19,7	1	6,3
10 ans	12,6	1	8,2
15 ans	16,9	1	XX

RENAISSANCE DE VALEUR BASE CANADIEN
Fonds d'actions canadiennes à grande capitalisation

DATE DE LA CRÉATION
Septembre 1994

GESTIONNAIRE
Morphet, Gaelen

2002-2003

ⓡenseignements généraux

au 31 octobre 2003

⊃ Investissement minimal **500 $**

⊃ Admissibilité au REER **Oui**

⊃ Fréquence des distributions **Annuelle**

⊃ Valeur de l'actif (en millions) **361,8**

⊃ Frais de courtage
Structure **Entrée ou sortie**
Ratio **2,49**
Numéro ➥ entrée **ATL 901**
➥ sortie **ATL 853**
➥ réduit **ATL 671**

⊃ Indice de référence **Indice composé S&P/TSX**

ⓒommentaires

Créé en septembre 1994, ce fonds est maintenant sous la responsabilité de Gaelen Morphet, de l'équipe de gestion de CM Investment Management. C'est un gestionnaire qui est en principe de style valeur, mais qui connaît de bons succès aussi en période de croissance. Alors, avec ce mélange de croissance/valeur, que dire des résultats? Le fonds se maintient dans le premier quartile sur deux, trois, quatre et cinq ans! Et sa volatilité? Elle est plus faible que celle de la moyenne des fonds de sa catégorie.

Même si l'actif sous gestion du fonds ne reflète pas les succès de ce dernier, avec seulement 361 millions de dollars, il est en hausse de plus de 22,7% depuis 12 mois. Les frais de gestion sont de 2,49%, par rapport à une moyenne dans cette catégorie de 2,76%. Au 31 octobre 2003, le fonds était composé de 80% d'actions canadiennes et de 10% d'actions étrangères. Sur cinq ans, son rendement annualisé est de 13,5%, par rapport à une médiane de 6,2%: une différence de plus de 7,3% par année! C'est énorme.

ⓐnalyse du rendement

Efficacité fiscale sur 3 ans	98,93
Risque sur 3 ans (écart type)	11,6

Rendement moyen, quartile et indice de référence

ANNÉE	RENDEMENT %	QUARTILE	RENDEMENT MOYEN DE L'INDICE DE RÉFÉRENCE %
3 mois	5,7	2	7,6
6 mois	16,1	2	19,1
02-03	17,0	2	26,8
01-02	4,7	1	-7,7
00-01	-4,7	1	-27,5
99-00	30,7	2	34,4
98-99	23,3	1	18,7
97-98	-9,5	3	-7,8
96-97	20,5	3	24,4
95-96	15,5	4	28,3
94-95	4,2	3	6,4

Rendement annuel composé, quartile et indice de référence

PÉRIODE	RENDEMENT ANNUEL COMPOSÉ %	QUARTILE	RENDEMENT ANNUEL COMPOSÉ MOYEN DE L'INDICE DE RÉFÉRENCE %
Depuis création	10,4		
1 an	17,0	2	26,8
2 ans	10,7	1	8,2
3 ans	5,3	1	-5,3
4 ans	11,2	1	3,4
5 ans	13,5	1	6,3

DATE DE LA CRÉATION
Septembre 1997

2003

GESTIONNAIRES
Sprott, Eric
Tardif, Jean-Francois

| 1 | 2 | 3 | 4 | 5 | 6 | 7 | 8 | 9 | |

ℝ enseignements généraux

au 31 octobre 2003

- ➲ Investissement minimal — **5 000 $**
- ➲ Admissibilité au REER — **Oui**
- ➲ Fréquence des distributions — **Annuelle**
- ➲ Valeur de l'actif (en millions) — **233,8**
- ➲ Frais de courtage
  Structure — **Aucuns**
  Ratio — **9,39**
  Numéro ➠ entrée — **SPR 001**
- ➲ Indice de référence — **Indice composé S&P/TSX**

ℂ ommentaires

Ce fonds offre un rendement annualisé de 46,1% sur cinq ans, de 29,7% sur trois ans et de 35,0% sur deux ans! Que dire de plus? Évidemment, sa volatilité est élevée, mais il semble que ce soit, dans ce cas-ci, très rentable. Malgré ces taux de rendement inhabituels, son actif est de seulement 233 millions de dollars. Un problème demeure toutefois : sa distribution est déficiente, du moins au Québec, ce qui pourrait expliquer les résultats décevants sur le plan des ventes. Ce fonds a vu le jour en septembre 1997, et la mise de fonds minimale est de 5 000 $. Il est géré par Eric Sprott et Jean-François Tardif. Ce dernier est un Québécois diplômé de l'Université de Sherbrooke et un ancien collaborateur chez Cote 100. Les frais de gestion sont de plus de 9%, ce qui est élevé, mais il s'agit en fait de frais payables en fonction du rendement que le fonds procure à ses investisseurs. Dans la pratique, on constate des frais de base de 2,5% ainsi que des frais additionnels équivalant à 10% des profits.

Le gestionnaire ne donne pas beaucoup de renseignements sur ses positions, mais il semble qu'il ait une préférence pour le secteur des mines et métaux. La meilleure façon d'en savoir plus sur ce fonds et cette firme de gestion est de consulter le site Internet de cette dernière au www.sprottasset management.com

𝔸 nalyse du rendement

| Efficacité fiscale sur 3 ans | 91,54 |
| Risque sur 3 ans (écart type) | 19,7 |

Rendement moyen, quartile et indice de référence

ANNÉE	RENDEMENT %	QUARTILE	RENDEMENT MOYEN DE L'INDICE DE RÉFÉRENCE %
3 mois	20,8	1	7,6
6 mois	30,9	1	19,1
02-03	31,3	1	26,8
01-02	38,9	1	-7,7
00-01	19,7	1	-27,5
99-00	98,6	1	34,4
98-99	53,7	1	18,7
97-98	-39,0	4	-7,8

Rendement annuel composé, quartile et indice de référence

PÉRIODE	RENDEMENT ANNUEL COMPOSÉ %	QUARTILE	RENDEMENT ANNUEL COMPOSÉ MOYEN DE L'INDICE DE RÉFÉRENCE %
Depuis création	28,1		
1 an	31,3	1	26,8
2 ans	35,0	1	8,2
3 ans	29,7	1	-5,3
4 ans	44,3	1	3,4
5 ans	46,1	1	6,3

SYNERGY CATÉGORIE MOMENTUM CANADIEN
Fonds d'actions canadiennes à grande capitalisation

DATE DE LA CRÉATION
Décembre 1997

NOUVEAU

GESTIONNAIRE
Picton, David

ℝenseignements généraux

au 31 octobre 2003

- ⊃ Investissement minimal — **500 $**
- ⊃ Admissibilité au REER — **Oui**
- ⊃ Fréquence des distributions — **Annuelle**
- ⊃ Valeur de l'actif (en millions) — **484,7**
- ⊃ Frais de courtage
  Structure — **Entrée ou sortie**
  Ratio — **2,87**
  Numéro ➡ entrée — **SRG 120**
  ➡ sortie — **SRG 220**
- ⊃ Indice de référence — **Indice composé S&P/TSX**

ℂommentaires

Voici un fonds idéal pour tirer profit d'un marché haussier. David Picton, qui en est responsable depuis décembre 1997, est certainement le meilleur gestionnaire *momentum* au Canada. Les rendements de son fonds dépassent largement ceux des concurrents. L'actif sous gestion est de 484 millions de dollars et les frais de gestion sont de 2,87%.

L'élan des bénéfices, le cours de l'action et plusieurs autres données à court terme prennent une grande importance dans le processus de décision d'un gestionnaire *momentum*. Bien sûr, cette façon de gérer commande des réactions rapides quant aux décisions d'achat et de vente. Un style de gestion aussi audacieux n'est pas à toute épreuve lorsqu'une tempête boursière se pointe. Les rendements du fonds ont été de -27,3% en 2001 et de -4,4% en 2002. Fait surprenant, le rendement a été de 34,4% en 1998, une année pourtant difficile pour les marchés boursiers. Soulignons tout de même que le style de gestion de M. Picton confère à ce produit un risque plus élevé que celui de la moyenne des fonds d'actions canadiennes.

En période de marché haussier, la capacité du gestionnaire à générer des profits ne fait aucun doute. Sur six mois, en date du 31 octobre 2003, le fonds a généré un rendement de 23,7%, comparativement à 19,1% pour l'indice composé S&P/TSX. La différence est également considérable en 1999, année où le fonds a affiché un rendement de 34,4%, supérieur de plus de 50% à celui du S&P/TSX.

𝔸nalyse du rendement

Efficacité fiscale sur 3 ans	-
Risque sur 3 ans (écart type)	17,4

Rendement moyen, quartile et indice de référence

ANNÉE	RENDEMENT %	QUARTILE	RENDEMENT MOYEN DE L'INDICE DE RÉFÉRENCE %
3 mois	10,7	1	7,6
6 mois	23,7	1	19,1
02-03	30,3	1	26,8
01-02	-4,4	2	-7,7
00-01	-27,3	4	-27,5
99-00	**47,0**	1	34,4
98-99	34,4	1	18,7

Rendement annuel composé, quartile et indice de référence

PÉRIODE	RENDEMENT ANNUEL COMPOSÉ %	QUARTILE	RENDEMENT ANNUEL COMPOSÉ MOYEN DE L'INDICE DE RÉFÉRENCE %
Depuis création	11,4		
1 an	30,3	1	26,8
2 ans	11,6	1	8,2
3 ans	-3,3	3	-5,3
4 ans	7,4	2	3,4
5 ans	12,3	1	6,3

TRIMARK CANADIEN CROISSANCE SÉLECT
Fonds d'actions canadiennes à grande capitalisation

DATE DE LA CRÉATION
Novembre 1992

2000-2003

GESTIONNAIRE
Hunter, Heather

Renseignements généraux

au 31 octobre 2003

- Investissement minimal — **500 $**
- Admissibilité au REER — **Oui**
- Fréquence des distributions — **Annuelle**
- Valeur de l'actif (en millions) — **3389,6**
- Frais de courtage
  Structure — **Entrée ou sortie**
  Ratio — **2,38**
  Numéro → entrée — **AIM 1583**
  → sortie — **AIM 15813**
  → réduit — **AIM 1585**
- Indice de référence — **Indice composé S&P/TSX**

Commentaires

Parmi les fonds communs de placement offerts au Canada, celui-ci est un classique. Lancé en novembre 1992, ce fonds est géré par Heather Hunter depuis 1999. C'est le type de produit qui ne bat jamais de records, ni à la hausse ni à la baisse. Il se retrouve toujours dans la moyenne, mais « petit train va loin » ! Les années 1998, 1999 et 2000 ont été particulièrement difficiles pour ce fonds. En effet, le cycle de croissance boursier ne correspondait pas du tout à la philosophie de Robert Krembil, ex-gestionnaire du fonds, dont le style de gestion était jugé trop conservateur à l'époque. L'ancienne famille de fonds Trimark n'a jamais répondu aux appels des Nortels de ce monde. Mais l'histoire a finalement donné raison au gestionnaire de style valeur.

Ce produit fait partie des gros fonds canadiens, avec un actif sous gestion de 3,39 milliards de dollars, en hausse de près de 6 % depuis un an. Les frais de gestion qui y sont associés sont de 2,38 %, par rapport à une moyenne dans sa catégorie de 2,76 %. Son portefeuille est réparti comme suit : 67 % en actions canadiennes, 25 % en actions étrangères et 10 % en liquidités. Ce fonds figure dans le premier quartile sur 2, 3 et 4 ans, et dans le deuxième sur 5 et 10 ans, avec un rendement annualisé de 8,2 % sur 10 ans par rapport à une médiane de 7,4 %. Sa volatilité est plus faible que celle de la moyenne des fonds de sa catégorie.

Analyse du rendement

Efficacité fiscale sur 3 ans	88,05
Risque sur 3 ans (écart type)	10,7

Rendement moyen, quartile et indice de référence			
ANNÉE	RENDEMENT %	QUARTILE	RENDEMENT MOYEN DE L'INDICE DE RÉFÉRENCE %
3 mois	5,1	3	7,6
6 mois	12,8	3	19,1
02-03	15,9	3	26,8
01-02	1,4	1	-7,7
00-01	-2,1	1	-27,5
99-00	16,4	4	34,4
98-99	12,7	3	18,7
97-98	-9,0	2	-7,8
96-97	15,4	4	24,4
95-96	21,1	4	28,3
94-95	2,0	3	6,4
93-94	12,0	1	3,2

Rendement annuel composé, quartile et indice de référence			
PÉRIODE	RENDEMENT ANNUEL COMPOSÉ %	QUARTILE	RENDEMENT ANNUEL COMPOSÉ MOYEN DE L'INDICE DE RÉFÉRENCE %
Depuis création	9,9		
1 an	15,9	3	26,8
2 ans	8,4	1	8,2
3 ans	4,8	1	-5,3
4 ans	7,6	1	3,4
5 ans	8,6	2	6,3
10 ans	8,2	2	8,2

BANQUE NATIONALE PETITE CAPITALISATION
Fonds d'actions canadiennes à petite capitalisation

DATE DE LA CRÉATION
Février 1988

NOUVEAU

GESTIONNAIRES
Équipe de gestion Natcan
Beauregard, Robert

ℝenseignements généraux
au 31 octobre 2003

⊃ Investissement minimal **500 $**

⊃ Admissibilité au REER **Oui**

⊃ Fréquence des distributions **Annuelle**

⊃ Valeur de l'actif (en millions) **152,8**

⊃ Frais de courtage
  Structure **Aucuns**
  Ratio **2,44**
  Numéro ➙ entrée **NBC 441**
  ➙ sortie **NBC 541**

⊃ Indice de référence **BMO Nesbitt Burns petite capitalisation**

ℂommentaires

L'une des découvertes de cette année, grâce à la nouvelle mise en marché faite par la Banque Nationale de sa gamme de produits, ce fonds se retrouve presque en tout temps dans le premier ou le deuxième quartile. Son lancement remonte à février 1988, et sa gestion relève de Robert Beauregard, de Natcan, depuis 1998. Sa volatilité est moyenne pour sa catégorie, et son rendement est supérieur à celui de ses indices de référence. C'est un véritable fonds de croissance qui a su malgré tout conserver sa capitalisation durant la dernière baisse du marché boursier.

Ses frais de gestion sont de 2,44%, comparative-ment à une moyenne de 2,84% dans sa catégorie. Au moment où ces lignes ont été écrites, une grande partie du capital du fonds, soit près de 84%, était investie en actions canadiennes et plus de 10% l'était en actions étrangères. La plus grande position du fonds est le titre de A. L. Van Houtte. Le rende-ment obtenu au cours des 12 derniers mois est de 37,1%, par rapport à une médiane de 11% dans sa catégorie, et de 18,4% sur cinq ans, pour une mé-diane de 11,5%. M. Beauregard est l'un des gestion-naires-vedettes de Natcan, et on comprend pourquoi. Ce fonds est tout désigné pour permettre à l'in-vestisseur de profiter de la croissance de la catégorie des petites capitalisations canadiennes, pour autant qu'on soit prêt à assumer un risque un peu plus élevé que la moyenne.

🅐nalyse du rendement

Efficacité fiscale sur 3 ans	79,31
Risque sur 3 ans (écart type)	17,4

	Rendement moyen, quartile et indice de référence		
ANNÉE	**RENDEMENT %**	**QUARTILE**	**RENDEMENT MOYEN DE L'INDICE DE RÉFÉRENCE %**
3 mois	13,9	2	19,7
6 mois	33,3	2	39,9
02-03	37,1	1	46,9
01-02	4,4	3	3,0
00-01	-9,2	2	-17,8
99-00	51,9	1	15,1
98-99	17,7	2	10,0
97-98	-21,8	1	-31,5
96-97	36,9	2	17,8
95-96	31,4	3	30,6
94-95	-7,7	4	2,2
93-94	-7,4	-	-2,9
92-93	47,8	-	57,0

	Rendement annuel composé, quartile et indice de référence		
PÉRIODE	**RENDEMENT ANNUEL COMPOSÉ %**	**QUARTILE**	**RENDEMENT ANNUEL COMPOSÉ MOYEN DE L'INDICE DE RÉFÉRENCE %**
Depuis création	12,0		
1 an	37,1	1	46,9
2 ans	19,7	2	23,0
3 ans	9,1	2	7,5
4 ans	18,5	2	9,4
5 ans	18,4	1	9,5
10 ans	10,8	-	5,1
15 ans	12,1	-	-

CLARINGTON PETITES SOCIÉTÉS CANADIENNES
Fonds d'actions canadiennes à petite capitalisation

DATE DE LA CRÉATION
Mars 1997

GESTIONNAIRE
Pullen, Leigh

NOUVEAU

`1` `2` `3` `4` `5` `6` `7` `8` ◼ ◼

®enseignements généraux

au 31 octobre 2003

⊃ Investissement minimal	**500 $**
⊃ Admissibilité au REER	**Oui**
⊃ Fréquence des distributions	**Annuelle**
⊃ Valeur de l'actif (en millions)	**99,1**
⊃ Frais de courtage	
Structure	**A ou S**
Ratio	**2,84**
Numéro ➡ entrée	**CCM 520**
➡ sortie	**CCM 521**
➡ réduit	**CCM 975**
⊃ Indice de référence	**BMO Nesbitt Burns petite capitalisation**

©ommentaires

Nouveau venu parmi nos choix vedettes, ce fonds est plutôt méconnu. Cela est sans doute attribuable au fait que son actif sous gestion est d'à peine 99 millions de dollars, ce qui représente toutefois une hausse de plus de 85 % depuis un an. Ce fonds se maintient dans le premier et le deuxième quartile sur une base régulière. La volatilité qui y est associée est excellente compte tenu de celle du secteur. Le risque est plus faible que la moyenne de cette catégorie et le rendement, légèrement supérieur. Que demander de mieux ?

Son gestionnaire est Leigh Pullen depuis 1997. Celui-ci investit généralement dans des entreprises dont la capitalisation boursière se situe entre 300 et 400 millions de dollars. Au moment où ces lignes ont été écrites, près de 20 % de l'actif du fonds était investi dans le secteur des fiducies de revenu. Le rendement annualisé est de 16,2 % sur cinq ans, comparativement à 12 % pour la médiane de la catégorie, et de 31,5 % sur un an, par rapport à 22,8 % pour la médiane. C'est l'un des produits les plus intéressants de la famille Clarington.

®nalyse du rendement

Efficacité fiscale sur 3 ans	100
Risque sur 3 ans (écart type)	14

Rendement moyen, quartile et indice de référence

ANNÉE	RENDEMENT %	QUARTILE	RENDEMENT MOYEN DE L'INDICE DE RÉFÉRENCE %
3 mois	16,1	1	19,7
6 mois	27,2	2	39,9
02-03	31,5	2	46,9
01-02	32,9	1	3,0
00-01	16,0	1	-17,8
99-00	1,9	4	15,1
98-99	2,5	4	10,0
97-98	-18,2	1	-31,5

Rendement annuel composé, quartile et indice de référence

PÉRIODE	RENDEMENT ANNUEL COMPOSÉ %	QUARTILE	RENDEMENT ANNUEL COMPOSÉ MOYEN DE L'INDICE DE RÉFÉRENCE %
Depuis création	11,0		
1 an	31,5	2	46,9
2 ans	32,2	1	23,0
3 ans	26,5	1	7,5
4 ans	19,9	1	9,4
5 ans	16,2	2	9,5

ELLIOTT & PAGE OCCASIONS DE CROISSANCE
Fonds d'actions canadiennes à petite capitalisation

DATE DE LA CRÉATION
Novembre 1998

GESTIONNAIRE
Whitehead, Ted

| 1 | 2 | 3 | 4 | 5 | 6 | 7 | 8 | 9 | ■ |

Renseignements généraux

au 31 octobre 2003

⊃ Investissement minimal **500 $**

⊃ Admissibilité au REER **Oui**

⊃ Fréquence des distributions **Trimestrielle**

⊃ Valeur de l'actif (en millions) **144**

⊃ Frais de courtage
   Structure **Entrée ou sortie**
   Ratio **2,69**
   Numéro ➡ entrée **EPL 588**
   ➡ sortie **EPL 488**
   ➡ réduit **EPL 788**

⊃ Indice de référence **BMO Nesbitt Burns petite capitalisation**

Commentaires

Les produits Elliott & Page appartiennent à la compagnie d'assurances Manuvie, beaucoup plus connue que cette famille de fonds. Elliott & Page occasions de croissance existe depuis novembre 1998 et est géré par l'excellent gestionnaire Ted Whitehead. Les résultats du fonds sont tout à fait exceptionnels. Depuis sa création, il se situe dans le premier quartile en tout temps, et n'a jamais connu de rendements négatifs, et ce malgré le contexte difficile des années 2000 à 2002. Sur 12 mois, son rendement est de 32,8 %, par rapport à une médiane dans sa catégorie de 16,5 %; sur 3 ans, il est de 16,4 %, alors que la médiane est de -2,5 %. Remarquable! Les frais de gestion du fonds sont de 2,69 %, soit légèrement au-dessous de la moyenne de sa catégorie, à 2,75 %. Compte tenu des rendements procurés à l'investisseur, ces frais sont sans doute pleinement justifiés. Le risque associé à ce fonds est tout à fait acceptable pour ce secteur.

L'actif sous gestion, de 144 millions de dollars, est très faible en considération de tels rendements, mais il est en hausse de 351 % depuis 12 mois. Il faut croire que les investisseurs viennent de découvrir ce fonds, qui fait partie de nos choix pour une deuxième année d'affilée.

Analyse du rendement

| Efficacité fiscale sur 3 ans | 95,29 |
| Risque sur 3 ans (écart type) | 15 |

	Rendement moyen, quartile et indice de référence		
ANNÉE	**RENDEMENT %**	**QUARTILE**	**RENDEMENT MOYEN DE L'INDICE DE RÉFÉRENCE %**
3 mois	13,5	1	19,7
6 mois	26,8	1	39,9
02-03	32,8	1	46,9
01-02	15,4	1	3,0
00-01	2,9	1	-17,8
99-00	49,7	1	15,1

	Rendement annuel composé, quartile et indice de référence		
PÉRIODE	**RENDEMENT ANNUEL COMPOSÉ %**	**QUARTILE**	**RENDEMENT ANNUEL COMPOSÉ MOYEN DE L'INDICE DE RÉFÉRENCE %**
Depuis création	32,8		
1 an	32,8	1	46,9
2 ans	23,8	1	23,0
3 ans	16,4	1	7,5
4 ans	24,0	1	9,4

FIDELITY POTENTIEL CANADA
Fonds d'actions canadiennes à petite capitalisation

DATE DE LA CRÉATION
Juillet 2000

2001-2002-2003

GESTIONNAIRE
Lemieux, Maxime

Renseignements généraux

au 31 octobre 2003

⊃ Investissement minimal	**500 $**
⊃ Admissibilité au REER	**Oui**
⊃ Fréquence des distributions	**Annuelle**
⊃ Valeur de l'actif (en millions)	**157,4**
⊃ Frais de courtage	
Structure	**Entrée ou sortie**
Ratio	**2,58**
Numéro ➡ entrée	**FID 215**
➡ sortie	**FID 515**
⊃ Indice de référence	**BMO Nesbitt Burns petite capitalisation**

Commentaires

Voici notre premier choix dans la catégorie des petites capitalisations. Malgré sa création récente, en juillet 2000, ce fonds en est à sa quatrième mention dans notre guide. La raison en est fort simple : l'excellence de son gestionnaire-vedette, Maxime Lemieux, un Québécois qui travaille à Boston pour Fidelity depuis l'obtention de son diplôme universitaire à McGill. Jusqu'à maintenant, ce fonds a toujours compris plusieurs titres d'entreprises québécoises dans son portefeuille. Il faut dire que le gestionnaire est en pays de connaissance. Alimentation Couche-Tard, CGI, Métro-Richelieu, Mega Bloks et Astral Media faisaient partie de son portefeuille en date du 31 octobre 2003. Le fonds a des frais de gestion de 2,58 %, comparativement à une moyenne dans sa catégorie de 2,80 %. Son actif sous gestion est de 157 millions de dollars, en hausse de 43,4 % depuis les 12 derniers mois.

Son rendement est de 21,1 % depuis six mois, et il se trouve dans le premier quartile depuis sa création. Même pour un fonds de petite capitalisation, son écart type est tout ce qu'il y a de plus acceptable. Le style de gestion, qu'on qualifie d'ascendant, est conforme à celui de Fidelity, qui est la plus importante firme de gestion du monde. Maxime Lemieux est très proche d'Alan Radlo, le gestionnaire-vedette de Fidelity ; leurs portefeuilles contiennent souvent des titres semblables.

Analyse du rendement

Efficacité fiscale sur 3 ans	100
Risque sur 3 ans (écart type)	13,7

Rendement moyen, quartile et indice de référence

ANNÉE	RENDEMENT %	QUARTILE	RENDEMENT MOYEN DE L'INDICE DE RÉFÉRENCE %
3 mois	10,0	1	19,7
6 mois	21,1	1	39,9
02-03	21,6	1	46,9
01-02	4,2	1	3,0
00-01	-12,1	2	-17,8

Rendement annuel composé, quartile et indice de référence

PÉRIODE	RENDEMENT ANNUEL COMPOSÉ %	QUARTILE	RENDEMENT ANNUEL COMPOSÉ MOYEN DE L'INDICE DE RÉFÉRENCE %
Depuis création	3,5		
1 an	21,6	1	46,9
2 ans	12,6	1	23,0
3 ans	3,7	1	7,5

FIDELITY EXPANSION CANADA
Fonds d'actions canadiennes à petite capitalisation

DATE DE LA CRÉATION
Juillet 1994

GESTIONNAIRE
Radlo, Alan

1998-2000-2001-2002-2003

®enseignements généraux

au 31 octobre 2003

➜ Investissement minimal **500 $**

➜ Admissibilité au REER **Oui**

➜ Fréquence des distributions **Annuelle**

➜ Valeur de l'actif (en millions) **2106,4**

➜ Frais de courtage
   Structure **Entrée ou sortie**
   Ratio **2,53**
   Numéro ➜ entrée **FID 265**
   ➜ sortie **FID 565**

➜ Indice de référence **Indice composé S&P/TSX**

©ommentaires

Dans la gamme de fonds de petite capitalisation, il est difficile d'omettre ce produit et son célèbre gestionnaire, Alan Radlo, de Fidelity. Notons toutefois que ce dernier peut à l'occasion acheter des titres de moyenne capitalisation. À notre avis, M. Radlo est l'un des meilleurs gestionnaires qui soient. Ce fonds a été créé en juillet 1994, et il figure dans notre guide pour une sixième année de suite. Il se retrouve constamment dans le premier ou le deuxième quartile, et son facteur de risque est tout à fait correct pour sa catégorie. L'actif du fonds dépasse les deux milliards de dollars, et ses frais de gestion sont de 2,53%, comparativement à une moyenne de 2,73% dans ce secteur.

Nous avons souvent affirmé qu'Alan Radlo, qui connaît très bien les entreprises d'ici, est le plus québécois des gestionnaires. Son portefeuille est toujours bien garni de titres québécois. En octobre 2003, nous y trouvions des titres comme Alimentation Couche-Tard, Power Corporation, CGI, Métro-Richelieu et Jean Coutu. Il arrive très souvent que M. Radlo maintienne plus de 100 à 125 titres dans son fonds. C'est un produit incontournable.

Ⓐnalyse du rendement

Efficacité fiscale sur 3 ans -

Risque sur 3 ans (écart type) 13,4

ANNÉE	Rendement moyen, quartile et indice de référence		
	RENDEMENT %	QUARTILE	RENDEMENT MOYEN DE L'INDICE DE RÉFÉRENCE %
3 mois	9,2	1	7,6
6 mois	19,8	1	19,1
02-03	17,3	2	26,8
01-02	-3,6	2	-7,7
00-01	-11,8	2	-27,5
99-00	34,3	2	34,4
98-99	13,5	2	18,7
97-98	-6,6	2	-7,8
96-97	39,7	1	24,4
95-96	23,7	3	28,3
94-95	21,3	1	6,4

PÉRIODE	Rendement annuel composé, quartile et indice de référence		
	RENDEMENT ANNUEL COMPOSÉ %	QUARTILE	RENDEMENT ANNUEL COMPOSÉ MOYEN DE L'INDICE DE RÉFÉRENCE %
Depuis création	13,1		
1 an	17,3	2	26,8
2 ans	6,3	2	8,2
3 ans	-0,1	2	-5,3
4 ans	7,6	1	3,4
5 ans	8,7	1	6,3

MAESTRAL CROISSANCE QUÉBEC
Fonds d'actions canadiennes à petite capitalisation

DATE DE LA CRÉATION
Février 1987

GESTIONNAIRE
Harrison, Peter

1999-2001-2002-2003

Renseignements généraux

au 31 octobre 2003

⊃ Investissement minimal	**500 $**
⊃ Admissibilité au REER	**Oui**
⊃ Fréquence des distributions	**ND**
⊃ Valeur de l'actif (en millions)	**100,5**
⊃ Frais de courtage	
Structure	**Entrée ou sortie**
Ratio	**2,30**
Numéro ➡ entrée	**MAE 02058**
➡ sortie	**MAE 03058**
➡ réduit	**MAE 04058**
⊃ Indice de référence	**Indice composé S&P/TSX**

Commentaires

Ce fonds fait partie de nos choix pour la cinquième fois. Malgré de nombreux changements de gestionnaire au fil des ans – l'illustre Christine Décarie a déjà occupé le poste –, ce fonds a toujours réussi à se démarquer, sauf l'année dernière. Actuellement, c'est Peter Harrison, de Montrusco Bolton, qui en a la responsabilité. Le fonds a un actif sous gestion de plus de 100 millions de dollars, en hausse de plus de 60 % depuis que Desjardins en a pris la direction et en assure la distribution. Les frais de gestion sont demeurés compétitifs, à 2,30 %, par rapport à une moyenne de 2,55 % dans cette catégorie. Sur une période de 15 ans, le fonds maintient un rendement annualisé de 13,4 %, comparativement à une médiane de seulement 6,99 %. Pourtant, son écart type se situe très près de la moyenne de sa catégorie.

Évidemment, ce fonds est principalement investi en titres d'entreprises québécoises : est-ce la raison de son succès ? Ses plus importantes positions sont Industrielle Alliance, Banque Royale, Métro-Richelieu, Banque Nationale, TVA et Domtar. Ce fonds vous permet non seulement de ressentir de la fierté nationale, mais aussi de profiter d'une bonne affaire.

Analyse du rendement

Efficacité fiscale sur 3 ans	100
Risque sur 3 ans (écart type)	16,3

Rendement moyen, quartile et indice de référence

ANNÉE	RENDEMENT %	QUARTILE	RENDEMENT MOYEN DE L'INDICE DE RÉFÉRENCE %
3 mois	9,0	1	7,6
6 mois	16,8	3	19,1
02-03	16,1	4	26,8
01-02	6,8	1	-7,7
00-01	-17,8	1	-27,5
99-00	32,0	2	34,4
98-99	18,3	1	18,7
97-98	2,2	1	-7,8
96-97	51,8	1	24,4
95-96	28,8	1	28,3
94-95	4,2	3	6,4
93-94	-12,5	4	3,2
92-93	49,0	1	31,3

Rendement annuel composé, quartile et indice de référence

PÉRIODE	RENDEMENT ANNUEL COMPOSÉ %	QUARTILE	RENDEMENT ANNUEL COMPOSÉ MOYEN DE L'INDICE DE RÉFÉRENCE %
Depuis création	6,3		
1 an	16,1	4	26,8
2 ans	11,4	1	8,2
3 ans	0,7	1	-5,3
4 ans	7,7	1	3,4
5 ans	9,8	1	6,3
10 ans	11,2	1	5,7
15 ans	13,4	-	7,3

STANDARD LIFE ACTIONS CANADIENNES À FAIBLE CAPITALISATION

Fonds d'actions canadiennes à petite capitalisation

DATE DE LA CRÉATION
Novembre 1994

2003

GESTIONNAIRES
Raschkowan, Norman
Renaud, Roger, et Hill, Peter

®enseignements généraux

au 31 octobre 2003

- ➲ Investissement minimal **1 000 $**
- ➲ Admissibilité au REER **Oui**
- ➲ Fréquence des distributions **Trimestrielle**
- ➲ Valeur de l'actif (en millions) **41,2**
- ➲ Frais de courtage
  Structure **Entrée ou sortie**
  Ratio **2,46**
  Numéro ➡ entrée **SLM 254**
  ➡ sortie **SLM 054**
- ➲ Indice de référence **BMO Nesbitt Burns petite capitalisation**

©ommentaires

Ce fonds est géré par trois gestionnaires : Norman Raschkowan, Roger Renaud et Peter Hill, de l'équipe de Standard Life Investments. Actuellement, ce produit se retrouve dans le premier quartile sur 2, 3, 4 et 5 ans, malgré les difficultés qu'il a connues au cours des 12 derniers mois. Ses frais de gestion sont de 2,46 %, légèrement au-dessous de la médiane de son groupe. La capitalisation des entreprises qui composent le fonds est généralement faible ou moyenne. La volatilité du fonds est la plupart du temps au-dessus de celle de la moyenne des fonds de sa catégorie, mais les investisseurs en sont bien récompensés.

Le rendement annualisé sur cinq ans est de 12,4 %, nettement au-dessus de la moyenne de sa catégorie. L'actif sous gestion est de 41 millions de dollars, en hausse de 42 % depuis un an. Ce produit est très intéressant.

®nalyse du rendement

Efficacité fiscale sur 3 ans	77,09
Risque sur 3 ans (écart type)	16,0

Rendement moyen, quartile et indice de référence			
ANNÉE	RENDEMENT %	QUARTILE	RENDEMENT MOYEN DE L'INDICE DE RÉFÉRENCE %
3 mois	7,4	1	19,7
6 mois	19,4	1	39,9
02-03	16,7	4	46,9
01-02	11,3	1	3,0
00-01	-5,9	1	-17,8
99-00	23,4	4	15,1
98-99	18,7	1	10,0
97-98	-16,0	4	-31,5
96-97	**30,3**	2	17,8
95-96	26,5	2	30,6

Rendement annuel composé, quartile et indice de référence			
PÉRIODE	RENDEMENT ANNUEL COMPOSÉ %	QUARTILE	RENDEMENT ANNUEL COMPOSÉ MOYEN DE L'INDICE DE RÉFÉRENCE %
Depuis création	10,9		
1 an	16,7	4	46,9
2 ans	14,0	1	23,0
3 ans	6,9	1	7,5
4 ans	10,8	1	9,4
5 ans	12,4	1	9,5

TALVEST ACTIONS CANADIENNES À FAIBLE CAPITALISATION
Fonds d'actions canadiennes à petite capitalisation

DATE DE LA CRÉATION
Janvier 1994

GESTIONNAIRE
Van Berkom, Sebastian

1998-2000-2001-2002-2003

Renseignements généraux

au 31 octobre 2003

- ⊃ Investissement minimal **500 $**
- ⊃ Admissibilité au REER **Oui**
- ⊃ Fréquence des distributions **semestrielle**
- ⊃ Valeur de l'actif (en millions) **237,5**
- ⊃ Frais de courtage
  Structure **Entrée ou sortie**
  Ratio **2,89**
  Numéro ➡ entrée **TAL 524**
      ➡ sortie **TAL 526**
- ⊃ Indice de référence **BMO Nesbitt Burns petite capitalisation**

Commentaires

Fonds-vedette de notre guide pour la sixième fois, ce produit est incontournable au Québec grâce, surtout, à la réputation plus qu'enviable de Sebastian Van Berkom. Celui-ci en est le gestionnaire depuis sa création, en janvier 1994. M. Van Berkom a toujours conservé le même objectif de croissance en investissant dans des entreprises sous-évaluées ou qui représentaient un potentiel supérieur à la moyenne. Son style de gestion est axé sur la détention à long terme de titres. Ses secteurs préférés? Les matériaux industriels et les services aux consommateurs. Le rendement sur cinq ans de ce fonds est légèrement inférieur à la médiane de sa catégorie, mais son écart type l'est aussi, ce qui en fait un bon achat en raison de son ratio risque/rendement.

Son actif sous gestion, d'un peu plus de 237 millions de dollars, est stable. Ses frais de gestion sont de 2,89%, comparativement à une moyenne dans sa catégorie de 2,84%. Il s'agit de l'un des fonds les plus intéressants sur le marché québécois.

Analyse du rendement

Efficacité fiscale sur 3 ans	87,41
Risque sur 3 ans (écart type)	14,1

Rendement moyen, quartile et indice de référence			
ANNÉE	**RENDEMENT %**	**QUARTILE**	**RENDEMENT MOYEN DE L'INDICE DE RÉFÉRENCE %**
3 mois	4,5	4	2,5
6 mois	18,2	3	11,4
02-03	22,4	3	7,5
01-02	6,5	2	-13,6
00-01	-9,0	2	-19,3
99-00	23,2	2	5,8
98-99	9,7	3	8,4
97-98	-28,5	2	31,7
96-97	56,8	1	33,7
95-96	29,6	3	18,5
94-95	10,3	2	13,8

Rendement annuel composé, quartile et indice de référence			
PÉRIODE	**RENDEMENT ANNUEL COMPOSÉ %**	**QUARTILE**	**RENDEMENT ANNUEL COMPOSÉ MOYEN DE L'INDICE DE RÉFÉRENCE %**
Depuis création	8,3		
1 an	22,4	3	46,9
2 ans	14,2	3	23,0
3 ans	5,8	2	7,5
4 ans	9,9	3	9,4
5 ans	9,9	3	9,5

TRIMARK PETITES SOCIÉTÉS CANADIENNES
Fonds d'actions canadiennes à petite capitalisation

DATE DE LA CRÉATION
Mai 1998

2002-2003

GESTIONNAIRE
Mikalachki, Robert

ℝenseignements généraux

au 31 octobre 2003

⊃ Investissement minimal	**500 $**
⊃ Admissibilité au REER	**Oui**
⊃ Fréquence des distributions	**Annuelle**
⊃ Valeur de l'actif (en millions)	**257**
⊃ Frais de courtage	
Structure	**Entrée ou sortie**
Ratio	**2,54**
Numéro ➡ entrée	**AIM 1683**
➡ sortie	**AIM 1681**
➡ réduit	**AIM 1685**
⊃ Indice de référence	**BMO Nesbitt Burns petite capitalisation**

ℂommentaires

Figurant dans notre guide depuis trois ans, ce fonds a un actif sous gestion de plus de 255 millions de dollars, légèrement en baisse depuis un an. Son gestionnaire, Robert Mikalachki, continue de se distinguer année après année malgré une conjoncture économique sans cesse changeante. Ce fonds a une volatilité considérée comme faible par rapport à sa catégorie, et ses frais de gestion sont légèrement inférieurs à la moyenne.

Il est l'un des fonds les plus rentables depuis sa création, en mai 1998. Il se démarque par un rendement annualisé de 16,4 % sur cinq ans et de 18,2 % sur trois ans, alors que la médiane sur trois ans est de seulement 5,2 %. Les 12 derniers mois semblent avoir été un peu difficiles, mais nous avons toute confiance en ce gestionnaire. Le fonds est fait sur mesure pour l'investisseur qui désire profiter du potentiel de croissance du secteur de petite capitalisation, tout en contrôlant au maximum le facteur de risque. Malheureusement, il n'accepte plus de nouvelles contributions pour le moment : il faudra surveiller sa réouverture.

𝔸nalyse du rendement

Efficacité fiscale sur 3 ans	96,11
Risque sur 3 ans (écart type)	13,8

ANNÉE	RENDEMENT %	QUARTILE	RENDEMENT MOYEN DE L'INDICE DE RÉFÉRENCE %
Rendement moyen, quartile et indice de référence			
3 mois	6,3	4	19,7
6 mois	17,8	4	39,9
02-03	16,6	4	46,9
01-02	15,8	2	3,0
00-01	22,3	1	-17,8
99-00	22,2	3	15,1
98-99	5,9	3	10,0

PÉRIODE	RENDEMENT ANNUEL COMPOSÉ %	QUARTILE	RENDEMENT ANNUEL COMPOSÉ MOYEN DE L'INDICE DE RÉFÉRENCE %
Rendement annuel composé, quartile et indice de référence			
Depuis création	13,4		
1 an	16,6	4	46,9
2 ans	16,2	3	23,0
3 ans	18,2	1	7,5
4 ans	19,2	1	9,4
5 ans	16,4	2	9,5

MACKENZIE CUNDILL MONDIAL ÉQUILIBRÉ
Fonds équilibré mondial

DATE DE LA CRÉATION
Octobre 1999

GESTIONNAIRES
Burton, Wade
Cundill, Peter

NOUVEAU

ℝenseignements généraux

au 31 octobre 2003

- Investissement minimal — **500 $**
- Admissibilité au REER — **Max. 30 %**
- Fréquence des distributions — **Annuelle**
- Valeur de l'actif (en millions) — **94,8**
- Frais de courtage
  Structure — **Entrée ou sortie**
  Ratio — **2,82**
  Numéro ➡ entrée — **MFC 757**
      ➡ sortie — **MFC 857**
- Indice de référence — **Morningstar Équilibré III**

ℂommentaires

Avec Peter Cundill comme gestionnaire, il est déjà évident que nous avons affaire à un fonds qui se démarque. Son risque est moins élevé que la moyenne, mais son rendement est nettement plus élevé que celui des fonds de sa catégorie. Il constitue notre premier choix dans ce secteur. Ce fonds a été créé en octobre 1999 et possède actuellement un actif sous gestion de plus de 94 millions de dollars, en hausse de 96% depuis les 12 derniers mois. Ses frais de gestion sont de 2,82%, par rapport à une moyenne de 2,85% dans cette catégorie. Il faut dire qu'un Wayne Gretzky, ça coûte plus cher, mais ça marque des points!

La répartition en titres à revenu fixe peut représenter de 25 à 75% du portefeuille. Actuellement, la répartition géographique est de 60% au Canada, 13,5% au Japon, 7% à Hong-Kong et seulement 7,3% aux États-Unis. C'est ce qui explique les excellents résultats du fonds sur 12 mois au 31 octobre 2003, de 14,6%, comparativement à 6,8% pour la médiane de sa catégorie. Sur trois ans, le rendement annualisé est de 7,2%, alors que la médiane est de -4,4%. Un excellent marqueur.

𝔸nalyse du rendement

Efficacité fiscale sur 3 ans	93,33
Risque sur 3 ans (écart type)	7,0

Rendement moyen, quartile et indice de référence

ANNÉE	RENDEMENT %	QUARTILE	RENDEMENT MOYEN DE L'INDICE DE RÉFÉRENCE %
3 mois	6,8	1	4,0
6 mois	13,7	1	10,8
02-03	14,6	1	14,0
01-02	2,9	1	-3,8
00-01	4,4	1	-10,8
99-00	6,8	4	16,9

Rendement annuel composé, quartile et indice de référence

PÉRIODE	RENDEMENT ANNUEL COMPOSÉ %	QUARTILE	RENDEMENT ANNUEL COMPOSÉ MOYEN DE L'INDICE DE RÉFÉRENCE %
Depuis création	7,1		
1 an	14,6	1	14,0
2 ans	8,6	1	4,7
3 ans	7,2	1	-0,7
4 ans	7,1	1	3,4

MACKENZIE IVY MONDIAL ÉQUILIBRÉ
Fonds équilibré mondial

DATE DE LA CRÉATION
Novembre 1993

GESTIONNAIRES
Javasky, Jerry
Musson, Paul

2003

ⓡ enseignements généraux

au 31 octobre 2003

➲ Investissement minimal — **500 $**

➲ Admissibilité au REER — **Max. 30 %**

➲ Fréquence des distributions — **Annuelle**

➲ Valeur de l'actif (en millions) — **313,6**

➲ Frais de courtage
Structure — **Entrée ou sortie**
Ratio — **2,54**
Numéro ➡ entrée — **MFC 086**
 ➡ sortie — **MFC 616**

➲ Indice de référence — **Morningstar Équilibré III**

ⓒ ommentaires

Ce fonds a connu une année particulièrement difficile en 2003, tout comme la grande majorité des fonds de ce secteur. Par contre, la performance atteinte en 2002 par l'équipe de gestionnaires, composée de Jerry Javasky et de Paul Musson, avait rapidement fait oublier les déboires de 2001. Il s'agit de l'un des fonds de cette catégorie dont le ratio risque/rendement est assez intéressant ; la présence de M. Javasky y est sûrement pour quelque chose. Au 31 octobre 2003, plus de 76 % de l'actif était investi en actions étrangères, dont plus de 56 % aux États-Unis.

Ce fonds impose des frais de gestion de 2,54 %, légèrement plus faibles que ceux des produits comparables. Son actif sous gestion, de 313 millions de dollars, a connu une hausse de plus de 80 % au cours des 12 derniers mois. Malgré que son rendement annualisé soit de -0,6 % sur cinq ans, nous continuons de croire que les gestionnaires sauront rapidement se démarquer. L'un des grands problèmes de ce type de fonds depuis plusieurs mois est la faiblesse du dollar de nos voisins du sud.

ⓐ nalyse du rendement

Efficacité fiscale sur 3 ans — -
Risque sur 3 ans (écart type) — 10,8

Rendement moyen, quartile et indice de référence			
ANNÉE	**RENDEMENT %**	**QUARTILE**	**RENDEMENT MOYEN DE L'INDICE DE RÉFÉRENCE %**
3 mois	1,0	4	4,0
6 mois	3,0	4	10,8
02-03	-2,6	4	14,0
01-02	2,4	1	-3,8
00-01	-10,0	2	-10,8
99-00	-1,0	4	16,9
99-00	9,2	2	11,3
99-00	26,1	1	5,3
99-00	12,1	3	18,2
99-00	-2,3	4	20,3
99-00	0,5	4	11,4

Rendement annuel composé, quartile et indice de référence			
PÉRIODE	**RENDEMENT ANNUEL COMPOSÉ %**	**QUARTILE**	**RENDEMENT ANNUEL COMPOSÉ MOYEN DE L'INDICE DE RÉFÉRENCE %**
Depuis création	3,8		
1 an	-2,6	4	14,0
2 ans	-0,1	2	4,7
3 ans	-3,5	2	-0,7
4 ans	-2,9	3	3,4
5 ans	-0,6	3	4,9

TRIMARK MONDIAL ÉQUILIBRÉ
Fonds équilibré mondial

DATE DE LA CRÉATION
Octobre 1999

GESTIONNAIRES
Hunt, Vince
Love, Dana
Jenkins, Richard

Renseignements généraux

au 31 octobre 2003

⊃ Investissement minimal	**500 $**
⊃ Admissibilité au REER	**Max. 30 %**
⊃ Fréquence des distributions	**Trimestrielle**
⊃ Valeur de l'actif (en millions)	**215,5**
⊃ Frais de courtage	
Structure	**Entrée ou sortie**
Ratio	**2,46**
Numéro ➡ entrée	**AIM 1773**
➡ sortie	**AIM 1771**
➡ réduit	**AIM 1775**
⊃ Indice de référence	**Morningstar Équilibré III**

Analyse du rendement

Efficacité fiscale sur 3 ans	95,75
Risque sur 3 ans (écart type)	17,1

ANNÉE	RENDEMENT %	QUARTILE	RENDEMENT MOYEN DE L'INDICE DE RÉFÉRENCE %
Rendement moyen, quartile et indice de référence			
3 mois	9,8	1	4,0
6 mois	24,8	1	10,8
02-03	**25,6**	1	14,0
01-02	0,9	1	-3,8
00-01	4,6	1	-10,8
99-00	13,0	2	16,9

PÉRIODE	RENDEMENT ANNUEL COMPOSÉ %	QUARTILE	RENDEMENT ANNUEL COMPOSÉ MOYEN DE L'INDICE DE RÉFÉRENCE %
Rendement annuel composé, quartile et indice de référence			
Depuis création	10,8		
1 an	25,6	1	14,0
2 ans	12,6	1	4,7
3 ans	9,8	1	-0,7
4 ans	10,6	1	3,4

Commentaires

Il s'agit d'un fonds relativement nouveau, qui est en à sa première mention dans notre guide annuel. Sa création remonte à octobre 1999, quand l'excellent Richard Jenkins en avait pris les commandes ; par la suite, Vince Hunt et Dana Love se sont joints à lui. Ce produit figure dans le premier quartile sur un, deux, trois et quatre ans. Il connaît un rendement annualisé de 9,8 % sur trois ans, par rapport à -4,4 % pour la moyenne de sa catégorie. Son actif est de 215 millions de dollars, en hausse de 31 % depuis un an.

Ses frais de gestion sont de 2,46 %, par rapport à une moyenne de 2,85 % dans ce secteur. En date d'octobre 2003, le gestionnaire conservait une position importante, de plus de 70 %, en actions étrangères, comparativement à une moyenne d'environ 46 % pour la moyenne des fonds de sa catégorie. La répartition géographique est de 28 % aux États-Unis, 37 % en Europe, 13 % au Canada et 8,7 % en Allemagne. Ce fonds est intéressant, puisqu'il a su bien réagir face à la dégringolade du dollar américain.

DATE DE LA CRÉATION
Juin 1997

2000-2002-2003

GESTIONNAIRES
Arnold, John
Flynn, Rory

ℝenseignements généraux

au 31 octobre 2003

➲ Investissement minimal **1 000 $**

➲ Admissibilité au REER **Max. 30 %**

➲ Fréquence des distributions **Annuelle**

➲ Valeur de l'actif (en millions) **742,7**

➲ Frais de courtage
  Structure **Entrée ou sortie**
  Ratio **2,92**
  Numéro ➡ entrée **AGF 255**
  ➡ sortie **AGF 955**

➲ Indice de référence **Citigroup Actions EPAC**

ℂommentaires

C'est la quatrième fois que ce fonds figure dans notre guide annuel. Créé en juin 1997, ce produit relativement récent est sous la responsabilité de John Arnold et de Rory Flynn depuis juin 2002. Ceux-ci ont remplacé Brandes Investment Partners lorsque cette firme de gestion a décidé de ne pas renouveler son mandat avec AGF. Il semble que les nouveaux gestionnaires aient fait du bon travail, puisque le fonds se retrouve dans le premier quartile depuis cinq ans. Le rendement annualisé est de 4,5 % sur cinq ans, par rapport à une médiane de -2,4 % pour cette catégorie. L'actif sous gestion est en légère baisse et se situe à près de 743 millions de dollars.

Il s'agit d'un fonds international, qui est néanmoins investi à plus de 80 % en Europe. À la suite des résultats obtenus par la nouvelle équipe de gestionnaires, nous sommes heureux de ne pas avoir mis une croix trop rapidement sur ce fonds. Plusieurs observateurs avaient effectivement considéré le changement de portefeuillistes comme catastrophique.

𝔸nalyse du rendement

Efficacité fiscale sur 3 ans	100
Risque sur 3 ans (écart type)	22,5

Rendement moyen, quartile et indice de référence			
ANNÉE	**RENDEMENT %**	**QUARTILE**	**RENDEMENT MOYEN DE L'INDICE DE RÉFÉRENCE %**
3 mois	0,6	4	5,8
6 mois	15,5	2	16,8
02-03	9,2	1	9,8
01-02	-13,9	1	-12,7
00-01	-12,3	1	-20,6
99-00	18,5	1	1,6
98-99	27,7	1	18,2
97-98	19,0	2	19,1

Rendement annuel composé, quartile et indice de référence			
PÉRIODE	**RENDEMENT ANNUEL COMPOSÉ %**	**QUARTILE**	**RENDEMENT ANNUEL COMPOSÉ MOYEN DE L'INDICE DE RÉFÉRENCE %**
Depuis création	6,1		
1 an	9,2	1	9,8
2 ans	-3,0	1	-2,1
3 ans	-6,2	1	-8,7
4 ans	-0,6	1	-6,2
5 ans	4,5	1	-1,8

AGF VALEUR INTERNATIONALE
Fonds d'actions internationales

DATE DE LA CRÉATION
Juin 1989

GESTIONNAIRES
Loeb, Edward
Herro, David

2000-2001-2002-2003

ℝenseignements généraux

au 31 octobre 2003

- ⊃ Investissement minimal **1 000 $**
- ⊃ Admissibilité au REER **Max. 30 %**
- ⊃ Fréquence des distributions **Annuelle**
- ⊃ Valeur de l'actif (en millions) **4714,9**
- ⊃ Frais de courtage
  Structure **Entrée ou sortie**
  Ratio **2,84**
  Numéro ➡ entrée **AGF 782**
        ➡ sortie **AGF 682**
- ⊃ Indice de référence **Citigroup Actions mondiales**

ℂommentaires

Ce fonds en est à sa cinquième mention dans notre guide annuel. Un certain malaise s'était installé en juin 2002 lorsque la firme de gestion Brandes Investment Partners avait décidé de ne plus assurer la gestion de ce fonds et que la famille AGF avait choisi d'en confier les rênes à la firme Harris Associates. Malgré le bien-fondé du questionnement concernant ce changement, il n'y avait pas de raison de quitter la partie comme plusieurs investisseurs l'ont fait. Edward Loeb et David Herro assument jusqu'à maintenant très bien leurs responsabilités. Notons que l'actif de ce fonds, de plus de 4,7 milliards de dollars, est néanmoins en baisse, puisqu'à l'arrivée de la firme Harris Associates il était de plus de 6,3 milliards.

Au 31 octobre 2003, le rendement sur les 12 derniers mois a été de 8,3 %, soit de deuxième quartile, comparativement à seulement 5,6 % pour la médiane du secteur. Sur 10 ans, le fonds demeure dans le premier quartile avec un rendement annualisé de 10,0 %, par rapport à 5,3 % pour la médiane. C'est toujours un excellent fonds, un peu plus à risque que ceux de sa catégorie, mais l'investisseur en est bien récompensé.

𝔸nalyse du rendement

Efficacité fiscale sur 3 ans	-
Risque sur 3 ans (écart type)	17,8

Rendement moyen, quartile et indice de référence

ANNÉE	RENDEMENT %	QUARTILE	RENDEMENT MOYEN DE L'INDICE DE RÉFÉRENCE %
3 mois	1,0	4	2,8
6 mois	11,0	3	12,2
02-03	8,3	2	7,3
01-02	-19,7	3	-14,1
00-01	-5,1	1	-21,2
99-00	35,0	1	10,4
98-99	12,7	3	17,9
97-98	18,7	1	22,6
96-97	33,0	1	25
95-96	13,5	2	17,8
94-95	8,0	2	10,8
93-94	6,5	4	9,9
92-93	28,0	3	33,9

Rendement annuel composé, quartile et indice de référence

PÉRIODE	RENDEMENT ANNUEL COMPOSÉ %	QUARTILE	RENDEMENT ANNUEL COMPOSÉ MOYEN DE L'INDICE DE RÉFÉRENCE %
Depuis création	10,7		
1 an	8,3	2	7,3
2 ans	-6,8	3	-4,0
3 ans	-6,2	1	-10,1
4 ans	2,7	1	-5,4
5 ans	4,6	1	-1,1
10 ans	10,0	1	7,6

BRANDES ACTIONS GLOBALES
Fonds d'actions internationales

DATE DE LA CRÉATION
Juillet 2000

GESTIONNAIRES
Équipe de gestion
Brandes Investment Partners

NOUVEAU

❽ enseignements généraux

au 31 octobre 2003

- ⊃ Investissement minimal   **1 000 $**
- ⊃ Admissibilité au REER   **Max. 30 %**
- ⊃ Fréquence des distributions   **Annuelle**
- ⊃ Valeur de l'actif (en millions)   **713,6**
- ⊃ Frais de courtage
  Structure   **Entrée ou sortie**
  Ratio   **2,70**
  Numéro ➡ entrée   **BIP 151**
         ➡ sortie   **BIP 251**
- ⊃ Indice de référence   **Citigroup Actions mondiales**

❓ ommentaires

Voilà un nouveau venu parmi nos fonds-vedettes, mais il faut préciser que sa création ne remonte qu'à juillet 2002. Bien que ce fonds ait un court historique, son gestionnaire peut être considéré comme un vieux de la vieille dans l'industrie. La firme Brandes Investment Partners est l'ancien gestionnaire de quelques fonds de la famille AGF. En 2002, cette firme avait pris la décision de ne pas renouveler son mandat avec AGF, préférant offrir directement sa gamme de fonds au Canada. Le fonds Brandes actions globales est en fait un clone des produits de la gamme d'AGF.

Malgré sa création récente, son actif est déjà de 713 millions de dollars. Ses frais de gestion sont de 2,70 %, par rapport à une moyenne de 2,88 %. Au cours de la dernière année, son rendement a été de 11,6 %, comparativement à une médiane de 5,6 %.

❓ nalyse du rendement

Efficacité fiscale sur 3 ans   -
Risque sur 3 ans (écart type)   -

ANNÉE	RENDEMENT %	QUARTILE	RENDEMENT MOYEN DE L'INDICE DE RÉFÉRENCE %
Rendement moyen, quartile et indice de référence			
3 mois	5,8	1	2,8
6 mois	19,9	1	12,2
02-03	11,6	1	7,3

PÉRIODE	RENDEMENT ANNUEL COMPOSÉ %	QUARTILE	RENDEMENT ANNUEL COMPOSÉ MOYEN DE L'INDICE DE RÉFÉRENCE %
Rendement annuel composé, quartile et indice de référence			
Depuis création	2,8		
1 an	11,6	1	7,3

BRANDES ACTIONS GLOBALES PETITES CAPITALISATIONS

Fonds d'actions internationales

DATE DE LA CRÉATION
Juillet 2002

NOUVEAU

GESTIONNAIRES
Équipe de gestion
Brandes Investment Partners

®enseignements généraux

au 31 octobre 2003

⊃ Investissement minimal	**1 000 $**
⊃ Admissibilité au REER	**Max. 30 %**
⊃ Fréquence des distributions	**Annuelle**
⊃ Valeur de l'actif (en millions)	**14,3**
⊃ Frais de courtage	
Structure	**Entrée ou sortie**
Ratio	**2,70**
Numéro ➡ entrée	**BIP 152**
➡ sortie	**BIP 252**
⊃ Indice de référence	**Citigroup Actions mondiales**

©ommentaires

Fonds-vedette de la gamme Brandes, il est nouvellement offert aux investisseurs canadiens, soit depuis juillet 2002. Il s'agit d'un excellent fonds de petite capitalisation qui est investi mondialement. En octobre 2003, sa répartition était de 34 % aux États-Unis, 18 % au Japon et 12,8 % au Canada. Pour les gestionnaires de Brandes, petite capitalisation signifie capitalisation boursière inférieure à 1,5 milliard de dollars. Pour le marché canadien, par contre, ce montant est assez élevé.

Ce fonds est aussi de premier quartile en tout temps depuis sa création. Au 31 octobre 2003, il a donné un rendement sur un an de 39,3 % à l'investisseur, par rapport à une médiane de 5,6 %. Évidemment, la volatilité associée à ce fonds de petite capitalisation est supérieure à la moyenne, mais l'investisseur en est bien récompensé. Très intéressant.

®nalyse du rendement

Efficacité fiscale sur 3 ans —
Risque sur 3 ans (écart type) —

ANNÉE	RENDEMENT %	QUARTILE	RENDEMENT MOYEN DE L'INDICE DE RÉFÉRENCE %
Rendement moyen, quartile et indice de référence			
3 mois	9,7	1	2,8
6 mois	31,3	1	12,2
02-03	39,3	1	7,3

PÉRIODE	RENDEMENT ANNUEL COMPOSÉ %	QUARTILE	RENDEMENT ANNUEL COMPOSÉ MOYEN DE L'INDICE DE RÉFÉRENCE %
Rendement annuel composé, quartile et indice de référence			
Depuis création	13		
1 an	39,3	1	7,3

CI VALEUR INTERNATIONALE
Fonds d'actions internationales

| 1 | 2 | 3 | 4 | 5 | 6 | 7 | 8 | | |

ⓡenseignements généraux

au 31 octobre 2003

⊃ Investissement minimal **500 $**

⊃ Admissibilité au REER **Max. 30 %**

⊃ Fréquence des distributions **Annuelle**

⊃ Valeur de l'actif (en millions) **83,8**

⊃ Frais de courtage
Structure **Entrée ou sortie**
Ratio **2,56**
Numéro ➡ entrée **CIG 681**
➡ sortie **CIG 881**

⊃ Indice de référence **Citigroup Actions EPAC**

ⓒommentaires

Ce produit fait l'objet d'une première mention dans notre guide annuel. Créé en juin 1996, il est sous la responsabilité de John Hock depuis son lancement. Il s'agit d'un petit fonds, avec un actif sous gestion de seulement 83 millions de dollars, lequel a toutefois augmenté de plus de 140 % au cours des 12 derniers mois. Les frais de gestion sont de 2,56 %, alors que la moyenne de cette catégorie est de 2,80 %. Ce fonds se classe dans le premier quartile depuis cinq ans. Son rendement annualisé sur cinq ans est de -0,7 %, comparativement à une médiane de -0,4 %.

Le risque associé à ce produit est considéré comme faible par rapport à celui des fonds de sa catégorie. Bien qu'il soit international, le fonds ne possède jamais de titres des États-Unis. Actuellement, la répartition de son actif est de 18 % au Japon, 17 % au Royaume-Uni, 30 % en Europe et 15 % au Canada. Intéressant.

ⓐnalyse du rendement

Efficacité fiscale sur 3 ans	100
Risque sur 3 ans (écart type)	13,4

Rendement moyen, quartile et indice de référence			
ANNÉE	**RENDEMENT %**	**QUARTILE**	**RENDEMENT MOYEN DE L'INDICE DE RÉFÉRENCE %**
3 mois	6,5	1	5,8
6 mois	17,2	2	16,8
02-03	9,5	1	9,8
01-02	-9,9	1	-12,7
00-01	-13,3	1	-20,6
99-00	-1,9	4	1,6
98-99	16,6	3	18,2
97-98	-10,0	4	19,1
96-97	14,4	2	11,2

Rendement annuel composé, quartile et indice de référence			
PÉRIODE	**RENDEMENT ANNUEL COMPOSÉ %**	**QUARTILE**	**RENDEMENT ANNUEL COMPOSÉ MOYEN DE L'INDICE DE RÉFÉRENCE %**
Depuis création	-0,5		
1 an	9,5	1	9,8
2 ans	-0,7	1	-2,1
3 ans	-5,1	1	-8,7
4 ans	-4,3	1	-6,2
5 ans	-0,4	1	-1,8

DATE DE LA CRÉATION
Septembre 1996

2001-2002-2003

GESTIONNAIRES
Craven, Gary
Claro, Francis

| 1 | 2 | 3 | 4 | 5 | 6 | 7 | 8 | 9 | ■ |

℞ enseignements généraux

au 31 octobre 2003

- ⊃ Investissement minimal **500 $**
- ⊃ Admissibilité au REER **Max. 30 %**
- ⊃ Fréquence des distributions **Annuelle**
- ⊃ Valeur de l'actif (en millions) **20,7**
- ⊃ Frais de courtage
  Structure **Entrée ou sortie**
  Ratio **2,91**
  Numéro ➡ entrée **CCM 300**
  ➡ sortie **CCM 301**
  ➡ réduit **CCM 915**
- ⊃ Indice de référence **Citigroup Actions mondiales**

ℂ ommentaires

Paraissant pour la quatrième fois dans notre guide annuel, ce fonds, de premier quartile sur un, deux, quatre et cinq ans, a été créé en septembre 1996 et est demeuré depuis sous la responsabilité de la même équipe : Gary Craven et Francis Claro, de la firme Evergreen Investment Management. C'est un petit fonds, avec seulement 20 millions de dollars d'actif sous gestion, lequel a toutefois augmenté de 10 % au cours des 12 derniers mois. Ses frais de gestion sont de 2,91 %, comparativement à 2,88 % pour la moyenne de sa catégorie.

Il s'agit d'un fonds de petite capitalisation ; il est donc un peu plus volatil que plusieurs fonds mondiaux, et c'est normal. Par contre, l'investisseur est bien récompensé pour le risque qu'il encourt. Sur cinq ans, le fonds a procuré à ses détenteurs de parts un rendement annualisé de 6,1 %, par rapport à une médiane de seulement -0,6 %. L'année 2001 a été particulièrement difficile, mais le beau temps semble être revenu.

Ⓐ nalyse du rendement

Efficacité fiscale sur 3 ans -
Risque sur 3 ans (écart type) 20,4

ANNÉE	RENDEMENT %	QUARTILE	RENDEMENT MOYEN DE L'INDICE DE RÉFÉRENCE %
3 mois	6,6	1	2,8
6 mois	25,1	1	12,2
02-03	17,5	1	7,3
01-02	-14,7	2	-14,1
00-01	-23,3	3	-21,2
99-00	32,4	1	10,4
98-99	32,4	1	17,9
97-98	2,0	3	22,6
96-97	26,2	1	25,0

Rendement moyen, quartile et indice de référence

PÉRIODE	RENDEMENT ANNUEL COMPOSÉ %	QUARTILE	RENDEMENT ANNUEL COMPOSÉ MOYEN DE L'INDICE DE RÉFÉRENCE %
Depuis création	8,0		
1 an	17,5	1	7,3
2 ans	0,1	1	-4,0
3 ans	-8,4	2	-10,1
4 ans	0,4	1	-5,4
5 ans	6,1	1	-1,1

Rendement annuel composé, quartile et indice de référence

FIDELITY ÉTOILE DU NORD

Fonds d'actions internationales

DATE DE LA CRÉATION
Octobre 2002

GESTIONNAIRES
Radlo, Alan
Tilinghast, Joel

®enseignements généraux

au 31 octobre 2003

⊃ Investissement minimal — **500 $**

⊃ Admissibilité au REER — **Max. 30 %**

⊃ Fréquence des distributions — **Annuelle**

⊃ Valeur de l'actif (en millions) — **506,9**

⊃ Frais de courtage
  Structure — **Entrée ou sortie**
  Ratio — **2,20**
  Numéro ➡ entrée — **FID 253**
       ➡ sortie — **FID 553**

⊃ Indice de référence — **Citigroup Actions mondiales**

©ommentaires

Fidelity Étoile du Nord est un fonds récent. Bien que sa création remonte à un an seulement, il en est déjà à sa deuxième mention dans notre guide. L'an dernier, il paraissait dans notre section des fonds à surveiller, et cette année, il figure dans nos recommandations sans réserve. La raison en est simple : les compétences d'Alan Radlo et de Joel Tilinghast, tous deux de la firme Fidelity, le plus gros gestionnaire du monde. Radlo est bien connu au Canada pour avoir géré les fonds Frontière Nord et Expansion Canada de Fidelity, qu'il gère toujours d'ailleurs. Tilinghast, pour sa part, est bien connu pour avoir été gestionnaire du Fidelity Low-Priced Stock aux États-Unis pendant 11 ans et pour avoir battu l'indice Russell 9 fois sur 11, avec des écarts parfois incroyables.

Ce fonds est encore petit, mais son actif, au 31 octobre 2003, était déjà de plus de 506 millions de dollars, somme atteinte en moins de 11 mois. Le rendement du fonds sur six mois est de 16,7 %, par rapport à une médiane de 11,7 %. Les gestionnaires ne sont soumis à aucune contrainte quant à la gestion du fonds, que ce soit en matière de capitalisation des entreprises ou de répartition géographique. Au 31 octobre 2003, 52 % du fonds était investi en titres étrangers, 31 % l'était en titres canadiens et 14 %, en encaisse.

®nalyse du rendement

Efficacité fiscale sur 3 ans — -
Risque sur 3 ans (écart type) — -

	Rendement moyen, quartile et indice de référence		
ANNÉE	RENDEMENT %	QUARTILE	RENDEMENT MOYEN DE L'INDICE DE RÉFÉRENCE %
3 mois	5,8	1	2,8
6 mois	16,7	1	12,2
02-03	14,8	1	7,3

	Rendement annuel composé, quartile et indice de référence		
PÉRIODE	RENDEMENT ANNUEL COMPOSÉ %	QUARTILE	RENDEMENT ANNUEL COMPOSÉ MOYEN DE L'INDICE DE RÉFÉRENCE %
Depuis création	14,8		
1 an	14,8	1	7,3

MACKENZIE CUNDILL RENAISSANCE
Fonds d'actions internationales

DATE DE LA CRÉATION
Septembre 1998

2003

GESTIONNAIRES
Cundill, Peter
Morton, James

| 1 | 2 | 3 | 4 | 5 | 6 | 7 | 8 | 9 | |

Renseignements généraux

au 31 octobre 2003

⊃ Investissement minimal	**500 $**
⊃ Admissibilité au REER	**Max. 30 %**
⊃ Fréquence des distributions	**Annuelle**
⊃ Valeur de l'actif (en millions)	**135,7**
⊃ Frais de courtage	
Structure	**Entrée ou sortie**
Ratio	**2,84**
Numéro ➡ entrée	**MFC 742**
➡ sortie	**MFC 842**
⊃ Indice de référence	**Citigroup Actions mondiales**

Commentaires

Ce fonds en est à sa deuxième mention parmi nos choix. Créé en septembre 1998, il est sous la direction assurée de Peter Cundill et de James Morton depuis avril 2001. Que dire de plus que ceci: il s'inscrit dans le premier quartile depuis cinq ans. Son rendement est de 63,1 % sur 12 mois (vous avez bien lu), par rapport à une médiane de 5,6 %, et sur trois ans, il offre un rendement annualisé de 18,6 %, alors que la médiane se situe à -11,7 %.

Nous pourrions ajouter que son actif est actuellement de 135 millions de dollars, lequel est en hausse de 465 % depuis un an. Les frais de gestion sont de 2,84 %. Le fonds est investi à 80 %, et sa répartition géographique est la suivante : 22 % au Canada, 15 % à Hong-Kong, 7 % au Japon et près de 30 % dans d'autres régions de l'Asie-Pacifique. Très, très intéressant.

Analyse du rendement

Efficacité fiscale sur 3 ans	96,72
Risque sur 3 ans (écart type)	19,2

Rendement moyen, quartile et indice de référence

ANNÉE	RENDEMENT %	QUARTILE	RENDEMENT MOYEN DE L'INDICE DE RÉFÉRENCE %
3 mois	20,7	1	2,8
6 mois	46,6	1	12,2
02-03	63,1	1	7,3
01-02	4,6	1	-14,1
00-01	-2,3	1	-21,2
99-00	10,9	3	10,4
98-99	21,5	2	17,9

Rendement annuel composé, quartile et indice de référence

PÉRIODE	RENDEMENT ANNUEL COMPOSÉ %	QUARTILE	RENDEMENT ANNUEL COMPOSÉ MOYEN DE L'INDICE DE RÉFÉRENCE %
Depuis création	17,3		
1 an	63,1	1	7,3
2 ans	30,6	1	-4,0
3 ans	18,6	1	-10,1
4 ans	16,6	1	-5,4
5 ans	17,6	1	-1,1

MACKENZIE CUNDILL VALEUR

Fonds d'actions internationales

DATE DE LA CRÉATION
Décembre 1974

GESTIONNAIRES
McElvaine, Tim
Cundill, Peter, et Briggs, David

1998-2002-2003

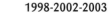

® enseignements généraux

au 31 octobre 2003

⊃ Investissement minimal	**500 $**
⊃ Admissibilité au REER	**Max. 30 %**
⊃ Fréquence des distributions	**Annuelle**
⊃ Valeur de l'actif (en millions)	**295,8**
⊃ Frais de courtage	
Structure	**Entrée ou sortie**
Ratio	**2,17**
Numéro ➡ entrée	**MFC 598**
⊃ Indice de référence	**Citigroup Actions mondiales**

© ommentaires

Mentionné pour une quatrième fois dans notre guide annuel, ce fonds est géré par le rassurant Peter Cundill, assisté cette fois par Tim McElvaine et David Briggs. La première version de ce fonds a été créée en 1974, et celui-ci se maintient dans le premier quartile sur 1, 2, 3, 4, 5, 10 et 15 ans. Il faut croire que c'est là une habitude chez Cundill, au grand bénéfice des investisseurs. L'actif sous gestion du fonds est de 295 millions de dollars. Les frais de gestion sont de 2,17 %, comparativement à une moyenne de 2,88 %.

Sur le plan géographique, on constate que 43 % des titres ont été acquis au Japon, 25 %, au Canada et seulement 14,7 %, aux États-Unis. Au 31 octobre 2003, le rendement depuis 12 mois a été de 22,6 %, par rapport à une médiane de 5,4 %. Sur 15 ans, le rendement annualisé du fonds est de 9,9 %, alors que la médiane se situe à 7,0 %. Cundill est un gestionnaire de style valeur : il arrive souvent que ses fonds réussissent moins bien que l'indice en période de croissance, mais le portefeuilliste sait rattraper rapidement ses compétiteurs. L'investisseur doit toutefois faire preuve de patience avec ce fonds.

④ nalyse du rendement

Efficacité fiscale sur 3 ans	76,16
Risque sur 3 ans (écart type)	14,0

	Rendement moyen, quartile et indice de référence		
ANNÉE	**RENDEMENT %**	**QUARTILE**	**RENDEMENT MOYEN DE L'INDICE DE RÉFÉRENCE %**
3 mois	12,2	1	2,8
6 mois	28,8	1	12,2
02-03	23,1	1	7,3
01-02	-7,9	1	-14,1
00-01	9,2	1	-21,2
99-00	20,1	1	10,4
98-99	36,1	1	17,9
97-98	-16,8	4	22,6
96-97	9,9	4	25,0
95-96	13,7	2	17,8
94-95	8,2	1	10,8
93-94	12,7	1	9,9
92-93	46,7	1	33,9

	Rendement annuel composé, quartile et indice de référence		
PÉRIODE	**RENDEMENT ANNUEL COMPOSÉ %**	**QUARTILE**	**RENDEMENT ANNUEL COMPOSÉ MOYEN DE L'INDICE DE RÉFÉRENCE %**
Depuis création	16,1		
1 an	23,1	1	7,3
2 ans	6,5	1	-4,0
3 ans	7,4	1	-10,1
4 ans	10,4	1	-5,4
5 ans	15,1	1	-1,1
10 ans	9,9	1	7,6
15 ans	9,9	1	-

MACKENZIE IVY ACTIONS ÉTRANGÈRES
Fonds d'actions internationales

DATE DE LA CRÉATION
Octobre 1992

GESTIONNAIRE
Javasky, Jerry

1998-1999-2000-2002

ℝenseignements généraux

au 31 octobre 2003

- Investissement minimal **500 $**
- Admissibilité au REER **Max. 30 %**
- Fréquence des distributions **Annuelle**
- Valeur de l'actif (en millions) **3117,2**
- Frais de courtage
  Structure **Entrée ou sortie**
  Ratio **2,53**
  Numéro ➡ entrée **MFC 081**
  ➡ sortie **MFC 611**
- Indice de référence **Citigroup Actions mondiales**

ℂommentaires

Voici un autre excellent fonds étranger de la famille Mackenzie qui se trouve sous la responsabilité du non moins excellent Jerry Javasky depuis avril 1999. Créé en octobre 1992, ce fonds est considéré comme étant de style valeur, et il demeure dans le premier quartile sur 2, 3, 4, 5 et 10 ans. Sur 10 ans, il présente un rendement annualisé de 10,0 %, alors que la médiane de sa catégorie se situe à 5,3 %, soit presque 50 % de moins.

Son actif sous gestion de plus de trois milliards de dollars en fait un fonds important. Ses frais de gestion sont de 2,53 %, par rapport à une moyenne de 2,88 %. Actuellement, le fonds est investi à 22 % au Canada, à 43 % aux États-Unis et à 14 % au Royaume-Uni.

𝔸nalyse du rendement

Efficacité fiscale sur 3 ans	100
Risque sur 3 ans (écart type)	10,6

Rendement moyen, quartile et indice de référence

ANNÉE	RENDEMENT %	QUARTILE	RENDEMENT MOYEN DE L'INDICE DE RÉFÉRENCE %
3 mois	0,9	4	2,8
6 mois	3,3	4	12,2
02-03	-3,0	4	7,3
01-02	2,7	1	-14,1
00-01	0,9	1	-21,2
99-00	10,7	3	10,4
98-99	10,9	4	17,9
97-98	16,6	2	22,6
96-97	27,2	1	25,0
95-96	11,6	3	17,8
94-95	16,1	1	10,8
93-94	9,2	2	9,9
92-93	7,2	4	33,9

Rendement annuel composé, quartile et indice de référence

PÉRIODE	RENDEMENT ANNUEL COMPOSÉ %	QUARTILE	RENDEMENT ANNUEL COMPOSÉ MOYEN DE L'INDICE DE RÉFÉRENCE %
Depuis création	9,7		
1 an	-3,0	4	7,3
2 ans	-0,2	1	-4,0
3 ans	0,2	1	-10,1
4 ans	2,7	1	-5,4
5 ans	4,3	1	-1,1
10 ans	10,0	1	7,6

DATE DE LA CRÉATION
Janvier 1989

2003

GESTIONNAIRE
Radin, Bradley

1 2 3 4 5 6 7 8 9 ▮

ⓡenseignements généraux

au 31 octobre 2003

⊃ Investissement minimal **500 $**

⊃ Admissibilité au REER **Max. 30 %**

⊃ Fréquence des distributions **Annuelle**

⊃ Valeur de l'actif (en millions) **631,3**

⊃ Frais de courtage
  Structure **Entrée ou sortie**
  Ratio **2,75**
  Numéro ➡ entrée **TML 707**
  ➡ sortie **TML 737**

⊃ Indice de référence **Citigroup**
Actions mondiales

ⓒommentaires

Figurant pour la deuxième fois dans notre guide annuel, ce fonds, qui a été créé en janvier 1989, est sous la responsabilité de Bradley Radin depuis mai 1999. Il se retrouve dans le premier quartile sans exception avec un rendement annualisé sur 10 ans de 9,9%, par rapport à 5,3% pour la médiane de sa catégorie. Son actif sous gestion est de 631 millions de dollars, en hausse de plus de 69% depuis 12 mois. Une telle feuille de route place l'investisseur devant une évidence.

Les frais de gestion du fonds sont de 2,75%, comparativement à une moyenne de 2,88% pour son secteur. Au 31 octobre 2003, son actif comportait à peine 4,4% d'encaisse. Ses titres étaient investis à 13,3% aux États-Unis, à 10,8% à Hong-Kong, à 17,8% au Canada et à 4,4% au Japon. C'est un fonds de petite capitalisation, donc un peu plus volatil que la moyenne des fonds mondiaux. Cependant, à constater les résultats obtenus, il semble qu'il en vaille la peine.

ⓐnalyse du rendement

Efficacité fiscale sur 3 ans	91,03
Risque sur 3 ans (écart type)	14,2

Rendement moyen, quartile et indice de référence			
ANNÉE	**RENDEMENT %**	**QUARTILE**	**RENDEMENT MOYEN DE L'INDICE DE RÉFÉRENCE %**
3 mois	10,5	1	2,8
6 mois	32,2	1	12,2
02-03	28,1	1	7,3
01-02	4,0	1	-14,1
00-01	3,2	1	-21,2
99-00	13,3	2	10,4
98-99	8,7	4	17,9
97-98	-4,3	4	22,6
96-97	15,7	3	25,0
95-96	13,0	3	17,8
94-95	12,1	1	10,8
93-94	8,2	3	9,9
92-93	36,2	2	33,9

Rendement annuel composé, quartile et indice de référence			
PÉRIODE	**RENDEMENT ANNUEL COMPOSÉ %**	**QUARTILE**	**RENDEMENT ANNUEL COMPOSÉ MOYEN DE L'INDICE DE RÉFÉRENCE %**
Depuis création	10,8		
1 an	28,1	1	7,3
2 ans	15,4	1	-4,0
3 ans	11,2	1	-10,1
4 ans	11,7	1	-5,4
5 ans	11,1	1	-1,1
10 ans	9,9	1	7,6

TEMPLETON CROISSANCE LTÉE
Fonds d'actions internationales

DATE DE LA CRÉATION
Novembre 1954

GESTIONNAIRE
Morgan, George

1998-1999-2000-2002-2003

| 1 | 2 | 3 | 4 | 5 | 6 | 7 | 8 | | |

Renseignements généraux

au 31 octobre 2003

⊃ Investissement minimal	**500 $**
⊃ Admissibilité au REER	**Max. 30 %**
⊃ Fréquence des distributions	**Annuelle**
⊃ Valeur de l'actif (en millions)	**6540,9**
⊃ Frais de courtage	
Structure	**Entrée ou sortie**
Ratio	**2,37**
Numéro ➡ entrée	**TML 700**
➡ sortie	**TML 732**
⊃ Indice de référence	**Citigroup Actions mondiales**

Commentaires

Il fait partie pour une sixième année de notre sélection de fonds-vedettes. Sous la responsabilité de George Morgan depuis janvier 2001, ce fonds, l'un des plus connus au Canada, a été créé en novembre 1954. Ce produit très important a un actif sous gestion de plus de 6,5 milliards de dollars, lequel a déjà dépassé les 7 milliards. La fuite de capitaux semble s'estomper pour l'instant. Les frais de gestion du fonds sont de 2,37 %, et celui-ci se maintient en tout temps dans le premier ou le deuxième quartile depuis 15 ans.

En date du 31 octobre 2003, 22 % de son actif était investi aux États-Unis, 11,4 %, au Japon, 15,6 %, au Royaume-Uni et 10,1 %, au Canada. Son rendement annualisé sur 15 ans est de 8,7 %, par rapport à une médiane de 7,1 % dans sa catégorie. Parmi les fonds offerts sur le marché, il n'est pas le plus intéressant mais a su résister au temps. Il présente un risque acceptable tout en procurant un rendement plus qu'honnête à l'investisseur.

Analyse du rendement

Efficacité fiscale sur 3 ans	-
Risque sur 3 ans (écart type)	16,8

ANNÉE	RENDEMENT %	QUARTILE	RENDEMENT MOYEN DE L'INDICE DE RÉFÉRENCE %
Rendement moyen, quartile et indice de référence			
3 mois	3,7	2	2,8
6 mois	18,7	1	12,2
02-03	10,1	1	7,3
01-02	-15,3	2	-14,1
00-01	-6,2	1	-21,2
99-00	7,8	3	10,4
98-99	9,1	4	17,9
97-98	2,8	3	22,6
96-97	25,1	2	25,0
95-96	13,4	2	17,8
94-95	6,3	2	10,8
93-94	11,7	1	9,9
92-93	**37,2**	2	33,9

PÉRIODE	RENDEMENT ANNUEL COMPOSÉ %	QUARTILE	RENDEMENT ANNUEL COMPOSÉ MOYEN DE L'INDICE DE RÉFÉRENCE %
Rendement annuel composé, quartile et indice de référence			
Depuis création	13,5		
1 an	10,1	1	7,3
2 ans	-3,4	2	-4,0
3 ans	-4,4	1	-10,1
4 ans	-1,5	2	-5,4
5 ans	0,6	2	-1,1
10 ans	5,9	2	7,6
15 ans	8,7	1	-

TRIMARK CROISSANCE SÉLECT
Fonds d'actions internationales

DATE DE LA CRÉATION
Mai 1989

GESTIONNAIRES
Kanko, Bill
Bousada, Tye,
et Adams, Judith

ⓡenseignements généraux

au 31 octobre 2003

➲ Investissement minimal **500 $**

➲ Admissibilité au REER **Max. 30 %**

➲ Fréquence des distributions **Annuelle**

➲ Valeur de l'actif (en millions) **5672,2**

➲ Frais de courtage
    Structure **Entrée ou sortie**
    Ratio **2,37**
    Numéro ➡ entrée **AIM 1563**
        ➡ sortie **AIM 1561**
        ➡ réduit **AIM 1565**

➲ Indice de référence **Citigroup Actions mondiales**

ⓐnalyse du rendement

Efficacité fiscale sur 3 ans	98,62
Risque sur 3 ans (écart type)	13,8

	Rendement moyen, quartile et indice de référence		
ANNÉE	**RENDEMENT %**	**QUARTILE**	**RENDEMENT MOYEN DE L'INDICE DE RÉFÉRENCE %**
3 mois	0,7	4	2,8
6 mois	10,6	3	12,2
02-03	5,4	3	7,3
01-02	4,6	1	-14,1
00-01	-1,2	1	-21,2
99-00	17,7	2	10,4
98-99	16,1	3	17,9
97-98	-2,5	4	22,6
96-97	22,0	2	25,0
95-96	11,9	3	17,8
94-95	8,7	1	10,8
93-94	15,9	1	9,9
92-93	**34,3**	**2**	**33,9**

	Rendement annuel composé, quartile et indice de référence		
PÉRIODE	**RENDEMENT ANNUEL COMPOSÉ %**	**QUARTILE**	**RENDEMENT ANNUEL COMPOSÉ MOYEN DE L'INDICE DE RÉFÉRENCE %**
Depuis création	11,2		
1 an	5,4	3	7,3
2 ans	5,0	1	-4,0
3 ans	2,9	1	-10,1
4 ans	6,4	1	-5,4
5 ans	8,2	1	-1,1
10 ans	9,6	1	7,6

ⓒommentaires

Mentionné pour une septième fois dans notre guide annuel, c'est un fonds incontournable au Canada, et sûrement le plus connu des fonds Trimark. Ce produit, d'abord connu sous le nom de Fonds Trimark, a figuré sans interruption dans le premier quartile sur 2, 3, 4, 5 et 10 ans. Plusieurs avaient perdu confiance en Robert Krembil, ancien gestionnaire principal, qui a toujours refusé d'acheter des titres de haute technologie même alors qu'ils étaient au sommet de leur popularité. Nous comprenons maintenant les raisons de son refus. Ce fonds, maintenant géré par Bill Kanko, ancien collaborateur de M. Krembil, a la réputation d'être un fonds américain plutôt que mondial. Cela est en partie vrai, puisque près de 60 % de son actif est investi aux États-Unis, et seulement 12,5 % l'est au Royaume-Uni, 9,2 %, au Canada et 8,6 %, au Japon.

Même si la majorité des titres qui composent son portefeuille sont des entreprises américaines, celles-ci sont généralement de très grandes sociétés dont les activités s'étendent à l'échelle de la planète. Kanko est assisté par Tye Bousada et Judith Adams dans sa tâche. Le fonds est de style valeur, et ses frais de gestion sont moins élevés que la moyenne de sa catégorie. Sa très grande pondération aux États-Unis et sa volatilité relativement faible sont des facteurs très rassurants pour l'investisseur.

AIC AVANTAGE AMÉRICAIN
Fonds d'actions américaines

DATE DE LA CRÉATION
Octobre 1997

GESTIONNAIRE
Wellum, Jonathan

Renseignements généraux

au 31 octobre 2003

- Investissement minimal **250 $**
- Admissibilité au REER **Max. 30 %**
- Fréquence des distributions **Annuelle**
- Valeur de l'actif (en millions) **317,7**
- Frais de courtage
  Structure **Entrée ou sortie**
  Ratio **2,66**
  Numéro ➡ entrée **AIC 709**
  ➡ sortie **AIC 310**
- Indice de référence **S&P 500 $ CAN - BMO**

Commentaires

Depuis sa création, en octobre 1997, ce fonds est sous la gouverne de Jonathan Wellum, un excellent gestionnaire. Cette catégorie de fonds connaît une période très difficile depuis plusieurs années et ce, en raison de la baisse importante des marchés boursiers et de la hausse incontrôlable de la devise canadienne. Ce fonds n'échappe pas aux problèmes inhérents à ce secteur, mais M. Wellum semble faire toute la différence. Sur les 12 derniers mois, au 31 octobre 2003, le rendement du fonds a été de 0,9 %, pour une médiane de 1,1 %. Par contre, sur cinq ans, le fonds AIC avantage américain a procuré à l'investisseur un rendement annualisé de 4,1 %, comparativement à une médiane de -4,3 %, ce qui l'a évidemment placé dans le premier quartile.

Ce produit a un actif sous gestion de 317 millions de dollars, en baisse de 14 % depuis les 12 derniers mois. Sa volatilité est plus faible que celle de la moyenne des fonds de sa catégorie, mais le rendement offert à l'investisseur est supérieur, et de loin, à la médiane. Ses frais de gestion sont de 2,66 %, pour une moyenne de 2,73 %. Ce fonds fait partie de nos choix pour une troisième année de suite.

Analyse du rendement

Efficacité fiscale sur 3 ans	100
Risque sur 3 ans (écart type)	15,3

ANNÉE	RENDEMENT %	QUARTILE	RENDEMENT MOYEN DE L'INDICE DE RÉFÉRENCE %
3 mois	0,3	2	-0,1
6 mois	6,1	3	6,4
02-03	0,9	3	2,2
01-02	-9,1	1	-16,5
00-01	-19,6	2	-22,0
99-00	33,2	1	10,1
98-99	24,7	1	19,9
97-98	16,9	3	33,5

Rendement moyen, quartile et indice de référence

PÉRIODE	RENDEMENT ANNUEL COMPOSÉ %	QUARTILE	RENDEMENT ANNUEL COMPOSÉ MOYEN DE L'INDICE DE RÉFÉRENCE %
Depuis création	5,5		
1 an	0,9	3	2,2
2 ans	-4,2	1	-7,6
3 ans	-9,7	1	-12,7
4 ans	-0,5	1	-7,5
5 ans	4,1	1	-2,6

Rendement annuel composé, quartile et indice de référence

BPI ACTIONS AMÉRICAINES
Fonds d'actions américaines

DATE DE LA CRÉATION
Mai 1989

GESTIONNAIRES
Holland, Paul V.
Sorensen, Jon

1999-2000

Renseignements généraux

au 31 octobre 2003

- Investissement minimal **500 $**
- Admissibilité au REER **Max. 30 %**
- Fréquence des distributions **Annuelle**
- Valeur de l'actif (en millions) **393**
- Frais de courtage
  Structure **Entrée ou sortie**
  Ratio **2,51**
  Numéro ➡ entrée **CIG 212**
  ➡ sortie **CIG 812**
- Indice de référence **S&P 500 $ CAN - BMO**

Commentaires

Il a fait partie de notre sélection de fonds en 1999 et en 2000. Le voici de retour dans notre édition de 2004. Ce fonds s'est continuellement démarqué de la compétition, sauf en 2000-2001, le gestionnaire Paul V. Holland et son collègue, Jon Sorensen, ayant alors connu une année extrêmement difficile. Une trop grande pondération dans certains secteurs fragiles de la fin des années 90 en était la cause. Depuis, l'équipe a fait reprendre au fonds sa place parmi les meilleurs de sa catégorie. La création de ce dernier remonte à mai 1989, et ses deux gestionnaires sont en place depuis avril 1997. Le fonds a un actif sous gestion de 393 millions de dollars, en baisse de 12 % depuis un an. Ses frais de gestion sont de 2,51 %, pour une moyenne de 2,74 % dans sa catégorie.

Sur 10 ans, son rendement annualisé est de 9,9 %, alors que la médiane est de seulement 6,4 %. Son encaisse est actuellement très faible, à moins de 0,1 %, ce qui est moins élevé qu'au cours de l'année dernière. Les gestionnaires ont l'habitude d'investir dans plusieurs secteurs en fonction des conditions économiques. Une seule mauvaise année depuis 1989, c'est pardonnable.

Analyse du rendement

Efficacité fiscale sur 3 ans	100
Risque sur 3 ans (écart type)	16,2

Rendement moyen, quartile et indice de référence			
ANNÉE	**RENDEMENT %**	**QUARTILE**	**RENDEMENT MOYEN DE L'INDICE DE RÉFÉRENCE %**
3 mois	3,9	1	-0,1
6 mois	13,8	1	6,4
02-03	7,1	1	2,2
01-02	-17,3	2	-16,5
00-01	-37,0	4	-22,0
99-00	16,9	1	10,1
98-99	54,2	1	19,9
97-98	32,4	1	33,5
96-97	32,7	3	38,9
95-96	14,6	3	24,2
94-95	14,5	3	25,2
93-94	11,3	1	6,3
92-93	15,0	3	22,2

Rendement annuel composé, quartile et indice de référence			
PÉRIODE	**RENDEMENT ANNUEL COMPOSÉ %**	**QUARTILE**	**RENDEMENT ANNUEL COMPOSÉ MOYEN DE L'INDICE DE RÉFÉRENCE %**
Depuis création	10,0		
1 an	7,1	1	2,2
2 ans	-5,9	2	-7,6
3 ans	-17,7	3	-12,7
4 ans	-10,1	3	-7,5
5 ans	0,1	1	-2,6
10 ans	9,9	1	10,4

FIDELITY POTENTIEL AMÉRIQUE
Fonds d'actions américaines

DATE DE LA CRÉATION
Juillet 2000

GESTIONNAIRE
Porter, John

NOUVEAU

| 1 | 2 | 3 | 4 | 5 | 6 | 7 | | | |

Renseignements généraux

au 31 octobre 2003

- ➲ Investissement minimal **500 $**
- ➲ Admissibilité au REER **Max. 30 %**
- ➲ Fréquence des distributions **Annuelle**
- ➲ Valeur de l'actif (en millions) **75,2**
- ➲ Frais de courtage
  Structure **Entrée ou sortie**
  Ratio **2,58**
  Numéro ➥ entrée **FID 263**
  　　　 ➥ sortie **FID 563**
- ➲ Indice de référence **S&P 500 $ CAN - BMO**

Commentaires

Ce fonds figure pour la première fois dans notre guide. Cela s'explique par sa nouveauté, puisqu'il a été créé en juillet 2000. Géré par John Porter depuis mai 2003, il se démarque. Sur trois ans, son rendement annualisé est de -0,2 %, alors que la médiane de sa catégorie est de -14,7 %. Cette différence de près de 15 % sur trois ans est plus qu'appréciable pour l'investisseur.

Au 31 octobre 2003, le fonds avait un actif de seulement 75 millions de dollars, en baisse de 31 % depuis les 12 derniers mois. Ses frais de gestion sont de 2,58 %, par rapport à une moyenne de 2,73 % dans sa catégorie. Son ratio risque/rendement est très intéressant. Son facteur de risque est à peine plus élevé que celui des fonds de sa catégorie, mais son rendement est largement supérieur. Actuellement, les secteurs de la santé et de l'énergie sont les préférés du gestionnaire.

Analyse du rendement

Efficacité fiscale sur 3 ans　　　　　　-
Risque sur 3 ans (écart type)　　　　17,4

Rendement moyen, quartile et indice de référence			
ANNÉE	RENDEMENT %	QUARTILE	RENDEMENT MOYEN DE L'INDICE DE RÉFÉRENCE %
3 mois	0,2	2	-0,1
6 mois	4,0	4	6,4
02-03	-3,6	4	2,2
01-02	-2,2	1	-16,5
00-01	5,5	1	-22,0

Rendement annuel composé, quartile et indice de référence			
PÉRIODE	RENDEMENT ANNUEL COMPOSÉ %	QUARTILE	RENDEMENT ANNUEL COMPOSÉ MOYEN DE L'INDICE DE RÉFÉRENCE %
Depuis création	1,0		
1 an	-3,6	4	2,2
2 ans	-2,9	1	-7,6
3 ans	-0,2	1	-12,7

GGOF VALEUR AMÉRICAIN
Fonds d'actions américaines

DATE DE LA CRÉATION
Avril 1960

GESTIONNAIRE
Lacey, Andrew

ℝenseignements généraux

au 31 octobre 2003

⊃ Investissement minimal **500 $**

⊃ Admissibilité au REER **Max. 30 %**

⊃ Fréquence des distributions **Annuelle**

⊃ Valeur de l'actif (en millions) **25,1**

⊃ Frais de courtage
Structure **Entrée**
Ratio **2,37**
Numéro ➡ entrée **GGF 409**

⊃ Indice de référence **S&P 500 $ CAN - BMO**

ℂommentaires

Ce fonds en est à sa troisième mention dans notre guide annuel. Sa création remonte à avril 1960 : plus de 43 ans d'existence pour un fonds au Canada, c'est extrêmement rare. C'est un produit très intéressant qui est resté de premier quartile en tout temps, sauf les deux dernières années, depuis 15 ans, soit la période maximale que couvrent les banques de données. Son prestigieux gestionnaire, Andrew Lacey, et sa firme, Lazard Asset Management, sont reconnus pour leur expertise. Pourtant, l'actif sous gestion est d'à peine 25 millions de dollars, en perte de 25 % depuis 12 mois. Les frais de gestion sont de 2,37 %, pour une moyenne dans cette catégorie de 2,73 %. Le fonds comporte un risque égal à celui de la moyenne des produits de sa catégorie, mais son rendement est de loin supérieur. Le rendement annualisé sur 15 ans est de 10,3 %, par rapport à une médiane de 7,4 %. Les deux dernières années ont évidemment été très difficiles pour ce fonds comme pour tous les fonds américains, mais la situation semble s'améliorer. Intéressant.

🅰nalyse du rendement

Efficacité fiscale sur 3 ans -
Risque sur 3 ans (écart type) 15,9

ANNÉE	RENDEMENT %	QUARTILE	RENDEMENT MOYEN DE L'INDICE DE RÉFÉRENCE %
3 mois	0,2	2	-0,1
6 mois	6,9	2	6,4
02-03	3,2	2	2,2
01-02	-16,6	2	-16,5
00-01	-13,9	1	-22,0
99-00	17,5	1	10,1
98-99	26,9	1	19,9
97-98	5,5	4	33,5
96-97	29,0	3	38,9
95-96	9,3	4	24,2
94-95	22,7	2	25,2
93-94	2,4	3	6,3
92-93	32,9	1	22,2

Rendement moyen, quartile et indice de référence

PÉRIODE	RENDEMENT ANNUEL COMPOSÉ %	QUARTILE	RENDEMENT ANNUEL COMPOSÉ MOYEN DE L'INDICE DE RÉFÉRENCE %
Depuis création	10,0		
1 an	3,2	2	2,2
2 ans	-7,2	2	-7,6
3 ans	-9,5	1	-12,7
4 ans	-3,4	1	-7,5
5 ans	2,0	1	-2,6
10 ans	7,5	1	10,4
15 ans	10,3	1	-

Rendement annuel composé, quartile et indice de référence

RENAISSANCE VALEUR AMÉRICAIN
Fonds d'actions américaines

DATE DE LA CRÉATION
Novembre 1998

GESTIONNAIRE
Rendino, Kevin

2001-2002-2003

®enseignements généraux

au 31 octobre 2003

⊃ Investissement minimal	**500 $**
⊃ Admissibilité au REER	**Max. 30 %**
⊃ Fréquence des distributions	**Annuelle**
⊃ Valeur de l'actif (en millions)	**65,4**
⊃ Frais de courtage	
Structure	**Entrée ou sortie**
Ratio	**2,53**
Numéro ➡ entrée	**ATL 502**
➡ sortie	**ATL 501**
➡ réduit	**ATL 515**
⊃ Indice de référence	**S&P 500 $ CAN - BMO**

©ommentaires

Figurant pour une quatrième fois dans notre sélection annuelle, ce fonds est géré par Kevin Rendino, de la firme new-yorkaise Merrill Lynch. Son actif est de seulement 65 millions de dollars, mais est en hausse de 3% depuis un an. Ses frais de gestion, de 2,53%, sont inférieurs à la moyenne du secteur, de 2,73%. Son risque est un peu plus élevé que celui des fonds de sa catégorie, mais son rendement est nettement au-dessus de la moyenne. Il se classe dans le premier quartile sur 2, 3 et 4 ans, avec un rendement annualisé de -6,0% sur trois ans, pour une médiane de -14,7%.

Bien que les rendements des dernières années aient été décevants dans le contexte économique que nous avons connu, il semble que le pire soit passé. De fait, les résultats enregistrés récemment dans ce groupe sont prometteurs. Le gestionnaire utilise à l'occasion un faible pourcentage de produits de substitution comme mesure défensive. La répartition de ce fonds dans les différents secteurs de l'économie est très intéressante et rassurante.

❶nalyse du rendement

Efficacité fiscale sur 3 ans	-
Risque sur 3 ans (écart type)	18,4

Rendement moyen, quartile et indice de référence

ANNÉE	RENDEMENT %	QUARTILE	RENDEMENT MOYEN DE L'INDICE DE RÉFÉRENCE %
3 mois	0,9	2	-0,1
6 mois	9,4	2	6,4
02-03	4,5	2	2,2
01-02	-13,2	1	-16,5
00-01	-8,4	1	-22,0
99-00	15,2	1	10,1

Rendement annuel composé, quartile et indice de référence

PÉRIODE	RENDEMENT ANNUEL COMPOSÉ %	QUARTILE	RENDEMENT ANNUEL COMPOSÉ MOYEN DE L'INDICE DE RÉFÉRENCE %
Depuis création	-0,2		
1 an	4,5	2	2,2
2 ans	-4,7	1	-7,6
3 ans	-6,0	1	-12,7
4 ans	-1,1	1	-7,5

TD INDICIEL DOW JONES INDUSTRIAL AVERAGE
Fonds d'actions américaines

DATE DE LA CRÉATION
Avril 1998

GESTIONNAIRES
Gaskin, Craig
Williams, Ian

1999-2000-2003

Renseignements généraux

au 31 octobre 2003

- Investissement minimal — **1 000 $**
- Admissibilité au REER — **Max. 30 %**
- Fréquence des distributions — **Annuelle**
- Valeur de l'actif (en millions) — **62,8**
- Frais de courtage
  Structure — **Aucuns**
  Ratio — **0,88**
  Numéro ➡ sans frais — **TDB 657**
- Indice de référence — **Dow Jones Industrial Average $ CAN**

Commentaires

Les fonds indiciels ne sont pas toujours des produits aussi parfaits que certains observateurs voudraient bien le faire croire. Par contre, il est indéniable qu'ils comportent certaines caractéristiques intéressantes. Entre autres, ils offrent des rendement qui se rapprochent de ceux de leurs indices de référence, sans jamais les dépasser. Cependant, et c'est là leur aspect négatif, ils sont souvent trop volatils pour la plupart des investisseurs. À la fin des années 90, ils ont été des produits intéressants et, depuis le début de 2003, ils le redeviennent. C'est la période de marché haussier qui les favorise. Leurs rendements ont été tout autres durant la dégringolade boursière.

Si nous mentionnons ce produit, c'est qu'il est de premier quartile sur deux, trois, quatre et cinq ans, et ses frais de gestion sont de seulement 0,88 %. Son actif sous gestion est très faible, à moins de 65 millions de dollars, et est en baisse de 1,8 % depuis un an. C'est la quatrième fois qu'il fait partie de nos choix.

Analyse du rendement

Efficacité fiscale sur 3 ans — -
Risque sur 3 ans (écart type) — 16,6

ANNÉE	Rendement moyen, quartile et indice de référence		
	RENDEMENT %	QUARTILE	RENDEMENT MOYEN DE L'INDICE DE RÉFÉRENCE %
3 mois	-0,3	3	-0,5
6 mois	6,8	3	6,4
02-03	-0,4	3	-1,3
01-02	-8,0	1	-9,0
00-01	-12,5	1	-14,1
99-00	5,7	3	6,1
98-99	19,7	2	19,2

PÉRIODE	Rendement annuel composé, quartile et indice de référence		
	RENDEMENT ANNUEL COMPOSÉ %	QUARTILE	RENDEMENT ANNUEL COMPOSÉ MOYEN DE L'INDICE DE RÉFÉRENCE %
Depuis création	0,5		
1 an	-0,4	3	-1,3
2 ans	-4,3	1	-5,2
3 ans	-7,1	1	-8,3
4 ans	-4,1	1	-4,9
5 ans	0,3	1	-0,5

TEMPLETON MUTUAL BALISE
Fonds d'actions américaines

DATE DE LA CRÉATION
Février 1997

GESTIONNAIRES
Winters, David J.
Haynes, Matthew

| 1 | 2 | 3 | 4 | 5 | 6 | 7 | 8 | | |

® enseignements généraux

au 31 octobre 2003

⊃ Investissement minimal — **500 $**

⊃ Admissibilité au REER — **Max. 30 %**

⊃ Fréquence des distributions — **Annuelle**

⊃ Valeur de l'actif (en millions) — **253,5**

⊃ Frais de courtage
  Structure — **Entrée ou sortie**
  Ratio — **2,68**
  Numéro ➡ entrée — **TML 213**
  ➡ sortie — **TML 313**
  ➡ réduit — **TML 556**

⊃ Indice de référence — **S&P 500 $ CAN - BMO**

© ommentaires

Ce produit fait partie de nos fonds-vedettes pour une deuxième année d'affilée. Sa création remonte à février 1997. Il est sous la responsabilité de David J. Winters depuis novembre 1998 et de Matthew Haynes depuis septembre 2001, tous deux de la firme Franklin Mutual Advisers. Son actif est de 253 millions de dollars, en hausse de plus de 70 % depuis un an. Ses frais de gestion sont de 2,68 %, par rapport à une moyenne dans son secteur de 2,73 %. Parmi les fonds de sa catégorie, c'est lui qui affiche le meilleur ratio risque/rendement. Son facteur de risque est très faible, pour ne pas dire le plus faible de sa catégorie, mais son rendement est presque le meilleur.

Le rendement annualisé sur trois ans est de -0,7 % comparativement à une médiane de -14,7 %. Cette différence de 14 % est énorme. Bref, c'est un excellent fonds, qui se classe dans le premier quartile sur deux, trois, quatre et cinq ans.

Ⓐnalyse du rendement

Efficacité fiscale sur 3 ans — -

Risque sur 3 ans (écart type) — 10,2

ANNÉE	RENDEMENT %	QUARTILE	RENDEMENT MOYEN DE L'INDICE DE RÉFÉRENCE %
3 mois	1,6	1	-0,1
6 mois	6,9	2	6,4
02-03	4,2	2	2,2
01-02	-10,3	1	-16,5
00-01	4,9	1	-22,0
99-00	15,7	1	10,1
98-99	5,3	4	19,9
97-98	3,6	4	33,5

Rendement moyen, quartile et indice de référence

PÉRIODE	RENDEMENT ANNUEL COMPOSÉ %	QUARTILE	RENDEMENT ANNUEL COMPOSÉ MOYEN DE L'INDICE DE RÉFÉRENCE %
Depuis création	5,3		
1 an	4,2	2	2,2
2 ans	-3,3	1	-7,6
3 ans	-0,7	1	-12,7
4 ans	3,2	1	-7,5
5 ans	3,6	1	-2,6

Rendement annuel composé, quartile et indice de référence

AGF CATÉGORIE ACTIONS EUROPÉENNES
Fonds d'actions européennes

DATE DE LA CRÉATION
Avril 1994

GESTIONNAIRES
Arnold, John
Flynn, Rory

2002

®enseignements généraux

au 31 octobre 2003

⊃ Investissement minimal **1 000 $**

⊃ Admissibilité au REER **Max. 30 %**

⊃ Fréquence des distributions **Annuelle**

⊃ Valeur de l'actif (en millions) **492,6**

⊃ Frais de courtage
  Structure **Entrée ou sortie**
  Ratio **3,32**
  Numéro ➡ entrée **AGF 811**
  ➡ sortie **AGF 812**

⊃ Indice de référence **Citigroup Actions européennes**

©ommentaires

Ce fonds spécialisé dans l'investissement en titres européens est parmi les produits les plus importants et intéressants de sa catégorie. Créé en avril 1994, il est géré par John Arnold et Rory Flynn depuis cette date, et il n'y aucun de changement de gestionnaire prévu ou souhaitable pour l'instant. Son actif sous gestion, de 492 millions de dollars, se situe nettement au-dessus de la moyenne. Le risque associé à ce fonds est de moyen à élevé par rapport à son secteur mais, compte tenu des rendements obtenus par l'investisseur, c'est là un inconvénient mineur. Ce produit est constamment classé de premier quartile sur un, deux, trois, quatre et cinq ans. Depuis sa création, il n'a connu que deux périodes de rendement négatif sur 12 mois.

Sa répartition géographique est de 42 % au Royaume-Uni, 18 % en France, 5,4 % en Allemagne et 30 % dans divers autres pays européens. L'équipe de gestionnaires en place utilise la méthode d'analyse ascendante, qui consiste en l'examen d'un titre à la fois et du potentiel de croissance de celui-ci. Les fonds spécialisés s'adressent d'abord et avant tout à l'investisseur avisé.

®nalyse du rendement

Efficacité fiscale sur 3 ans 100
Risque sur 3 ans (écart type) 20,2

ANNÉE	RENDEMENT %	QUARTILE	RENDEMENT MOYEN DE L'INDICE DE RÉFÉRENCE %
Rendement moyen, quartile et indice de référence			
3 mois	0,0	4	2,5
6 mois	16,6	1	11,4
02-03	19,8	1	7,5
01-02	-6,7	1	-13,6
00-01	-1,4	1	-19,3
99-00	8,7	2	5,8
98-99	7,1	2	8,4
97-98	28,7	2	31,7
96-97	26,3	2	33,7
95-96	16,0	3	18,5
94-95	3,4	3	13,8

PÉRIODE	RENDEMENT ANNUEL COMPOSÉ %	QUARTILE	RENDEMENT ANNUEL COMPOSÉ MOYEN DE L'INDICE DE RÉFÉRENCE %
Rendement annuel composé, quartile et indice de référence			
Depuis création	11,0		
1 an	19,8	1	7,5
2 ans	5,7	1	-3,6
3 ans	3,3	1	-9,2
4 ans	4,6	1	-5,6
5 ans	5,1	1	-3,0

DATE DE LA CRÉATION
Décembre 1999

1998-2001-2003

GESTIONNAIRES
Peak, Stephen
Stack, Andrew

® enseignements généraux

au 31 octobre 2003

⊃ Investissement minimal **500 $**
⊃ Admissibilité au REER **Oui**
⊃ Fréquence des distributions **Annuelle**
⊃ Valeur de l'actif (en millions) **661,2**
⊃ Frais de courtage
　Structure **Entrée ou sortie**
　Ratio **2,58**
　Numéro ➡ entrée **MFC 713**
　　　➡ sortie **MFC 813**
⊃ Indice de référence **Citigroup Actions européennes**

© ommentaires

Ce fonds fait partie de nos choix-vedettes pour une quatrième fois en six ans. Malgré des rendements qui semblent erratiques, dans les faits, seule l'année 2001 a été mauvaise. En effet, depuis la création de ce fonds, en septembre 1994, Stephen Peak, qui en a la responsabilité depuis le début, a obtenu une performance irréprochable. Sa propension à se concentrer sur les petites et moyennes entreprises européennes rend ce produit peu commun. Les frais de gestion sont de 2,58 %, pour une moyenne dans cette catégorie de 2,81 %. L'actif sous gestion est de 661 millions de dollars, mais il a baissé de plus de 14 % depuis les 12 derniers mois. À notre avis, les investisseurs qui délaissent ce fonds alors que la croissance semble au rendez-vous commettent une grave erreur. En effet, lorsque l'économie est en expansion, on s'attend à ce que les petites et moyennes capitalisations enregistrent de très bons rendements.

Le fonds se classe dans le troisième quartile sur un et trois ans et dans le premier sur deux et cinq ans. Son rendement annualisé sur cinq ans est de -2,2 %, alors que la médiane de sa catégorie est de -5,4 %. Pensez-y à deux fois avant de vous en départir ; de nombreuses études prouvent que les investisseurs ont tendance à acheter ou à vendre au mauvais moment.

Ⓐ nalyse du rendement

Efficacité fiscale sur 3 ans	100
Risque sur 3 ans (écart type)	21,0

Rendement moyen, quartile et indice de référence

ANNÉE	RENDEMENT %	QUARTILE	RENDEMENT MOYEN DE L'INDICE DE RÉFÉRENCE %
3 mois	3,6	2	2,5
6 mois	14,8	1	11,4
02-03	6,9	1	7,5
01-02	-11,1	1	-13,6
00-01	-35,1	4	-19,3
99-00	18,8	1	5,8
98-99	22,2	1	8,4
97-98	17,7	3	31,7
96-97	31,7	1	33,7
95-96	31,3	1	18,5
94-95	26,0	1	13,8

Rendement annuel composé, quartile et indice de référence

PÉRIODE	RENDEMENT ANNUEL COMPOSÉ %	QUARTILE	RENDEMENT ANNUEL COMPOSÉ MOYEN DE L'INDICE DE RÉFÉRENCE %
Depuis création	9,6		
1 an	6,9	1	7,5
2 ans	-2,5	1	-3,6
3 ans	-14,8	3	-9,2
4 ans	-7,5	2	-5,6
5 ans	-2,2	1	-3,0

TRIMARK EUROPLUS
Fonds d'actions européennes

DATE DE LA CRÉATION
Novembre 1997

2002-2003

GESTIONNAIRES
Jenkins, Richard
Love, Dana

ℝenseignements généraux

au 31 octobre 2003

- ○ Investissement minimal — **500 $**
- ○ Admissibilité au REER — **Max. 30 %**
- ○ Fréquence des distributions — **Annuelle**
- ○ Valeur de l'actif (en millions) — **135,2**
- ○ Frais de courtage
  Structure — **Entrée ou sortie**
  Ratio — **2,69**
  Numéro ➡ entrée — **AIM 1673**
  ➡ sortie — **AIM 1671**
  ➡ réduit — **AIM 1675**
- ○ Indice de référence — **Citigroup Actions européennes**

ℂommentaires

Figurant parmi nos fonds-vedettes pour une troisième année consécutive, ce produit se classe dans le premier quartile en tout temps sur un, deux, trois, quatre et cinq ans. Son gestionnaire, Richard Jenkins, est en poste depuis sa création, en novembre 1997. Les années 2001 et 2002 ont été difficiles pour ce fonds mais, malgré de nombreuses embûches, dont les variations du taux de change de certaines devises, il a affiché un rendement annualisé sur cinq ans de 6,6 %, par rapport à une médiane dans son groupe de -5,4 %. Au 31 août 2003, la répartition de son actif était de 15,2 % en Allemagne, 2,9 % au Royaume-Uni, 2,3 % en France et plus de 77 % dans d'autres pays européens.

Ses frais de gestion sont de 2,69 %, et son actif est de 135 millions de dollars, en hausse de 15 % depuis un an. La volatilité du fonds est assez élevée, mais l'investisseur en est bien récompensé. Le gestionnaire a tendance à choisir de bonnes positions en Europe de l'Est, un avantage pour ceux qui veulent profiter des occasions qu'offre cette partie de l'Europe.

𝔸nalyse du rendement

Efficacité fiscale sur 3 ans	88,82
Risque sur 3 ans (écart type)	24,2

ANNÉE	RENDEMENT %	QUARTILE	RENDEMENT MOYEN DE L'INDICE DE RÉFÉRENCE %
	Rendement moyen, quartile et indice de référence		
3 mois	13,8	1	2,5
6 mois	36,1	1	11,4
02-03	30,3	1	7,5
01-02	-8,7	1	-13,6
00-01	-10,6	1	-19,3
99-00	7,7	1	5,8
98-99	19,9	1	8,4

PÉRIODE	RENDEMENT ANNUEL COMPOSÉ %	QUARTILE	RENDEMENT ANNUEL COMPOSÉ MOYEN DE L'INDICE DE RÉFÉRENCE %
	Rendement annuel composé, quartile et indice de référence		
Depuis création	4,6		
1 an	30,3	1	7,5
2 ans	9,1	1	-3,6
3 ans	2,1	1	-9,2
4 ans	3,5	1	-5,6
5 ans	6,6	1	-3,0

AGF CATÉGORIE DIRECTION CHINE
Fonds de la région Asie-Pacifique

DATE DE LA CRÉATION
Avril 1994

GESTIONNAIRE
Tse, Raymond

NOUVEAU

Renseignements généraux

au 31 octobre 2003

- Investissement minimal **1 000 $**
- Admissibilité au REER **Max. 30 %**
- Fréquence des distributions **Annuelle**
- Valeur de l'actif (en millions) **58,6**
- Frais de courtage
  Structure **Entrée ou sortie**
  Ratio **3,70**
  Numéro ➡ entrée **AGF 801**
      ➡ sortie **AGF 802**
- Indice de référence **Citigroup Actions de Hong-Kong**

Commentaires

Voici un nouveau venu parmi nos choix de fonds. Comme la Chine est de plus en plus à l'ordre du jour, il nous semblait nécessaire de choisir un produit qui contienne des titres de ce pays. La création du fonds date d'avril 1994, et Raymond Tse, de la firme Normura Asset Management, en assure la gestion depuis août 2000. Ce fonds est assez petit, avec un actif sous gestion de 58 millions de dollars, lequel est cependant en hausse de plus de 267 % depuis les 12 derniers mois. Ses frais de gestion, de 3,70 %, sont très élevés, mais les fonds spécialisés sont souvent trop petits pour absorber les frais d'infrastructure qu'ils nécessitent. Sa répartition géographique est de 45 % à Hong-Kong, 8,3 % au Royaume-Uni et 7,8 % au Canada.

L'objectif visé par le gestionnaire est d'investir principalement en Chine ou dans des entreprises qui profiteront de la croissance prévue dans la région Asie-Pacifique. En date du 31 octobre 2003, le rendement du fonds est de plus de 57 % depuis les six derniers mois ; et son rendement annualisé sur cinq ans est de 13,3 %. Pour investisseurs audacieux seulement.

Analyse du rendement

Efficacité fiscale sur 3 ans	100
Risque sur 3 ans (écart type)	25,7

Rendement moyen, quartile et indice de référence			
ANNÉE	RENDEMENT %	QUARTILE	RENDEMENT MOYEN DE L'INDICE DE RÉFÉRENCE %
3 mois	18,4	-	15,4
6 mois	57,7	-	37,1
02-03	53,8	-	18,3
01-02	-12,3	-	-5,2
00-01	20,8	-	-22,3
99-00	1,6	-	13,8
98-99	12,9	-	24,7
97-98	-23,0	-	-3,6
96-97	2,7	-	-6,3
95-96	-1,8	-	30,1
94-95	-12,3	-	2,7

Rendement annuel composé, quartile et indice de référence			
PÉRIODE	RENDEMENT ANNUEL COMPOSÉ %	QUARTILE	RENDEMENT ANNUEL COMPOSÉ MOYEN DE L'INDICE DE RÉFÉRENCE %
Depuis création	13,0		
1 an	53,8	-	18,3
2 ans	16,1	-	5,9
3 ans	17,7	-	-4,5
4 ans	13,4	-	-0,2
5 ans	13,3	-	4,3

CI DYNASTIE ASIATIQUE
Fonds de la région Asie-Pacifique

DATE DE LA CRÉATION
Novembre 1993

NOUVEAU

GESTIONNAIRE
Narayanan, Nandu

Renseignements généraux

au 31 octobre 2003

⊃ Investissement minimal		**500 $**
⊃ Admissibilité au REER		**Max. 30 %**
⊃ Fréquence des distributions		**Annuelle**
⊃ Valeur de l'actif (en millions)		**16,2**
⊃ Frais de courtage		
Structure		**Entrée ou sortie**
Ratio		**3,10**
Numéro ➡ entrée		**CIG 7650**
➡ sortie		**CIG 7655**
Ú Indice de référence		**Citigroup**
		Actions de l'Asie-Pacifique

Commentaires

Ce fonds en est à sa première mention dans notre guide. Depuis octobre 2002, sa gestion est assurée par Nandu Narayanan, de la firme Trident Investment Management. Son actif sous gestion est d'à peine 16 millions de dollars, légèrement en baisse depuis un an. C'est un fonds qui investit principalement dans des entreprises dont le siège social se situe en Asie du Sud-Est et dans des pays avoisinants tels que l'Australie.

Actuellement, la répartition de l'actif est de 48% au Japon et 5,2% à Hong-Kong. Les rendements du fonds sont le reflet de ceux des principaux indices de la région : assez erratiques. Ainsi, au 31 octobre 2003, le rendement annualisé du fonds était de plus de 11% sur cinq ans mais de -0,3% sur trois ans. Une grande volatilité caractérise les fonds de cette région, mais bon, il y a quand même quelques preneurs.

Analyse du rendement

Efficacité fiscale sur 3 ans	100
Risque sur 3 ans (écart type)	13,6

Rendement moyen, quartile et indice de référence			
ANNÉE	RENDEMENT %	QUARTILE	RENDEMENT MOYEN DE L'INDICE DE RÉFÉRENCE %
3 mois	14,5	1	13,1
6 mois	29,2	3	29,4
02-03	19,4	1	14,7
01-02	1,5	1	-10,7
00-01	-18,1	1	-23,6
99-00	3,8	1	-7,8
98-99	64,3	1	48,5
97-98	-22,0	4	-6,6
96-97	-27,1	4	-17,5
95-96	4,1	3	4,1
94-95	-9,5	3	-12,7

Rendement annuel composé, quartile et indice de référence			
PÉRIODE	RENDEMENT ANNUEL COMPOSÉ %	QUARTILE	RENDEMENT ANNUEL COMPOSÉ MOYEN DE L'INDICE DE RÉFÉRENCE %
Depuis création	0,2		
1 an	19,4	1	14,7
2 ans	10,1	1	1,2
3 ans	-0,3	1	-7,8
4 ans	0,7	1	-7,8
5 ans	11,1	1	1,4

TALVEST CHINE PLUS
Fonds de la région Asie-Pacifique

DATE DE LA CRÉATION
Février 1998

GESTIONNAIRE
Chau, Peter

ℝ enseignements généraux

au 31 octobre 2003

⊃ Investissement minimal — **500 $**

⊃ Admissibilité au REER — **Max. 30 %**

⊃ Fréquence des distributions — **semestrielle**

⊃ Valeur de l'actif (en millions) — **47,1**

⊃ Frais de courtage
Structure — **Entrée ou sortie**
Ratio — **3,21**
Numéro ⇒ entrée — **TAL 050**
⇒ sortie — **TAL 051**

⊃ Indice de référence — **Citigroup Actions de l'Asie-Pacifique**

ℂommentaires

Ce fonds en est à sa première mention dans notre guide. Il est géré par Peter Chau, de TAL Global Asset Management, depuis 1998, année de sa création. Son actif sous gestion est de seulement 47 millions de dollars, ce qui est habituel pour ce type de produit, et il est en hausse de plus de 30 % depuis les 12 derniers mois. Ses frais de gestion sont de 3,21 %, ce qui est la norme pour ce genre de fonds. Le gestionnaire privilégie la Chine, Hong-Kong et Taiwan. Au moment où ces lignes ont été écrites, l'actif du fonds était réparti à 46 % à Hong-Kong, 18,3 % en Asie-Pacifique, 13,4 % en Amérique latine, 3,7 % aux États-Unis et 3,5 % au Canada.

Avec un rendement de 39,0 % sur six mois en date du 31 octobre 2003 et un rendement annualisé de 20,6 % sur cinq ans, ce fonds est très volatil. Sur une période de 12 mois, du 1er janvier 1999 au 31 décembre 1999, il a généré un rendement de plus de 200 %. Essoufflant, risqué et peut-être rentable. À vous de jouer ou non.

🅐 nalyse du rendement

Efficacité fiscale sur 3 ans	100
Risque sur 3 ans (écart type)	21,1

ANNÉE	RENDEMENT %	QUARTILE	RENDEMENT MOYEN DE L'INDICE DE RÉFÉRENCE %
3 mois	8,8	4	13,1
6 mois	39,0	1	29,4
02-03	24,1	1	14,7
01-02	-11,2	3	-10,7
00-01	-12,7	1	-23,6
99-00	44,8	1	-7,8
98-99	83,1	1	48,5

Rendement moyen, quartile et indice de référence

PÉRIODE	RENDEMENT ANNUEL COMPOSÉ %	QUARTILE	RENDEMENT ANNUEL COMPOSÉ MOYEN DE L'INDICE DE RÉFÉRENCE %
Depuis création	16,0		
1 an	24,1	1	14,7
2 ans	4,9	1	1,2
3 ans	-1,3	1	-7,8
4 ans	8,6	1	-7,8
5 ans	20,6	1	1,4

Rendement annuel composé, quartile et indice de référence

BILLETS BDC CONTRATS À TERME GÉRÉS
Fonds spécialisé

DATE DE LA CRÉATION
Août 2000

GESTIONNAIRES
Bourgeois, Robert
Hirshfeld, Fred

Renseignements généraux

au 31 octobre 2003

- ⊃ Investissement minimal **2 000 $**
- ⊃ Admissibilité au REER **Oui**
- ⊃ Fréquence des distributions **Aucune**
- ⊃ Valeur de l'actif (en millions) **13**
- ⊃ Frais de courtage
  Structure **Sortie**
  Ratio **Variable**
  Numéro ➡ sortie **TCC 102**
- ⊃ Indice de référence **Aucun**

Commentaires

Ce produit, qui fait une deuxième apparition de suite parmi nos choix vedettes, est géré par Tricycle Asset Management. Cette firme fait appel à des stratégies de placement basées sur des contrats à terme s'échangeant dans près de 50 Bourses dans le monde.

Bien qu'ils n'aient pas affiché une aussi bonne performance en 2003 que par le passé, les billets de la série N-2 offrent un rendement annualisé de 8,9 % sur trois ans. Le grand avantage de ce produit tient au fait que ses rendements et ceux des actions ou des obligations ne sont pas corrélés.

Par ailleurs, les billets comportent une garantie qui assure à l'investisseur un rendement cumulatif minimal de 8 % à leur échéance, qui est d'environ huit ans. La garantie des nouveaux billets émis par la firme Tricycle est maintenant assurée par la Commission canadienne du blé. Certains frais à la sortie s'appliquent si l'investisseur retire son capital avant terme.

Analyse du rendement

Efficacité fiscale sur 3 ans	100
Risque sur 3 ans (écart type)	12,1

Rendement moyen, quartile et indice de référence			
ANNÉE	RENDEMENT %	QUARTILE	RENDEMENT MOYEN DE L'INDICE DE RÉFÉRENCE %
3 mois	1,3	3	-
6 mois	0,9	3	-
02-03	0,6	3	-
01-02	8,2	1	-
00-01	18,7	2	-

Rendement annuel composé, quartile et indice de référence			
PÉRIODE	RENDEMENT ANNUEL COMPOSÉ %	QUARTILE	RENDEMENT ANNUEL COMPOSÉ MOYEN DE L'INDICE DE RÉFÉRENCE %
Depuis création	9,3		
1 an	0,6	3	-
2 ans	4,4	2	-
3 ans	8,9	1	-

BILLETS BLUMONT MAN MULTISTRATÉGIE
Fonds spécialisé

DATE DE LA CRÉATION
2003

GESTIONNAIRE
Man Invesments

NOUVEAU

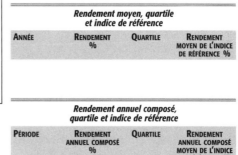

® enseignements généraux
au 31 octobre 2003

⊃ Investissement minimal	**5 000 $**
⊃ Admissibilité au REER	**Oui**
⊃ Fréquence des distributions	**Aucune**
⊃ Valeur de l'actif (en millions)	**-**
⊃ Frais de courtage	
Structure	**Sortie**
Ratio	**Variable**
Numéro ➡ sortie	**TCC 102**
⊃ Indice de référence	**Aucun**

Ⓐ nalyse du rendement

Efficacité fiscale sur 3 ans   -
Risque sur 3 ans (écart type)   -

	Rendement moyen, quartile et indice de référence		
ANNÉE	**RENDEMENT %**	**QUARTILE**	**RENDEMENT MOYEN DE L'INDICE DE RÉFÉRENCE %**

	Rendement annuel composé, quartile et indice de référence		
PÉRIODE	**RENDEMENT ANNUEL COMPOSÉ %**	**QUARTILE**	**RENDEMENT ANNUEL COMPOSÉ MOYEN DE L'INDICE DE RÉFÉRENCE %**

Ⓒ ommentaires

Ce fonds est sans aucun doute l'un des meilleurs fonds de couverture offerts au Canada. Les billets BluMont Man Multistratégie visent à générer un rendement supérieur à 10% tout en maintenant une volatilité inférieure à celle du marché des actions. Un objectif ambitieux, mais tout à fait réalisable compte tenu de la qualité de la gestion de la firme Man Investments, dont l'actif sous gestion, de 30 milliards de dollars, en fait l'un des principaux gestionnaires de fonds de couverture au monde.

Le choix des stratégies utilisées constitue l'un des points forts du produit. Les billets font appel à cinq types de placements : les contrats à terme gérés, l'arbitrage, les fonds de fonds de couverture, les titres couverts et les stratégies d'actions acheteur/vendeur. En raison des corrélations peu élevées entre ces placements, le produit est unique. De 2001 à 2003, le fonds sur lequel les billets sont modelés a obtenu un rendement annualisé de 13,2%, comparativement à -7,4% pour les actions canadiennes.

Le produit offre une garantie à échéance qui fait en sorte que les investisseurs recevront alors au minimum le capital investi. L'échéance du billet est d'approximativement 10,5 années, et certains frais à la sortie s'appliquent si l'investisseur désire retirer son capital avant un certain nombre d'années. Pour ceux qui ont des objectifs de placements à long terme.

TALVEST GLOBAL SCIENCES DE LA SANTÉ
Fonds spécialisé

DATE DE LA CRÉATION
Octobre 1996

GESTIONNAIRE
Owens, Edward P.

2000-2001-2002-2003

ℝenseignements généraux

au 31 octobre 2003

◌ Investissement minimal **500 $**

◌ Admissibilité au REER **Max. 30 %**

◌ Fréquence des distributions **semestrielle**

◌ Valeur de l'actif (en millions) **889,5**

◌ Frais de courtage
Structure **Entrée ou sortie**
Ratio **3,10**
Numéro ➡ entrée **TAL 161**
➡ sortie **TAL 162**

◌ Indice de référence **Citigroup Mondial Soins de la santé**

ℂommentaires

C'est la cinquième fois que ce fonds figure dans notre guide annuel. Il est toujours sous la responsabilité de l'excellent Edward P. Owens, de la firme Wellington Management. M. Owens compte plus de 30 années d'expérience comme analyste et gestionnaire dans le secteur de la santé. La création du fonds date du mois d'octobre 1996 déjà, ce qui en fait un vieux fonds dans le groupe des fonds spécialisés au Canada. Ses frais de gestion sont de 3,10 %, comparativement à une moyenne de 2,79 % pour sa catégorie. Son actif sous gestion est de 889 millions de dollars, en hausse de plus de 11 % depuis les 12 derniers mois. Le gestionnaire investit principalement dans des entreprises associées de près ou de loin aux soins de santé, et les titres qu'il acquiert se négocient habituellement sur le marché boursier américain. Les secteurs suivants se retrouvent dans sa mire : pharmaceutique, technologie médicale et biotechnologie.

C'est le meilleur fonds offert dans les soins de santé, et l'un des meilleurs produits dits spécialisés. Le rendement annualisé sur cinq ans est de 22,3 %, par rapport à 0,3 % pour la médiane de cette catégorie. Ce fonds se classe dans le premier quartile en tout temps sur un, deux, trois et quatre ans.

L'investisseur en a pour son argent, malgré des frais de gestion plus élevés que la moyenne du groupe. Exceptionnel.

𝔸nalyse du rendement

Efficacité fiscale sur 3 ans	33,83
Risque sur 3 ans (écart type)	13,5

	Rendement moyen, quartile et indice de référence		
ANNÉE	**RENDEMENT %**	**QUARTILE**	**RENDEMENT MOYEN DE L'INDICE DE RÉFÉRENCE %**
3 mois	-2,3	1	-5,2
6 mois	11,2	1	-0,7
02-03	5,9	1	-5,9
01-02	-11,9	1	-19,0
00-01	13,0	1	-5,5
99-00	115,4	1	24,1
98-99	20,5	-	2,7
97-98	19,1	-	41,9
96-97	16,0	-	37,5

	Rendement annuel composé, quartile et indice de référence		
PÉRIODE	**RENDEMENT ANNUEL COMPOSÉ %**	**QUARTILE**	**RENDEMENT ANNUEL COMPOSÉ MOYEN DE L'INDICE DE RÉFÉRENCE %**
Depuis création	20,9		
1 an	5,9	1	-5,9
2 ans	-3,4	1	-12,7
3 ans	1,8	1	-10,4
4 ans	22,8	1	-2,8
5 ans	22,3	-	-1,7

TRIMARK DÉCOUVERTE
Fonds spécialisé

DATE DE LA CRÉATION
Mai 1996

GESTIONNAIRES
Young, Jim
Harrop, Bruce

®enseignements généraux

au 31 octobre 2003

- Investissement minimal **500 $**
- Admissibilité au REER **Max. 30 %**
- Fréquence des distributions **Annuelle**
- Valeur de l'actif (en millions) **291,5**
- Frais de courtage
  Structure **Entrée ou sortie**
  Ratio **2,89**
  Numéro ➡ entrée **AIM 1663**
  Numéro ➡ sortie **AIM 1661**
  Numéro ➡ réduit **AIM 1665**
- Indice de référence **NASDAQ-100 $ CAN**

©ommentaires

Ce fonds, même s'il appartient à une catégorie que nous n'affectionnons pas particulièrement, fait partie de nos choix pour la troisième fois. Évidemment, malgré une bonne reprise générale du secteur, les baisses boursières des dernières années se font encore sentir. Ce fonds, qui existe depuis mai 1996 déjà, est géré par Jim Young et Bruce Harrop depuis décembre 2000. Ses frais de gestion sont de 2,89 %, par rapport à une moyenne de 2,78 % dans sa catégorie. Il se retrouve de façon constante dans le deuxième quartile sur deux, trois, quatre et cinq ans. Son actif sous gestion est de 291 millions de dollars, en hausse de 7 % depuis les 12 derniers mois.

Pourquoi ce choix ? Parce que les gestionnaires ont une approche plus conservatrice que la plupart de leurs homologues du même secteur. Le rendement du fonds est meilleur que la moyenne des produits semblables, et le risque qui y est associé est moindre. Ce fonds présente moins de risques qu'un billet de loterie, mais on peut dire qu'il est conçu pour les amateurs de sensations fortes...

Ⓐnalyse du rendement

Efficacité fiscale sur 3 ans	100
Risque sur 3 ans (écart type)	35,3

Rendement moyen, quartile et indice de référence			
ANNÉE	**RENDEMENT %**	**QUARTILE**	**RENDEMENT MOYEN DE L'INDICE DE RÉFÉRENCE %**
3 mois	2,1	4	4,0
6 mois	24,1	2	17,9
02-03	18,2	3	21,1
01-02	-31,0	2	-28,7
00-01	-53,8	1	-56,8
99-00	31,0	2	29,1
98-99	76,6	3	79,7
97-98	-0,6	4	50,3
96-97	18,8	-	42,5

Rendement annuel composé, quartile et indice de référence			
PÉRIODE	**RENDEMENT ANNUEL COMPOSÉ %**	**QUARTILE**	**RENDEMENT ANNUEL COMPOSÉ MOYEN DE L'INDICE DE RÉFÉRENCE %**
Depuis création	0,9		
1 an	18,2	3	21,1
2 ans	-9,7	2	-7,1
3 ans	-27,8	2	-28
4 ans	-16,2	2	-16,7
5 ans	-2,7	2	-2,9

BILLETS ONE FINANCIAL PORTEFEUILLE ÉTOILES
Nouveau fonds à surveiller

DATE DE LA CRÉATION
2003

GESTIONNAIRE
One financial

NOUVEAU

®enseignements généraux

au 31 octobre 2003

⊃ Investissement minimal	**2 000 $**
⊃ Admissibilité au REER	**Oui**
⊃ Fréquence des distributions	**Aucune**
⊃ Valeur de l'actif (en millions)	-
⊃ Frais de courtage	
Structure	**Sortie**
Ratio	**2,42**
Numéro ➡ sortie	**ONE 204**
⊃ Indice de référence	**Aucun**

©ommentaires

Voici un produit fait sur mesure pour les investisseurs qui désirent se simplifier la vie et avoir l'esprit tranquille. Les billets sont composés d'un mélange de cinq fonds connus : CI mondial (25 %), AGF valeur internationale (25 %), AIC ciblé américain (20 %), AIC Canada diversifié (20 %) et CI obligations canadiennes (10 %). La diversification est donc très bonne tant sur le plan géographique que sur celui du type d'investissement. Sur une période de huit ans, un portefeuille composé de ces cinq fonds aurait obtenu un rendement de 10,7 % par année. Cela aurait constitué une performance supérieure aux différents indices tels que le S&P 500 et le S&P/TSX.

Et pour permettre aux plus craintifs de bien dormir, les Billets ONE Financial Portefeuille Étoiles sont assortis d'une garantie de rendement minimal à échéance. Cette garantie assure l'obtention d'un rendement cumulatif de 7 % à terme. Pour les billets de la série 2, l'échéance se situe aux alentours de huit ans. De plus, la garantie est assurée par la société BNP Paribas, cotée AA- par Standard & Poor's.

Autre aspect intéressant de ces billets : on peut les revendre six mois après leur achat, une période relativement courte comparativement à celle qu'imposent d'autres types de billets.

®nalyse du rendement

Efficacité fiscale sur 3 ans   -
Risque sur 3 ans (écart type)   -

	Rendement moyen, quartile et indice de référence		
ANNÉE	RENDEMENT %	QUARTILE	RENDEMENT MOYEN DE L'INDICE DE RÉFÉRENCE %

	Rendement annuel composé, quartile et indice de référence		
PÉRIODE	RENDEMENT ANNUEL COMPOSÉ %	QUARTILE	RENDEMENT ANNUEL COMPOSÉ MOYEN DE L'INDICE DE RÉFÉRENCE %

Glossaire

Acceptation bancaire

Titre de crédit au porteur d'un montant déterminé pour lequel une banque engage sa signature au profit d'un client. Ce titre est vendu à escompte. Il fait partie du marché monétaire.

Achat sur marge

Achat d'une valeur mobilière réalisé en partie avec de l'argent emprunté.

Achats périodiques par sommes fixes

Placement d'un montant fixe à intervalles réguliers visant à réduire le coût moyen d'un fonds par l'acquisition de plus de parts quand les prix sont bas et de moins de parts quand les prix sont plus élevés.

Actif

Sur le plan comptable : élément de patrimoine ayant une valeur économique positive.

Sur le plan du placement : tout ce qui a une valeur commerciale ou d'échange, détenu par un individu ou une institution. L'actif est habituellement regroupé en catégories : court terme, actions ordinaires, obligations, hypothèques, immobilier, etc.

Actif sans risque

Actif dont le risque est réputé nul. Habituellement, on considère les bons du Trésor (émis par le gouvernement) comme un actif sans risque. On estime qu'il y a très peu de risques que l'emprunteur (le gouvernement) ne rembourse pas intégralement son prêt, particulièrement s'il s'agit d'un prêt pour une courte période.

Actif à court terme

Titres à revenu fixe dont l'échéance est inférieure à un an et dont la liquidité en fait des équivalents de la monnaie. Les principaux types d'actif à court terme sont les bons du Trésor, les acceptations bancaires, les papiers commerciaux et les certificats de dépôt.

Action ordinaire

Titre de participation qui représente le droit de participer au partage des éléments d'actif d'une société, à sa dissolution ou à sa liquidation, et le droit de voter aux assemblées d'actionnaires.

Action privilégiée

Type d'action accordant à son détenteur des droits particuliers : des dividendes à taux fixe, prioritaires par rapport à ceux des actionnaires réguliers, souvent cumulatifs, ainsi que des privilèges en cas de liquidation, etc. Ce type d'action peut compter des restrictions, particulièrement en ce qui concerne le droit de vote.

Analyse fondamentale

Analyse d'un titre, d'un secteur industriel ou de l'ensemble du marché qui repose sur l'étude du contexte économique.

Analyse technique

Analyse d'un titre ou de l'ensemble du marché qui repose exclusivement sur l'analyse des données publiques relatives à leur comportement antérieur, aux changements de prix, aux volumes de transactions, etc. Elle est utilisée pour prendre des décisions quant au choix du bon moment (quand entrer ou sortir du marché ? quand vendre ou acheter un titre ? quels titres choisir ?) et à la sélection des titres. Ce type d'analyse fait notamment appel à différentes techniques graphiques.

Approche ascendante

Style d'investissement qui accorde la priorité à la santé financière des entreprises considérées. L'environnement socioéconomique des entreprises à l'étude est secondaire.

Approche descendante

Style d'investissement par lequel on tient compte en priorité de l'état général de l'économie pour déterminer les secteurs économiques susceptibles de bien performer, après quoi on fait le choix des entreprises qui peuvent constituer une partie ou la totalité d'un portefeuille.

Arbitrage

Transaction par laquelle on achète et revend un titre, un bien ou une devise pour faire un profit en exploitant les différences de prix ou de taux d'intérêt dans deux marchés. L'arbitrage peut se réaliser dans l'espace (acheter à un endroit et vendre ailleurs) ou dans le temps (acheter immédiatement et vendre à terme, ou l'inverse).

Bénéfices par action

Mesure obtenue en divisant les bénéfices nets d'une entreprise par le nombre de titres en circulation.

Bêta

Cet indice du niveau de risque, ou de volatilité, est déterminé en comparant le rendement d'une part de fonds commun de placement avec celui de ses semblables ou avec des indices boursiers.

Bons de souscription

Instrument financier donnant le droit d'acheter un ou plusieurs titres à un prix déterminé (le prix d'exercice) jusqu'à une date d'échéance.

Bons du Trésor

Titre d'emprunt à court terme émis par l'État.

Bourse

Organisme qui fournit un lieu, des installations ainsi qu'un soutien technique grâce auxquels des acheteurs et des vendeurs, au moyen d'un mécanisme d'enchères, peuvent négocier des titres dans le respect de certaines règles.

Capital

Fonds disponibles pour l'investissement.

Capitalisation boursière

Valeur totale des actions d'une compagnie cotée à la Bourse.

Certificat de dépôt

Titre à revenu émis par une banque, qui comporte un versement périodique d'intérêt, dont l'échéance dépasse rarement cinq ans et qui est habituellement remboursable avant l'échéance.

Certificat de dépôt garanti

Titre à revenu émis par une banque, qui comporte un versement périodique d'intérêt, dont l'échéance varie de 30 jours à 5 ans et qui est habituellement non remboursable avant l'échéance.

Commission de suivi

Paiement périodique que le gestionnaire du fonds verse au courtier pour ses services d'intermédiaire.

Conseiller en placement

Conseiller financier auprès d'un fonds commun de placement ; il peut aussi être un administrateur de fonds communs de placement.

Conseiller financier

Particulier qui vend ses conseils en placement.

Contrarian

Investisseur ou gestionnaire dont les décisions d'investissement et de placement sont contraires à la majorité des investisseurs et des gestionnaires.

Contrat à terme

Contrat standardisé par lequel l'acheteur ou le vendeur s'engage à vendre ou à acheter une certaine quantité d'un bien à une date déterminée et à un prix fixé à l'avance.

Coupon

Partie détachable d'un certificat d'obligation qui donne droit au porteur au paiement d'un montant d'intérêt spécifié, lorsqu'il est détaché et présenté à une banque à partir de sa date d'échéance.

Courbe des taux d'intérêt ou courbe de rendement

Graphique permettant d'établir une relation entre le taux de rendement d'une obligation et son échéance. Il s'agit d'une représentation graphique de la structure à terme des taux d'intérêt.

Courbe inversée

On parle de courbe inversée lorsque la courbe des taux de rendement à l'échéance est descendante, c'est-à-dire lorsque les taux à court terme sont plus élevés que les taux à moyen et à long terme.

Courbe normale de taux

Habituellement, la courbe des taux de rendement à l'échéance est ascendante, les taux à court terme étant moins élevés que les taux à moyen et à long terme ; on parle, alors, de courbe normale.

Cours

Prix auquel une action ou une obligation se transige.

Cours acheteur

Le prix le plus élevé qu'un acheteur est disposé à payer pour un titre.

Cours vendeur

Le prix le plus bas qu'un vendeur est disposé à accepter pour un titre.

Courtier en valeurs mobilières

Mandataire qui agit soit à la vente, soit à l'achat de titres pour le compte de membres du public dont il reçoit les ordres. Il est normalement rémunéré par un courtage.

Crédit d'impôt

Montant qui peut être déduit de l'impôt à payer.

Crédit d'impôt pour dividendes

Crédit d'impôt accordé aux épargnants qui gagnent des revenus de dividendes provenant de sociétés à contrôle canadien.

Cycle boursier

Période au cours de laquelle la valeur moyenne des titres d'un marché boursier, mesurée par le comportement d'un indice de référence à partir d'un creux, connaît une période de hausse, atteint un sommet, puis redescend.

Cycle économique

Période au cours de laquelle l'activité économique mesurée par le produit national brut passe d'une période de creux à une période de reprise (d'expansion), de sommet, puis de ralentissement (récession).

Débenture

Obligation qui n'est pas garantie par le nantissement de biens, mais par le crédit général de la société émettrice.

Dépositaire

Établissement financier, habituellement une banque ou une société de fiducie, qui garde en sécurité les valeurs mobilières et l'argent comptant d'une société de placement.

Distribution

Paiement versé par un fonds commun de placement, provenant du revenu ou des gains en capital réalisés à la vente des titres de portefeuille. Le détenteur va normalement choisir soit de recevoir le versement de distribution au comptant, soit de le réinvestir dans des parts additionnelles du fonds. Si les distributions sont versées dans le cadre d'un régime enregistré, il faut les réinvestir.

Diversification

Principe de gestion qui consiste à répartir les placements entre différentes catégories de titres, d'émetteurs, de régions ou d'échéances, afin de réduire le risque global du portefeuille. Une bonne diversification améliore le rapport risque-rendement. Autrement dit, elle permet de diminuer le degré de risque couru, pour un même niveau de rendement espéré.

Dividende

Paiement versé aux actionnaires d'une société à l'égard d'actions qu'ils détiennent. Les dividendes peuvent être payés en espèces, sous forme d'actions additionnelles ou de biens.

Écart type

L'écart type est une mesure statistique égale à la racine carrée de la variance. Il sert à mesurer la dispersion d'une série de rendements périodiques autour de leur moyenne. Dans le domaine du placement, il sert à mesurer le degré de risque d'un investissement ; un écart type élevé signifie que les fluctuations du rendement sont importantes.

Échéance

Date à laquelle le remboursement d'un emprunt (titre de court terme, obligation, hypothèque, etc.) devient exigible et doit être honoré.

Effet de levier

Possibilité offerte par certains produits ou certaines techniques financières de multiplier les possibilités de gains ou de pertes pour un même investissement initial. Les options et les contrats à terme offrent un grand effet de levier, de même que la vente à découvert ou l'achat sur marge.

Escompte (à)

Titre vendu à un montant inférieur à sa valeur nominale, par exemple les bons du Trésor.

Facteur d'équivalence

Ce facteur, qui est égal aux crédits de pension accumulés pendant l'année dans le cadre d'un régime de pension agréé ou d'un régime de participation différée aux bénéfices, contribue au calcul de la cotisation REER maximale du contribuable.

Fiduciaire

Dans le cas d'une fiducie de fonds communs de placement, il s'agit de l'entité qui détient l'actif d'un tel fonds en fiducie pour le compte des porteurs de parts. Dans le cas d'un régime enregistré, il s'agit de l'entité qui détient l'actif d'un régime en fiducie pour le compte des bénéficiaires et qui est chargée d'administrer le régime conformément à ses directives et aux lois en vigueur.

Fiducie

Acte par lequel une personne transfère des biens de son actif à une autre : le fiduciaire. Ce dernier s'oblige à détenir et à administrer ces biens pour le compte et à l'avantage d'un bénéficiaire désigné.

Fonds de revenu

Fonds commun de placement qui investit principalement dans des valeurs à revenu fixe telles que les obligations, les titres hypothécaires et les actions privilégiées. L'objectif principal est de générer un revenu tout en préservant le capital des investisseurs.

Fonds commun de placement

Fonds constitué de sommes mises en commun par des épargnants en vue d'un placement collectif et dont la gestion est assurée par un tiers qui doit, sur demande, racheter les parts à leur valeur liquidative. La valeur des titres sous-jacents influe sur le prix courant des parts des fonds. Souvent appelé *fonds mutuel*.

Fonds commun de placement à capital fixe

Fonds commun de placement qui émet un nombre fixe de parts.

Fonds commun de placement à capital variable

Fonds commun de placement qui émet et rachète continuellement des parts, de sorte que le nombre de parts en circulation varie d'un jour à l'autre. La plupart des fonds sont à capital variable.

Fonds d'actions

Fonds commun de placement composé essentiellement d'actions ordinaires.

Fonds d'obligations

Fonds commun de placement composé essentiellement d'obligations.

Fonds de dividendes

Fonds commun de placement qui investit dans les actions ordinaires de premier rang (qui rapportent en général des dividendes réguliers à des taux supérieurs à la moyenne) et dans des actions privilégiées.

Fonds de fiducies de revenu

Fonds commun de placement qui investit dans des parts de fiducies de revenu. Il existe trois grandes catégories de fiducies de revenu : les fiducies de redevance (*royalty trust*), qui sont basées sur les redevances régulières que procurent des propriétés de ressources naturelles ; les fiducies immobilières (REITS), dont le revenu provient de la location de propriétés immobilières ; et les fiducies de longue durée (*business trust*), qui procurent des revenus en intérêts et dividendes provenant d'entreprises ayant des spécialités très diverses.

Fonds de placements hypothécaires

Fonds commun de placement qui investit dans les prêts hypothécaires. Le portefeuille d'un fonds de cette catégorie est habituellement composé de prêts hypothécaires de premier rang sur des propriétés résidentielles au Canada, quoique certains fonds investissent aussi dans des prêts hypothécaires commerciaux.

Fonds de placements immobiliers

Fonds commun de placement composé essentiellement d'immeubles résidentiels ou commerciaux, ou des deux, afin de rapporter du revenu et des gains en capital.

Fonds du marché monétaire

Fonds commun de placement qui investit principalement dans les bons du Trésor et autres titres à court terme à faible risque.

Fonds enregistré de revenu de retraite (FERR)

Une des possibilités offertes au titulaire d'un REER qui liquide son régime. Le FERR fournit un revenu annuel.

Fonds équilibré

Fonds commun de placement dont la politique de placement vise à bâtir un portefeuille équilibré composé d'obligations et d'actions.

Fonds indiciel

Fonds commun de placement dont le portefeuille est modelé sur celui d'un indice boursier particulier, l'objectif étant de reproduire le comportement général du marché où le fonds investit.

Fonds international

Fonds commun de placement qui investit dans les valeurs mobilières d'un certain nombre de pays.

Fonds spécialisé

Fonds commun de placement qui concentre ses placements dans un secteur particulier de l'industrie ou de l'économie, ou encore dans une région choisie.

Frais d'acquisition

Frais ajoutés au coût d'acquisition des parts de fonds communs de placement.

Frais de gestion

Somme payée au conseiller ou au gestionnaire de la société de fonds communs de placement pour en assurer l'administration et pour faire le suivi de son fonds.

Frais de rachat

Frais perçus lors de la rétrocession de parts d'un fonds commun de placement.

Frontière efficace
Méthode mise au point par Markowitz pour déterminer les combinaisons de types d'actif qui produisent les meilleurs rapports risque-rendement.

Gain de capital
Profit sur un investissement égal à la différence entre son prix de vente et son prix d'acquisition. Le gain de capital n'est réalisé qu'au moment de la vente. On peut l'estimer en faisant la différence entre la valeur marchande et le prix d'acquisition. On parle alors de l'appréciation du capital.

Indicateurs économiques
Mesures statistiques établies pour estimer et prévoir l'évolution de l'activité économique.

Indice boursier
Instrument de comparaison servant à mesurer l'évolution d'un marché de valeurs boursières.

Indice Dow Jones
Moyenne des prix des 30 plus gros titres (*blue chips*) de la Bourse de New York. C'est le plus ancien indice connu ; il demeure l'un des indices les plus suivis du marché américain.

Indice NASDAQ composé
Indice général du marché au comptoir des titres américains transigés sur le réseau de la National Association of Securities Dealers. Il regroupe des titres importants du secteur de la haute technologie.

Indice Standard & Poor's 500
Indice constitué de 500 titres de la Bourse de New York. Ces titres représentent environ 75 % de la capitalisation totale de la Bourse de New York. Considéré comme l'indice le plus représentatif du marché américain, il est la principale référence pour mesurer la performance des gestionnaires dans ce marché.

Indice S&P/TSX
Indice de la Bourse de Toronto, construit à partir de plus de 200 titres canadiens. C'est le principal indice de référence du marché boursier canadien.

Indice des prix à la consommation

Instrument de comparaison mesurant l'évolution du coût de la vie pour les consommateurs. Il sert à mettre en lumière les hausses de prix, c'est-à-dire l'inflation.

Inflation

Hausse du prix des biens et services. Au Canada, l'inflation est mesurée par l'indice des prix à la consommation ainsi que par de nombreux autres indices spécialisés.

Intérêt

Paiement servi au prêteur par l'emprunteur pour l'usage de son argent. Une société par actions paie de l'intérêt aux détenteurs de ses obligations.

L'Institut des fonds d'investissement du Canada (IFIC)

Association professionnelle de l'industrie mise sur pied pour servir ses membres, coopérer avec les organismes de réglementation et protéger les intérêts du public qui place ses capitaux dans des fonds communs de placement.

Liquidité

Propriété d'un titre de pouvoir être écoulé facilement et rapidement dans un marché sans variation significative de sa valeur.

Loi sur les valeurs mobilières

Loi provinciale régissant les activités de prise ferme, de distribution et de vente des valeurs mobilières.

Marché baissier (*bear market*)

Période au cours de laquelle la valeur moyenne des titres d'un marché, mesurée par un indice de référence, est à la baisse. Habituellement, on considère baissière toute période de baisse d'au moins 20 % suffisamment prolongée.

Marché émergent

Pays, ou groupe de pays, qui a récemment adopté une économie fondée sur la libre entreprise accessible aux investisseurs étrangers.

Marché haussier (*bull market*)

Période au cours de laquelle la valeur moyenne des titres d'un marché, mesurée par un indice de référence, est à la hausse. Habituellement, on considère haussière toute période de hausse d'au moins 20 % suffisamment prolongée.

Marché monétaire

Partie du marché des capitaux où se négocient les effets à court terme tels que les bons du Trésor, le papier commercial et les acceptations bancaires.

Marge

Montant de couverture versé à un courtier par un client qui lui demande d'acheter pour lui des titres à crédit ou d'effectuer d'autres transactions financières (ventes à découvert, options, contrats à terme...).

Mesure de Sharpe

Ratio qui indique le rendement en fonction du risque. Plus la mesure de Sharpe est élevée, plus le risque a été récompensé.

Momentum (stratégie de)

1. Stratégie qui consiste à miser sur les titres qui ont connu les meilleurs rendements sur le marché à court terme.

2. Stratégie qui consiste à miser sur les compagnies qui ont connu la meilleure croissance des bénéfices par action.

Dans le premier cas, on peut parler de stratégie de *momentum* des cours alors que, dans le deuxième, il est question de stratégie de *momentum* des bénéfices.

Obligation

Titre qui représente un emprunt contracté par l'État ou par une société pour une durée et un montant déterminés.

Obligation à long terme

Obligation dont l'échéance est à plus de 10 ans.

Obligation à moyen terme

Obligation dont l'échéance se situe entre 5 et 10 ans.

Obligation à court terme

Obligation dont l'échéance se situe entre un et cinq ans.

Obligation à coupons détachés

Obligation qui ne rapporte aucun intérêt, mais qui est initialement vendue au-dessous du pair.

Option

Contrat qui donne à son détenteur la possibilité d'acheter (*call*) ou de vendre (*put*) un bien ou un produit financier, à des conditions déterminées à l'avance, pendant une période donnée. Les options sont de type européen lorsqu'elles ne peuvent être exercées qu'à l'échéance, et de type américain lorsqu'elles peuvent l'être à tout moment jusqu'à l'échéance.

Perte en capital

Perte résultant de la disposition d'un bien à un prix inférieur à son coût d'achat.

Point de base

Un centième de un pour cent (0,01 %).

Politique budgétaire

La politique que poursuit le gouvernement dans la gestion de l'économie en exerçant son pouvoir de dépenser et son pouvoir de taxer.

Portefeuille

Regroupement de placements détenus par un particulier, par un établissement ou par un fonds commun de placement.

Prime de risque

Compensation additionnelle demandée par un investisseur, au-dessus du taux sans risque, pour le risque encouru en investissant son capital. Plus le risque est élevé, plus la prime est élevée.

Produits dérivés

Produits financiers dont la valeur est fondée sur celle d'un bien ou d'un titre sous-jacent. Les principaux produits dérivés sont les options et les contrats à terme.

Prospectus

Document juridique qui présente de l'information importante que les investisseurs devraient connaître au sujet d'un fonds commun de placement avant d'y investir.

Prospectus simplifié
Prospectus abrégé et simplifié distribué par les organismes de placement collectif aux acheteurs de parts.

Rapport annuel
Rapport officiel envoyé par toute société de fonds communs de placement aux détenteurs, lequel fait part de la situation financière du fonds.

Ratio cours-bénéfice
Ratio calculé en divisant le cours d'une action par le bénéfice courant par action. Pour calculer le bénéfice par action, on divise les bénéfices des 12 derniers mois par le nombre total d'actions ordinaires en circulation. Un plus haut ratio cours-bénéfice est le résultat d'une anticipation de croissance future élevée.

Ratio cours-valeur comptable
Ratio calculé en divisant le cours d'une action par la valeur comptable. La valeur comptable équivaut à l'actif total moins le passif total.

Ratio cours-marge brute
Ratio calculé en divisant le cours d'une action par le flux des liquidités (*cash flow*). Le *cash flow* mesure les liquidités que génère une entreprise pour financer sa croissance, pour rembourser ses dettes ainsi que pour payer ses actionnaires.

Ratio cours-vente
Ratio calculé en divisant le cours d'une action par le total des ventes.

Ratio des frais de gestion
Le ratio des frais de gestion correspond au total des frais de gestion et des frais d'exploitation imputables directement au fonds au cours du dernier exercice ; le ratio s'exprime en pourcentage de l'actif total moyen du fonds.

Ratio valeur aux livres
Rapport entre la valeur aux livres et la valeur au marché (valeur marchande) d'un titre.

Régime enregistré d'épargne-études (REEE)

Régime qui permet au cotisant d'accumuler des capitaux, en bénéficiant d'un report de l'impôt, afin que le bénéficiaire puisse couvrir les coûts de ses études post-secondaires.

Régime enregistré d'épargne-retraite (REER)

Régime de retraite permettant à un particulier, jusqu'à l'âge de 69 ans, de différer le paiement d'impôts tout en lui facilitant le placement de sommes en vue de la retraite, sous réserve de certaines limites. Ces sommes sont déductibles du revenu imposable et peuvent croître grâce à l'accumulation des intérêts composés en franchise d'impôt.

Rendement du dividende

Indique le dividende annuel versé par une entreprise. Les rendements de dividende faibles sont associés aux titres croissance tandis que les rendements de dividende élevés sont associés aux titres valeur conservateurs.

Rendement des capitaux propres

Ratio de rentabilité qu'on mesure en divisant le bénéfice net par les capitaux propres. Permet de mesurer l'efficacité de l'utilisation du capital des actions par l'entreprise pour générer des profits.

Rendement nominal

Rendement qui ne tient pas compte de l'inflation

Rendement réel

Rendement dont on a enlevé l'effet de l'inflation.

Répartition de l'actif

Répartition de l'allocation des fonds d'un portefeuille entre les différentes catégories d'actif.

Risque

Possibilité qu'un investisseur perde, en tout ou en partie, le capital investi et le revenu qu'il génère.

Société d'investissement à capital fixe

Société de placement qui émet un nombre fixe de parts.

Société d'investissement à capital variable

Société de fonds communs de placement qui émet et rachète continuellement des parts, de sorte que le nombre de parts en circulation varie d'un jour à l'autre. La plupart des fonds sont à capital variable.

Société de fonds communs de placement

Société de placement collectif qui émet des actions non transférables et qui est tenue de les racheter à leur valeur liquidative lorsqu'un détenteur de parts le demande. Souvent appelée *société de fonds mutuels*.

Société de gestion

Entité, au sein d'un fonds commun de placement, responsable des placements du fonds ou de la gestion du fonds, ou de ces deux aspects. La rémunération de la société est fondée sur un pourcentage de l'actif total du fonds.

Solvabilité

Évaluation de la probabilité d'un emprunteur à respecter ses engagements financiers.

Taux d'escompte

Taux auquel la Banque du Canada accorde des prêts à court terme aux banques à charte et aux autres établissements financiers.

Titre étranger

Titre émis par un gouvernement étranger ou par une société constituée en vertu des lois du pays en question.

Tolérance au risque

La capacité à supporter la volatilité de la valeur d'un placement. Le tempérament, l'horizon de placement et la situation financière déterminent la tolérance au risque.

Valeur intrinsèque

La valeur intrinsèque d'un actif est sa valeur économique.

Valeur liquidative

La valeur marchande totale de tout l'actif d'un fonds commun de placement moins son passif. Pour calculer la valeur par part, on divise la valeur liquidative par le nombre de parts que détiennent les investisseurs. La plupart des grands journaux publient le prix par part dans leur section portant sur les fonds communs de placement.

Valeur marchande

Valeur d'un titre au prix du marché. La valeur marchande fluctue constamment et peut être différente de la valeur intrinsèque.

Vente à découvert

Vente d'un titre que l'on ne possède pas (emprunté par l'intermédiaire d'un courtier) dans l'espoir que le prix chute.